Ymlaen â'r Gân

STORÏAU POBL Â DEMENTIA

GRAHAM STOKES

y lolfa

Addaswyd gan Bethan Mair 2019

Dymuna'r cyhoeddwyr gydnabod cymorth ariannol Cyngor Llyfrau Cymru

Llun yr awdur: Chris Wood

ISBN: 978-1-78461-804-9

Cyhoeddwyd gyntaf ym Mhrydain yn 2008 gan
Hawker Publications Ltd, Culvert House,
Culvert Road, Llundain SW11 5DH

Cyhoeddwyd gyntaf yng Nghymru yn 2019 gan
Y Lolfa Cyf., Talybont, Ceredigion SY24 5HE
gwefan www.ylolfa.com
e-bost ylolfa@ylolfa.com
ffôn 01970 832 304
ffacs 832 782

Cynnwys

Rhagair

gan Barbara Pointon

Cyn bo hir, bydd dementia'n cyffwrdd â phob teulu yn y wlad. P'un a oes gennych chi ddementia, neu a ydych chi'n weithiwr proffesiynol, yn aelod o'r teulu neu'n gyfaill, rhaid i chi ddarllen y llyfr hwn.

Yr hyn a oedd anoddaf i mi wrth ofalu am fy ngŵr Malcolm oedd y cyfnod o geisio dygymod ag ymddygiad dryslyd, oedd weithiau'n ddim llai na hollol od, ac yn annodweddiadol o dreisgar. Fel nifer o bobl eraill yn y llyfr hwn, credwn ar y dechrau, yn hollol annheg, ei fod yn ceisio sylw, neu'n fwriadol bryfoclyd. Rhois y bai am hyn ar y dementia, am achosi newid yn ei bersonoliaeth. Pe bawn i wedi cael y llyfr hwn yn fy llaw bryd hynny, byddwn wedi deall yn well o lawer achos ei ymddygiad rhyfedd, a byddwn wedi gwneud sawl peth yn wahanol, er lles y ddau ohonom.

Drwy gyfrwng 22 stori deimladwy am bobl go iawn mewn amgylchiadau go iawn, mae Graham Stokes yn rhoi sawl cipolwg hynod sensitif a diddorol i ni ar yr hyn sy'n aml yn ymddangos i ni fel byd wyneb i waered dementia. Fel ditectif craff yn deall cliwiau (sydd yn aml o'r golwg ers amser maith) mae'n graddol ddatguddio'r rhesymau sy'n llechu y tu ôl i ymddygiad neu emosiynau unigolyn, ac ar amrantiad, mae popeth yn gwneud synnwyr. Mae hi'r un mor bwysig fod y ddealltwriaeth newydd hon yn rhoi allwedd hanfodol i ofalwyr i'w helpu i ddyfeisio ffyrdd dychmygus a llwyddiannus o ddelio â'r sefyllfa. A thrwy'r cyfan mae agwedd feddylgar a pharchus Dr Stokes at yr un sydd â dementia ac aelodau ei deulu yn wers ynddi ei hun.

Thema bwysig arall sy'n rhedeg fel llinyn drwy'r gyfrol yw gofal sy'n llawn bwriadau da ond sy'n hollol anaddas ac weithiau'n ddrwg. Dewch i gwrdd â byd niweidiol rheoli (ac rwy'n cyfaddef mor hawdd yw camu dros y ffin denau honno rhwng gofalu a rheoli), byd glynu wrth drefniadau caeth, byd osgoi risg, byd amgylchedd nad yw'n helpu, byd gorawydd i ragnodi tawelyddion neu estyn amdanyn nhw, byd beio popeth ar y dementia, byd gofalu mecanyddol, byd un maint i bawb.

Ac eto, dro ar ôl tro, neges glir yr awdur yw bod pawb yn unigryw ac yn parhau'n driw iddo'i hun. Mae'r awdur hefyd yn dangos sut mae newid calonnau a meddyliau'r rhai sy'n darparu gofal yn gallu arwain at ofal gwirioneddol bersonganolog. Mae ennill gwybodaeth a dealltwriaeth well am y ffactorau sy'n dylanwadu ar ymddygiad ac emosiynau yn trawsnewid agweddau ac yn meithrin mwy o sensitifrwydd, meddylgarwch a chydymdeimlad at yr unigolyn.

Dyna i chi newyddion da i'r sawl sydd â dementia, ac i'w deulu a'i ofalwyr proffesiynol, yn y cartref neu mewn cartrefi gofal. Efallai y byddan nhw'n gweld bod y rhan hon o'u gwaith yn rhoi llai o straen arnyn nhw ac yn cael eu hannog i barhau i ofalu. A daw'r byd ehangach yn ddoethach am yr hyn mae byw gyda dementia yn ei olygu.

Mae gan bob stori ingol gymaint i'w ddysgu i ni. Dyma lyfr a fydd yn newid bywydau.

Cyflwyniad

Datblygodd *Ymlaen â'r Gân* o ddymuniad cynyddol ar fy rhan i ddweud rhagor. Rai blynyddoedd yn ôl fe ysgrifennais gydnabyddiaeth yn cyflwyno llyfr i'r dynion a'r menywod â dementia y bu'n fraint i mi gwrdd â nhw. Roeddwn yn gwerthfawrogi'r amser roedden nhw wedi'i roi i rannu eu profiadau a sôn am eu bywydau a sut roeddem ni wedi wynebu sawl her ac ambell rwystredigaeth. Dyma bobl a oedd wedi helpu i newid yn llwyr ein dealltwriaeth o ddementia. Nid mewn labordy y datgelwyd nad yw niwropatholeg yn esbonio popeth ac nad yw wedi gwneud hynny erioed. Nid oedd yn gynnyrch datgeliad meddygol cain – daeth i'r fei drwy werthfawrogi ymdrechion pobl a oedd yn ceisio byw eu bywyd yn wyneb clefydau ofnadwy yn eu hymennydd a oedd yn graddol ddinistrio'u gallu i gofio, siarad, deall a rhesymu.

Mae'r hyn y daethpwyd i'w adnabod fel model 'person-ganolog' dementia yn seiliedig ar brofiadau pobl a oedd heb syniad o gwbl y byddai cyflwr a fyddai'n difrodi eu bywydau yn effeithio arnyn nhw ryw ddiwrnod. Ni fyddai'n rhaid i chi droi'r cloc yn ôl ragor nag ychydig o flynyddoedd i ddod o hyd i rywun a oedd yr un peth â ni ym mhob ffordd, yn mwynhau'r un pleserau â ni, yn wynebu'r un heriau pob dydd â ninnau, yn hollol anymwybodol o'r ffaith y bydden nhw ymhen byr o dro yn cael diagnosis o ddementia. Doedden nhw ddim wedi gwneud dim byd o'i le, doedden nhw ddim yn ei haeddu, a doedden nhw ddim yn anarferol mewn unrhyw ffordd. Roedden nhw'n union fel chi a fi ac yna, mewn rhyw fodd anesboniadwy, cawson nhw eu taro gan ddementia. Llyfr am y bobl hynny yw'r gyfrol hon. Straeon am bwy oedden nhw, pwy ydyn nhw o hyd, a'r anawsterau maen nhw wedi'u hwynebu. Straeon anghyffredin i ryfeddu am bobl gyffredin.

Fe ddes i ar draws Grace, Colin, Mrs S, Patrick, Sylvia, Jack a phob un o'r bobl yr adroddir eu stori yn y llyfr hwn mewn sawl lleoliad amrywiol – yn yr ysbyty, yn eu cartrefi'u hunain, mewn cartrefi preswyl neu ganolfannau dydd. Fe ddes i adnabod rhai ohonyn nhw drwy eu teuluoedd a'u gofalwyr, ac fe ddes i adnabod eraill ar ôl iddyn nhw gael eu cyfeirio at fy nghlinig. Fe ddes i adnabod un ohonyn nhw o'r tu hwnt i'r bedd, hyd yn oed! Mewn rhai achosion, roeddwn yno yn y dyddiau cynnar wrth i fân newidiadau anesboniadwy gyflymu ac achosi gofid cynyddol. Fe ddes i'n hwyr yn achos eraill ac yno'n unig pan oedd eu salwch wedi mynd i'r eithaf a hwythau prin yn deall fy ngeiriau. O fewn eiliadau i'w gadael, ni fyddwn i erioed wedi bodoli iddyn nhw.

Mae gan *Ymlaen â'r Gân* dair adran. Mae'r gyntaf, 'O ddechreuadau i ddiweddglo', yn adrodd straeon chwech o bobl yn nyddiau cynnar eu dementia. Dyma adeg pan fydd gofidiau'n dechrau magu ac arswyd llwyr yn datblygu'n raddol. Ond mae hefyd yn gyfnod o weithredoedd dynol sy'n dyst i gryfder a gwroldeb yr ysbryd dynol, o ddod wyneb yn wyneb â'r hyn roedd un ohonyn nhw'n ei alw 'y peth dementia yma'. Mae 'Heriau fel ffenestri' yn edrych ar yr hyn sy'n gwneud pobl yn unigryw. Yn y straeon gwelwn sut yr aeth eu hymdrechion i fod yn driw iddyn nhw'u hunain â nhw ar hyd llwybrau a'u harweiniodd at gael eu hystyried yn heriol, a hwythau'n ymddwyn mewn ffyrdd mor estron ac od nes peri i bobl eu gweld fel dieithriaid, gan ymestyn ewyllys da pobl eraill hyd at dorri. Mae'r rhan olaf, 'Y da, y drwg a'r diddrwg-didda', yn ddigalon ac yn ddyrchafol ar yr un pryd. Digalon oherwydd yr ansensitifrwydd sy'n wynebu pobl â dementia yn aml wrth iddyn nhw ddod yn fwyfwy bregus ac yn fwyfwy dibynnol ar bobl eraill i dawelu'u meddwl a rhoi rheswm iddyn nhw fyw. Dyrchafol pan fydd tosturi a chreadigrwydd yn danbaid fel coelcerth a bywydau pobl â dementia yn cael gwerth a pharch. Mae'r rhain, yn eu tro, yn arwain at drawsnewid y bywydau hynny. O ganlyniad, nid yw'r adran hon yn brin o'r emosiwn dynol hwnnw sy'n gofyn ac yn disgwyl cymaint – gobaith, oherwydd bod cipolwg ar yr hyn sy'n bosibl gerllaw bob amser. Roedd angen dyfalbarhad ac ymroddiad i ddeall byd mewnol toredig y bobl a oedd yn wynebu gwewyr anghredadwy ar adegau.

Rwy'n gobeithio y bydd y straeon hyn yn dod â phrofiadau'r bobl ryfeddol hyn yn fyw. Rydym ni, fel nhw, i gyd yn unigolion cymhleth a diddorol dros ben. Ac yn hynny y mae gwers i bob un ohonom. Nid oedd yr un o'r rhain yn gwybod eu ffawd. Ni wyddai'r un ohonyn nhw beth oedd ar fin digwydd iddyn nhw. Pan gwrddais i â nhw neu ar yr adegau hynny pan oedd y dementia wedi'u dinistrio'n llwyr, eu normalrwydd a wnaeth argraff arnaf i wrth imi glywed eu straeon. Felly pwy o'n plith ni fydd yn cychwyn ar yr un daith? Un diwrnod, fe allai'r straeon hyn fod yn eiddo i ni.

Graham Stokes, Ionawr 2008

RHAN I

O ddechreuadau i ddiweddglo

'Cyhoedder hanesion o'r fath, boed yn amlinelliadau ai peidio. Dyma fyd sy'n llawn o ryfeddod.'

A R Luria

1

'Mae angen fy rhestr arna i...'

Roedd Grace yn wraig nodedig. Nid i'r byd ehangach, efallai, ond yn bendant felly i'w gŵr a'i meibion. Roedd ei ffrindiau'n edmygu sut y bu iddi annog ei gŵr Phil, ffitiwr nwy ar un adeg, i gyflawni ei uchelgais i redeg ei fusnes ei hun. Gallai droi ei law at unrhyw beth ymarferol a thros y blynyddoedd roedd wedi adnewyddu ac ymestyn eu bwthyn. Grace oedd yr un a ddywedodd, 'Gwna fe. Rwyt ti wedi cael llond bol. Rwyt ti'n gwybod dy fod ti eisiau gweithio i ti dy hun. Beth yw'r peth gwaetha a allai ddigwydd? Dod i ddeall nad wyt ti'n fawr o ddyn busnes. Fyddai hynny ddim yn ddiwedd y byd. Fe fydd yna swydd i ti bob amser.' Felly, wedi'i rymuso â'r wybodaeth fod gan Grace ffydd ynddo, cafodd Phil yr hyder i sefydlu'i gwmni adeiladu ei hun.

Y peth gwaethaf a ddigwyddodd oedd bod y busnes, yn y dyddiau cynnar – cyfnod rhy hir, cytunai'r ddau – yn araf yn ffynnu. Bu'n rhaid i Grace weithio'n rhan-amser mewn archfarchnad yn ogystal â magu eu dau fab a oedd, yng ngeiriau'r bobl leol, yn ddau 'rapsgaliwn annwyl'. Daeth i wybod hefyd nad oedd Phil ymhlith y mwyaf trefnus pan ddôi'n fater o waith papur. Ac nid oedd yn un da am ddweud na, chwaith. Yn aml, byddai ganddo ormod o waith ar y gweill ar yr un pryd, i'r fath raddau fel bod yn rhaid i anfonebau, sieciau a ddylai fod yn eu cyfrif ac nid mewn amlen, archebion am ddeunyddiau, biliau i'w talu a galwadau i'w dychwelyd, ofalu amdanyn nhw'u hunain.

Grace oedd yr un a gamodd i'r adwy. Hi greodd y swyddfa, ei rheoli a gwneud yn siŵr fod Phil yn rhydd i wneud y peth y gallai ei wneud orau – adeiladu, yn ogystal â threfnu. Roedd hi wedi gweld nad oedd ei gŵr yn fawr o ddyn busnes. Ond fyddai dim difaru. Camodd i'r bwlch a dod yn arwr tawel a wnâi'n siŵr fod popeth yn rhedeg fel watsh, yn union fel y gwnaeth wrth fagu'r meibion. Dywedodd wrthyn nhw y byddai amser yn dod pan na fydden nhw'n cael eu hystyried yn ddim ond bechgyn direidus ac oni bai eu bod nhw'n gwella'u ffordd, y byddai'n anodd i rai faddau iddyn nhw mor hawdd. Gwrandawodd y ddau a dysgu ambell wers anodd. Bellach, yn 17 ac yn 19 oed, dechreuodd y ddau weithio i'w tad. Tra oedd dynion y teulu'n adeiladu â brics a morter, roedd Grace wedi adeiladu ei theulu ar ei delw ei hun – gofalgar, diwyd a phenderfynol.

Nid oedd Phil yn gallu dweud yn union pryd roedd yn gwybod ond yn raddol, gwawriodd arno nad oedd pethau fel y dylen nhw fod. Roedd biliau heb eu talu ar hyd y lle, sieciau heb eu talu i'r banc bob amser a llythyrau heb eu hagor. Roedd Phil yn methu dod o hyd i bethau roedd eu hangen arno. Cafodd alwad ffôn gan y banc i ofyn a oedd angen codi terfyn ei orddrafft ar y cyfrif busnes, ac a oedd yn cael problemau llif arian. A fyddai'n bosibl iddo ddod i mewn am sgwrs? Nid oedd Phil, dan bwysau fel arfer, yn rhyw fodlon iawn. Yn rhyfedd, roedd fel pe na bai Grace yn ymwybodol o'r problemau, heb sylweddoli ei bod hi'n anghofio'r hyn roedd hi wedi addo'i wneud ac yn fwy dyrys byth, roedd fel pe bai hi'n methu deall arwyddocâd yr hyn a oedd yn digwydd.

Aeth pethau o ddrwg i waeth. Nid oedd hi yn ei hwyliau o gwbl, yn ogystal â'i bod yn methu cywiro'r anhrefn gynyddol yn y swyddfa. Roedd hi wedi colli ei sglein. Roedd hi'n ddryslyd. Weithiau roedd hi'n fyr ei thymer. Nid Grace oedd hi o gwbl.

Un diwrnod, a'r gofid wedi llethu Phil i'r fath raddau fel ei fod yn methu ymgolli yn y gwaith, a'i feibion yn ei blagio i 'wneud rhywbeth am Mam', gwnaeth apwyntiad i Grace weld eu meddyg teulu. Ar ddiwrnod yr apwyntiad, nid oedd Phil yn gwybod beth y byddai'n ei ddweud. A oedd e'n gwneud môr a mynydd o ddim byd? Nid oedd hynny'n beth i'w ddweud wrth feddyg. Efallai ei fod wedi cymryd Grace yn ganiataol. Mae'n bosibl mai angen gwyliau oedd arni, neu efallai y gallai wneud rhagor i helpu. Efallai eu bod nhw i gyd wedi bod yn euog am yn rhy hir o dybio y byddai 'Mam yn ei wneud'.

Roedd Grace wedi cytuno i fynd, er nad oedd hi'n gwybod pam roedd pawb yn gwneud cymaint o ffwdan. Dim ond wedi blino roedd hi. Holodd y meddyg beth oedd yn bod, ond atebodd Grace 'dim byd'. Dywedodd Phil nad oedd hi yn ei hwyliau. Nid yn gymaint nad oedd hi'n gallu ymdopi, ond roedd hi fel pe na bai hi'n poeni am ddim. Roedd hi'n aml yn ddi-ddweud. Hyd yn oed ar yr adegau prin pan oedd hi'n debycach i'w hen gymeriad, teimlai Phil nad oedd ei wraig bob amser yn canolbwyntio ar yr hyn a oedd yn digwydd o'i chwmpas. Byddai'n colli llinyn sgwrs a gallai ddweud y peth anghywir. O glywed bod hyn wedi bod yn digwydd am rai misoedd ac o wybod cymaint roedd Grace wedi'i ysgwyddo dros y blynyddoedd, roedd y meddyg teulu'n sicr mai problem iselder oedd ganddi. Rhoddodd gwrs o dabledi gwrthiselder iddi a dweud y byddai'n ei gweld hi eto ymhen y mis.

Fis yn ddiweddarach, dywedodd Phil wrth y meddyg ei fod yn credu bod Grace wedi gwella ychydig, ond nad oedd yn siŵr. Unwaith eto, prin y dywedodd Grace ddim byd. Penderfynwyd y dylai hi ddal ati i gymryd y tabledi gwrthiselder am fis arall. Dywedodd y meddyg y byddai'n hoffi iddi gael prawf gwaed, o ran arfer yn fwy na dim.

Y tro nesaf yr aeth y ddau at y meddyg, roedd Phil yn hyderus fod popeth yn iawn. Roedd Grace, er na ddywedai hynny'i hun, yn bendant yn fwy tebyg iddi hi'i hun. Yn ystod yr apwyntiad, roedd hi'n siaradus am y tro cyntaf. Roedd y ddau'n falch o glywed bod y prawf gwaed yn normal. Roedd hwyliau Grace yn bendant wedi gwella. Soniodd Phil ei bod hi'n fwy bywiog o gwmpas y tŷ ac, er mawr gysur iddo fe, yn y swyddfa hefyd. Nid oedd pethau'n union fel yr oedden nhw'n arfer bod, ond roedd popeth yn mynd i'r cyfeiriad iawn. Wrth iddi siarad, gan gyfaddef fod pethau wedi mynd yn drech na hi a sut y teimlai ei bod wedi siomi pawb, daeth methiant cyson i'r amlwg yn y sgwrs. O bryd i'w gilydd byddai hi'n baglu dros ryw air ac weithiau'n ei hailadrodd ei hun. Dim byd mawr, ond rhywbeth annisgwyl. Nid oedd Phil na Grace wedi disgwyl i'r meddyg ddweud yr hoffai atgyfeirio Grace i'r ysbyty er mwyn i feddyg ymgynghorol ei harchwilio. Roedd yn gymharol hyderus nad oedd dim byd o'i le, ond roedd gwneud yn siŵr yn beth synhwyrol. Yn ei nodiadau, ysgrifennodd y meddyg teulu, 'Arwyddion o welliant. Y cof yn dal i beidio â bod yn normal. Problemau lleferydd posibl. Clefyd Alzheimer? Annhebygol. Atgyfeirio.'

Roedd yr archwilio'n drylwyr iawn, ac i Phil a Grace, yn gysur. Ni chafwyd hyd i ddim o'i le ond nid oedd y meddyg ymgynghorol yr un mor obeithiol â nhw. Ei ddymuniad oedd i Grace gael sgan ar ei hymennydd. Roedd y canlyniadau fel pob un arall – yn normal, ac eto nid oedd y meddyg yn fodlon. Soniodd am gyfeirio Grace at niwroseicolegydd.

Dyma pryd y collodd Phil ei dymer. Mynnodd wybod beth oedd yn digwydd. Am y tro cyntaf, datgelwyd y gallai dementia fod yn ddiagnosis posibl. Er bod yr holl ymchwilio corfforol yn negyddol, ystyr hyn oedd eu bod nhw'n methu esbonio pam nad oedd cof Grace yn gweithio'n iawn. Roedd wedi gwella rywfaint, ond roedd yn rhaid i Phil gyfaddef ei fod yn cadw llygad ar ei wraig. Ni fyddai wedi ystyried gwneud hynny erioed o'r blaen ac oedd, roedd hi'n gwneud camgymeriadau bach dwl, er nad oedd y rhain yn digwydd yn aml erbyn hyn. Fel y dywedodd, 'mae hi'n gallu bod yn hollol wahanol i'r Grace rydyn ni'n ei hadnabod'. Ac onid oedd Phil wedi sylwi sut y byddai hi weithiau'n defnyddio'r geiriau anghywir wrth sgwrsio? Cyfaddefodd ei fod. Bellach gwyddai Phil pam roedd y meddyg ymgynghorol wedi gofyn yn ystod y cyfarfod cyntaf hwnnw, 'a oes clefyd Alzheimer gan unrhyw un yn nheulu eich gwraig?' Dywedodd Phil nad oedd, a'i bod yn amhosibl mai dyma oedd yr esboniad. Dementia? Na, byth – i hen bobl roedd hynny'n digwydd. Dim ond 41 oed oedd Grace!

Y tro cyntaf i mi gyfarfod â Grace, nid oedd awgrym bod unrhyw beth o'i le. Roedd hi'n gwrtais ac yn fywiog. Roedd bywyd yn esmwyth. Roedd hi'n ddigon parod i ymuno â'r asesiadau. Byddai ambell wall yn digwydd, yn enwedig wrth brofi ei rhesymu (mewn prawf gwneud llun o gloc safonol, oedodd wrth osod dwylo'r cloc i '10 munud wedi 11', roedd ei phensil fel pe bai'n cael ei ddenu at y rhif '10', a chymerodd amser maith i ddatrys '10.45'), ac wrth archwilio'i chof yn annisgwyl iddi (profi'r hyn a elwir yn *ddysgu anfwriadol*). Ym mhob maes arall o feddwl, iaith a chofio, roedd canlyniadau'i phrofion yn eithaf da. Ac eto, ar ôl pob archwiliad, roedd gen i deimlad anghysurus. Prin fod yr ychydig wallau ac anghysonderau a ddôi i'r wyneb, ynghyd â'r amrywiadau wrth i'r misoedd fynd heibio, yn gwneud unrhyw synnwyr. Un diwrnod gofynnais i Grace gynllunio llwybr ar fap, er mwyn gallu ymweld â mannau o ddiddordeb mewn trefn benodol. Yn sydyn, ymddangosai'n fregus ac yn anghysurus, fel pe bawn i wedi taro ar ffynnon o deimlo'n ddiffygiol. Stopiodd yn sydyn, gan ddweud bod ganddi bethau gwell i'w gwneud na chwarae gemau. Gan ymdawelu cyn pen dim, fe ymddiheurodd gan holi a hoffwn i baned o goffi, oherwydd yn ei bywyd beunyddiol roedd Grace yn ymdopi'n dda, a hyd yn oed yn parhau i wella ac yn synnu pawb. Oedd, roedd hi'n fwy cyndyn, yn llai hyderus, ond roedd yr isafbwynt ychydig fisoedd ynghynt wedi troi'n hen atgof. Serch hynny, roedd Phil ymhell o fod yn fodlon. Roedd e'n dal i fod am wybod 'beth uffern oedd yn digwydd'.

Roedd Phil wedi cael braw ei fywyd o glywed efallai fod clefyd Alzheimer ar ei wraig. Roedd wedi pori ar y rhyngrwyd, gan gasglu tomen o wybodaeth. Roedd yn gwybod beth i'w ddisgwyl. Y gwarth. Colli rhannu eiliadau gyda'i gilydd. Ni fyddai perthynas rhyngddyn nhw mwyach. Ni fyddai hi hyd yn oed yn ei adnabod. A fyddai hi'n cofio dim am y cyfan roedden nhw wedi'i gyflawni? Beth am y bechgyn? Sut fydden nhw'n ymdopi o weld eu mam yn cael ei dwyn oddi arnyn nhw fel hyn? A beth amdano ef? Sut fyddai'n ymdopi? Ac eto, ar hyn o bryd, roedd Grace yn gwella. Byddai hynny'n amhosibl pe bai clefyd Alzheimer arni. Dydych chi ddim yn gwella o ddementia. Ar brydiau, roedd hi'n anodd iddo reoli ei deimladau. Ar ben ei dennyn byddai'n dweud 'Wnewch chi bobol roi ff**in trefn ar bethau a dweud wrthym ni beth sy'n digwydd?' Byddai Grace yn ceisio'i dawelu, ond roedd Phil yn llygad ei le: beth oedd yn digwydd? Roedd Grace yn well nag y bu ac yn gwneud yn iawn, ond nid oedd pethau'n teimlo'n iawn. Byddwn i'n siarad â Phil ac yn cytuno ei bod hi wedi gwella fel bod modd iddo yntau ddibynnu arni hi eto, ond byddwn i'n dweud, 'Phil, alla i ddim anghytuno, mae pethau'n well, ac rwy'n gwybod nad dyma roedden ni'n ei ddisgwyl, ond rydyn ni'n dal i gael ambell sgwrs reit anarferol. Rydyn ni'n holi'n gilydd a yw hi'n ddiogel i Grace fynd allan ar ei phen ei hun. Dydych chi ddim yn cael sgwrs felly wrth siarad am rywun o oedran eich gwraig, oni bai fod rhywbeth o'i le.' Ond beth?

Ychydig cyn y Nadolig, cyfarfu Grace â Suzie, un o aelodau iau'r tîm, ac roedd gan Grace berthynas arbennig o dda â hi. Os yw'n bosibl, ni ddylai asesiad byth deimlo fel archwiliad – dim ond dau berson yn siarad a'r naill yn ceisio dysgu cymaint â phosibl am y llall. Wrth iddyn nhw eistedd gyda'i gilydd yn lolfa Grace, nid wy'n gwybod beth barodd i Grace fod yn fwy agored, ond felly y bu. Yn ddiddorol, yr hyn a ddywedodd hi oedd, 'Rwy'n gwneud y gorau ohoni.' Beth allai Suzie ei ddweud, heblaw, 'Beth sy gennych chi mewn golwg?' Ac felly y datgelwyd stori Grace.

Roedd hi'n ymdopi'n dda, ond nid oedd neb yn sylweddoli cymaint o amser, ymdrech a dyfeisgarwch roedd hi'n eu buddsoddi i wneud hynny. Byddai ei gŵr a'i meibion ar eu traed ac allan o'r tŷ erbyn 6.30 bob bore, felly hi fyddai'r olaf i fynd i'r gwely. Hi fyddai'n cau'r tŷ. Byddai'n diffodd y goleuadau, yn gofalu bod y drysau wedi'u cloi ac yn ysgrifennu ei rhestr – y rhestr a oedd yn hanfodol iddi allu mynd drwy'r diwrnod nesaf.

Nawr, mae llawer ohonom yn dibynnu ar restri – 'pethau i'w gwneud' – ond nid rhestr fel un Grace. Byddai'n ei glynu'n ddirgel ar ochr yr oergell â magnet. Yna byddai'n gosod larwm ar y cloc bach roedd hi'n ei guddio y tu ôl i'r chwaraewr CD ar ben yr oergell. Ac wedyn, yn dawel ei meddwl ei bod hi'n dal i ymdopi, byddai'n mynd i'r gwely. Y bore wedyn, uwchlaw sŵn y radio, y peiriant golchi dillad a beth bynnag arall a oedd yn arferol mewn bore cyffredin i Grace, byddai sŵn main larwm yn canu. Dyma'r arwydd iddi wirio'i rhestr a pheidio â gwneud dim byd arall:

8.45 Ailosod y larwm ar gyfer 9 o'r gloch. Rhoi'r rhestr ar du mewn drws y ffrynt. Paratoi i fynd allan.

9 o'r gloch Y larwm oedd yr arwydd i Grace fynd at ddrws y ffrynt. Ac yno hefyd y byddai'r rhestr angenrheidiol: 'Barod i adael? Unrhyw dapiau'n rhedeg? Gwiriwyd. Popeth wedi'i ddiffodd? Gwiriwyd. Wedi cloi drws y cefn? Gwiriwyd. Gwirio colur yn y drych. Gwirio esgidiau. Gwisgo côt. Angen bag, pwrs ac allweddi. Gwneud yn siŵr. Gadael y tŷ. DOS Â'R RHESTR GYDA THI. CADWA'R RHESTR YN Y BAG.

- Cofio enwau. Lucy (rhif 24). Alison (rhif 22).
- Croesi'r ffordd. Troi i'r chwith. Ar ddiwedd y ffordd, troi i'r dde. Aros am y bws yn yr arhosfan. Bws rhif 17.

- Cyfri chwech arhosfan bysus. Dod oddi ar y bws. Aros i'r bws fynd. Croesi'r ffordd. I mewn i'r banc. Talu i mewn... CROESI ALLAN.
- Allan o'r banc. Aros. Troi i'r chwith. Mae'r fferyllfa dair siop i lawr. Mae angen... CROESI ALLAN.
- Allan o'r fferyllfa. Croesi'r ffordd. I mewn i'r ganolfan siopa. I'r archfarchnad. Mae angen... CROESI ALLAN.
- Cerdded allan o'r ganolfan. Croesi'r ffordd. Troi i'r chwith. Cerdded heibio'r rhes siopau. Arhosfan bysus. Bws rhif 17.
- Cyfri chwech arhosfan bysus. Dod oddi ar y bws. Aros i'r bws fynd. Croesi'r ffordd. Troi i'r dde. Troi i'r chwith – Manor Avenue. Cerdded i lawr. Croesi'r ffordd. Rydyn ni'n byw yn rhif 26 (giat goch).'

Ac i mewn â hi. Byddai Phil a'r bechgyn yn peledu cwestiwn ar ôl cwestiwn ati. Oedd, roedd hi wedi bod i'r banc. Pob siec wedi'i thalu i mewn ac roedd hi wedi gofyn faint sydd mewn llaw yn y cyfrif. Na, nid oedd hi wedi anghofio mynd i'r fferyllfa. Ac i swper heno roedd hi wedi prynu syrpréis... Dyma sut roedd hi'n ymdopi. Heb ei rhestr, gwyddai Grace y byddai'n debygol iawn na fyddai hi hyd yn oed wedi dal y bws cywir, heb sôn am wybod beth i'w wneud ar ôl iddi gyrraedd y dref. Byddai'n byw ar ei dyfeisgarwch. Os oedd angen gwneud rhywbeth, byddai hi'n ei wneud ar unwaith. Byth yn gohirio. Roedd trefn yn bwysig. Roedd ganddi le i bopeth a phopeth yn ei le. Ym mhob cornel o'r tŷ roedd ganddi lyfrau nodiadau bach, ynghyd â chalendr a chloc ym mhob ystafell. Roedd gwybodaeth wrth law'n hawdd. Nid oedd neb yn sylwi, oherwydd onid ydym ni i gyd yn rhy brysur yn byw ein bywydau ein hunain i sylwi ar y manylion o'n cwmpas? Dyna pam roedd papur newydd wastad ar agor ar fwrdd y lolfa. Yn ogystal â dweud wrthi'r dydd a'i ddyddiad ar amrantiad, roedd ynddo rywbeth i sôn amdano bob amser hefyd.

Bu'r gegin yn broblem iddi. Sylweddolodd Grace hyn wrth baratoi ffa pob ar dost un noson. Roedd ganddi'r tafelli bara. Roedd hi wedi agor y tun. Rhoddodd y ffa pob ar y bara, ac yna ceisiodd roi'r cyfan yn y tostiwr! Bellach, trodd problemau canolbwyntio a rhesymu'n glwydi i'w goresgyn, a dyna a wnâi. Efallai y byddai'n rhaid dibynnu mwy ar fwydydd parod, sawsiau a chymysgeddau o hyn ymlaen. Ond roedd y dewis yn helaeth, ac roedd hi'n gallu cadw cyfrinach. Pa wraig na fyddai'n ychwanegu at ei doniau coginio drwy dorri ambell gornel? Byddai Grace yn gwneud hynny'n amlach na'r cyffredin, dyna'r cyfan. Felly, roedd Phil yn dal i gael ei selsig a stwnsh tatws â grefi nionod, heb iddo wybod ei fod yn bwyta tatws stwnsh o becyn a chymysgedd grefi parod. Fel y dywedodd Grace, pe bai hi'n ceisio gwneud tatws stwnsh, byddai'n gwneud rhywbeth twp – anghofio rhoi dŵr yn y sosban, gadael i'r sosban ferwi'n sych, anghofio plicio'r tatws, hyd yn oed. Gwyddai fod ambell frwydr nad ydych yn eu hymladd, ac eraill rydych yn eu hymladd, oherwydd bod posibilrwydd y gallech ennill.

A hithau'n graddol golli ei gallu i gofio, cododd Grace uwchlaw'r golled â'r un cryfder ag a ddangosodd erioed. Mae pob un ohonom yn ddyfeisgar mewn ffyrdd gwahanol a bydd rhai ohonom wastad yn fwy abl i ddygymod â dementia nag eraill. Ar daith 'o'r cyfarwydd a'r sicr i ansicrwydd; y cyfan yn seiliedig ar ddiymadferthedd ac ofn' (yng ngeiriau John Keady a'i gyd-weithwyr, yn ysgrifennu yn y *Journal of Dementia Care*), roedd ysbryd Grace wedi'i ryddhau unwaith eto, y tro hwn gan ddementia. Wedi'i hamddifadu o'r pethau a gymerwn ni'n ganiataol, roedd Grace unwaith yn rhagor wedi llwyddo i gadw hiwmor, dewrder a gwytnwch ysbryd, er gwaethaf – neu efallai oherwydd – i glefyd Alzheimer ei tharo.

2

Dyn a'i etifeddiaeth

Tybed ai chweched synnwyr Mr Abrahams a'i harweiniodd ef at benderfyniad mor bwysig? A oedd gweledigaeth o'r hyn a oedd i ddod yn aflonyddu arno ac yntau felly'n gwybod y byddai'n rhaid iddo roi trefn ar bethau? Dydw i ddim yn gwybod, oherwydd ni wnes i erioed gyfarfod â Stanley Abrahams.

Tua diwedd 1991, roedd Mr Abrahams wedi cael codwm, un cas yn ôl pob sôn, wrth dacluso'i ardd. Y diwrnod canlynol, sylwodd ei wraig fod ei duedd i anghofio pethau wedi gwaethygu. Byddai'n methu canolbwyntio yn amlach nag o'r blaen wrth siarad neu wylio'r teledu. Weithiau, gallai fod 'yn ddryslyd iawn'. Roedd yr hyn y bu ei wraig yn ymwybodol ohono ers bron tair blynedd wedi gwaethygu'n fawr yn sydyn. Penderfynodd meddyg Mr Abrahams ei atgyfeirio at yr ysbyty athrofaol cyfagos i gael asesiad arbenigol.

Rhwng mis Chwefror a mis Mawrth 1992, archwiliwyd Mr Abrahams yn drylwyr. Nodwyd ei fod yn ddyn dymunol a serchus a oedd yn dygymod yn dda â'i fywyd pob dydd. Byddai'n '*dal i wneud te boreol a gall ddygymod â'i rif PIN a'r larwm lladron. Mae'n dal i yrru ac yn ôl ei wraig, mae'n gyrru'n iawn. Mae ei wraig yn dweud ei bod hi'n graddol ddod yn gyfrifol am lenwi ffurflenni. Does dim problemau ganddo wrth reoli gofal personol, er ei fod yn lleihau'n raddol nifer y tasgau y gall ymdopi â nhw o gwmpas y tŷ.'*

Daeth asesiad gwybyddol ffurfiol o hyd i dystiolaeth o nam ysgafn i gymedrol. Dyma a ysgrifennodd y seiciatrydd ymgynghorol yn ei nodiadau: *'anawsterau â'r cof – tymor byr'*, *'anhawster cael hyd i eiriau a chwblhau brawddegau, ond ei ddealltwriaeth yn gyflawn, yn ôl pob tebyg'*. Ar ddiwedd y cyfnod asesu, teimlwyd bod angen crybwyll personoliaeth gwrtais a dymunol Mr Abrahams unwaith eto.

Dangosodd sgan CT o'r ymennydd dystiolaeth o grebachu (celloedd yr ymennydd yn nychu ac yn marw). Diagnosis y seiciatrydd oedd *'dementia henaint o fath Alzheimer'*. Argymhellodd y dylai Mr Abrahams roi'r gorau i yrru ac y dylai ei wraig lunio atwrneiaeth barhaus i reoli ei materion ariannol a chyfreithiol. Roedd y pâr hwn bellach ar fin cychwyn ar daith nad oedden nhw erioed wedi ystyried ei chymryd, i gyrchfan na fydden nhw erioed wedi dymuno ymweld â hi.

Ddeufis ar ôl cael y diagnosis, sylwadau meddyg Mr Abrahams oedd *'mae ei weithredu meddyliol yn dirywio'* a bod *'cyflwr gwael ei gof tymor byr yn achosi anfantais iddo'*. Dechreuodd nyrs seiciatrig gymunedol ymweld ag ef. Ym mis Gorffennaf, aeth Mr Abrahams yn ôl i'r clinig cleifion allanol a nodwyd ei fod wedi mynd yn fwy dryslyd. Tua'r adeg hon y rhoddodd y gorau, yn anfoddog, i yrru. Erbyn mis Rhagfyr roedd ei feddyg teulu'n gofidio fod ei wraig, nad oedd yn iach iawn ei hun, yn cael anhawster ymdopi. Roedd Mr Abrahams wedi dechrau *'crwydro gyda'r nos. Bydd o bryd i'w gilydd yn mynd i'r llofft, yn pacio bag ac yn anelu am yr orsaf drenau. Hyd yn hyn, mae wedi dychwelyd bob tro...'* Gwnaeth y meddyg teulu gais i gael barn seiciatrig ar frys. Dridiau cyn y

Nadolig, ymwelodd seiciatrydd â Mr Abrahams. Unwaith eto, cafwyd darlun o '*ddyn trwsiadus. Natur gyfeillgar*'. Ei anallu i ymateb i unrhyw un o'r cwestiynau prawf a amlygodd faint roedd wedi dirywio, er y nodwyd ei fod yn dal i allu dilyn cyfarwyddiadau syml.

Bum mis yn ddiweddarach, y disgrifiad o Mr Abrahams oedd '*diymadferth, yn ffwndrus ac yn ddryslyd... mae'n crwydro fwyfwy oddi cartref*'. Y diwrnod canlynol cafodd fynd i'r ysbyty i gael asesiad. Mewn gwirionedd, lludded llwyr ei wraig oedd y rheswm iddo orfod mynd i'r ysbyty. Er gwaethaf difrifoldeb ei ddementia, mae thema'n ailgodi yn y cofnodion derbyn i'r ysbyty. '*Sgiliau cymdeithasol ganddo o hyd... Wedi gwisgo'n drwsiadus iawn mewn siwt las tywyll. Cyfeillgar iawn, yn hynod o foesgar... cwrtais... Dymunol iawn ac yn cydweithredu. Serch hynny, atebion pob cwestiwn yn wasgarog a diystyr, ac yn hollol anaddas. Ei broblem ar hyn o bryd yw crwydro gyda'r nos. Yn methu adnabod ei wraig na'i gartref. Rhaid i'w wraig aros yn effro i'w gadw yn y tŷ. Mae ymdopi'n anodd iddi.*'

Er bod y newidiadau deallusol yn ddwys, roedd llawer ynghylch Mr Abrahams a oedd wedi goroesi a pharhau. Pe bai'n cael ei 'ddal' yn yr eiliad gymdeithasol, roedd yn ddyn gwahanol hollol, o'i gymharu â hwnnw a oedd yn methu'n glir â chofio pethau na chyflawni tasgau. Yng nghwmni eraill, hyd yn oed ddieithriaid, roedd Mr Abrahams yn ffynnu. Roedd modd iddo fod yn ef ei hun, oherwydd roedd yn un clên â phawb. Byddai'r dyn hoffus hwn yn dod yn fyw pan fyddai cysylltiad dynol yn ei gyffwrdd. Efallai fod hyn yn wers i ni. Waeth cymaint y mae deallusrwydd yn dirywio o ganlyniad i ddementia, mae hi'n dal i fod yn bosibl y gallwn gyffwrdd â hanfod person, ei ysbryd dynol. Fel yr ysgrifennodd Oliver

Sacks yn *The Man Who Mistook His Wife for a Hat*, 'gall [hanfod person, ei ysbryd dynol] gael ei gadw yng nghanol yr hyn sy'n ymddangos ar yr olwg gyntaf fel cyflwr anobeithiol o nam niwrolegol'.

Sut fyddai Mr Abrahams yn dygymod nawr yn yr ysbyty? A fyddai pobl eraill yn cadw cysylltiad â hanfod y dyn deniadol a chymdeithasol hwn?

Treuliodd Mr Abrahams y pum wythnos ganlynol yn yr ysbyty. Yna aeth i gartref nyrsio ar gyfer henoed bregus eu meddwl (EMI: *elderly mentally infirm*). Roedd cynnwys y llythyr rhyddhau'n dyst i'w gyflwr erbyn hyn: '*ei ymddangosiad wedi dirywio, ac mae'n edrych yn hagr... Mae'n gwneud pethau hynod od... O bryd i'w gilydd bydd yn ymosod yn gorfforol ar eraill. Mae'n methu dal ei ddŵr.*' Dros 35 niwrnod, beth oedd wedi digwydd i'r dyn cwrtais, trwsiadus, hynod foesgar hwn a oedd wedi cerdded i mewn i'r ward gyda'i wraig?

Yn ystod y flwyddyn ers cael y diagnosis, roedd dirywiad Mr Abrahams wedi bod yn gyflym iawn. Y farn oedd mai'r rheswm tebygol am hyn oedd iddo gael sawl 'strôc fân'. Ond beth oedd wedi achosi i'r cyfan a oedd yn wybyddus am bersonoliaeth Mr Abrahams gael ei ddinistrio mor drychinebus yn ystod ei arhosiad byr ar y ward asesu?

Wrth i mi archwilio'r nodiadau nyrsio, dechreuodd y diffygion difrifol a fyddai'n nodweddu ei gyfnod yn yr ysbyty ddod i'r wyneb yn fuan iawn ar ôl iddo gyrraedd y ward: nid oedd tystiolaeth o greulondeb na diofalwch, ond roedd digon o arwyddion o ansensitifrwydd, ymddygiad difeddwl ac anallu i ddangos empathi tuag at ei brofiadau. Roedd y byd gofal hwn yn dad-ddyneiddio ac yn ddideimlad, er mai bwriadau da oedd yn ei yrru yn aml. Disgrifiad Tom Kitwood, yr academydd dylanwadol ym maes dementia, ohono oedd 'seicoleg gymdeithasol falaen' (*malignant*).

I ddechrau, byddai'n aros yn ei ystafell wely ac yn gwneud fawr ddim â neb arall. Yn ystod y prynhawn, daethpwyd o hyd iddo'n ysmygu unwaith neu ddwy: '*Esboniwyd i Stanley na ddylai fod yn ysmygu yn ei ystafell oherwydd perygl tân ac y dylai fynd at aelod o'r staff bob tro y byddai am ysmygu, er mwyn dangos iddo ble y dylai ysmygu. Dywedodd, "Rydw i wastad wedi gallu ysmygu yn unrhyw le". Wedi llwyddo i gymryd y taniwr oddi arno. Caiff hwn ei gadw mewn drôr yn y swyddfa, i'w roi iddo pan fydd yn dymuno ysmygu. Gwrthododd fwyta'i swper.*' Er bod modd deall a pharchu'r bwriadau, roedden nhw'n siarad â dyn nad oedd yn gallu cofio geiriau a phrofiad am ragor nag ychydig eiliadau. Pa mor hir y mae'n rhaid i ni ystyried cyn deall sut roedd ef yn teimlo? A'r taniwr sigaréts? Anrheg gan ei wraig oedd hwnnw, a roddwyd iddo 24 mlynedd ynghynt, adeg ei ben-blwydd yn 50.

Drannoeth, cynhyrfodd Mr Abrahams. Gwisgodd ei het a'i gôt sawl tro a phacio'i fag, gan ddweud ei fod yn dymuno gadael. I'w dawelu, cafodd bresgripsiwn o Haloperidol, tawelydd cryf, a ddefnyddir hefyd fel cyffur gwrthseicotig. Yn anffodus, cynyddodd ei aflonyddwch fwyfwy wrth i'r dydd fynd yn ei flaen: '*Yn ceisio gadael y ward. Mae'n gallu agor y ddau ddrws i'r ward. Bu'n rhaid ei atal rhag gwneud hynny sawl tro. Y feddyginiaeth a ragnodwyd iddo heb gael fawr ddim effaith.*' Ffoniodd ei wraig y cartref, a dweud ei bod hi wedi treulio sawl awr gyda'i gŵr, yn eistedd ac yn cerdded gydag ef i'w gysuro ac i dawelu ei feddwl. Dywedwyd wrthi nad oedd gan staff amser i wneud hyn. Cynghorwyd Mrs Abrahams '*i beidio ag ymweld oherwydd ei fod yn aflonydd iawn o hyd ac ar brydiau'n bendant ei bod yn rhaid iddo adael'*. Er gwaetha'r hyn a oedd yn wybyddus am allu ei wraig i'w gysuro, teimlwyd y byddai ei phresenoldeb hi yn ei annog ef yn fwy byth i adael y ward.

Parhaodd y patrwm ymddygiad hwn i ddatblygu dros y diwrnodau canlynol. Pan aeth i mewn i'r ysbyty, yr asesiad o Mr Abrahams oedd rhywun â *'synnwyr llawn o le ac amser wrth ei annog neu ei atgoffa'*; o fewn 48 awr, ei asesiad o'i synnwyr o le ac amser oedd *'anghyflawn. Yn methu derbyn na gwrthod esboniadau'*. Ar ôl iddo gael ei brydau bwyd, byddai'n ceisio gadael y ward. Yn y nos, byddai'n mynd â'i ddillad i mewn ac allan o'i ystafell. Ond pan fyddai ei wraig yn ymweld ag ef, *'roedd wedi cynhyrfu llai y prynhawn yma, ac nid oedd yn pacio'i ddillad i adael. Mae ei wraig wedi dod ag ychydig o ddanteithion iddo'*.

Drannoeth, dyma'r cofnod yn y nodiadau, *'Hynod od – wedi codi ac wedi gwisgo amdano'n annibynnol ond yn crwydro'n ddigyfeiriad ar hyd y ward gan ddal sypiau o'i ddillad ei hun'*. Byddai'r ymadrodd hynod od i'w weld yn rheolaidd yn y nodiadau erbyn hyn, oherwydd *'byddai'n gwneud pethau fel rhoi past dannedd yn ei esgid'*. Ambell waith byddai cipolwg ar ei hen gymeriad dymunol yn ymddangos. Mewn grŵp a oedd i fod i wella'r synnwyr o le ac amser, roedd *'bob amser yn gwrtais, ac yn eistedd yn fodlon drwy gydol y sesiwn'* ac er gwaetha'i ymdrechion cynhyrfus i adael, byddai'n gwneud yr hyn a ofynnwyd iddo bob amser, felly *'gallwch ei gael i ddychwelyd yn hawdd bob tro'*. Ar y chweched diwrnod, cynyddwyd dos ei feddyginiaeth wrthseicotig.

Wythnos ar ôl iddo fynd i mewn i'r ysbyty, gwaethygodd ymddygiad Mr Abrahams. Cynyddodd ei benderfyniad i adael y ward. Un diwrnod, taniodd y larwm dair gwaith, ac *'roedd hi'n fwy anodd bob tro ei berswadio i ddod yn ôl. Rhoddwyd Haloperidol iddo fel y rhagnodwyd'*. Erbyn hyn roedd cynnwrf yn ymyrryd â'i fodlonrwydd i eistedd a bwyta'i fwyd. Ddeuddydd yn ddiweddarach, cofnododd un nyrs fel hyn, *'Nid yw Mr Abrahams yn gallu gofalu am ei hylendid personol... wedi gwlychu'i hun x 4 brynhawn ddoe... dylid ei annog i fynd bob 2 awr i'r tŷ bach i basio dŵr.'* Y diwrnod canlynol, *'Ei wisg yn anaddas, yn gwisgo dau grys, wedi gwrthod unrhyw gymorth gan y staff nyrsio. Yn ymosodol ar lafar pan ddywedwyd wrtho am dynnu un o'i grysau.'* Drannoeth, roedd ei ymddygiad yn dreisgar iawn, gan daro staff a'u cicio wrth iddyn nhw ymdrechu i newid ei ddillad gwlyb. *'Wedi tynnu ei ddillad oddi arno i atal Stanley rhag gwisgo dillad dydd eto. Wedi tynnu'r fatres oddi ar ei wely oherwydd bod y claf yn gorwedd ac yn ceisio cysgu ers dechrau'r prynhawn.'* Rhagnodwyd y sedatif Temazepam i'w ddefnyddio yn y nos yn ôl y galw.

Daeth Mrs Abrahams i weld ei gŵr ac ypsetiodd pan ddywedwyd wrthi mor aml yr oedd yn ei wlychu ac yn ei faeddu'i hun. Meddyliodd tybed a oedd hynny o ganlyniad i'r tawelydd cryf roedd ei gŵr yn ei gael. Cytunodd pan ddywedwyd wrthi na fyddai ei gŵr yn dychwelyd adref, a bod yn realistig, felly byddai'n well iddi chwilio am gartref nyrsio addas.

Parhaodd Mr Abrahams i fod yn aflonydd. Byddai'n gwrthod ymdrechion i newid ei ddillad bob amser, er eu bod yn *'afiach, yn drewi ac yn wlyb'*. Ymneilltuai'n llwyr i'w ystafell. Byddai'n cerdded yn ôl a blaen ar hyd y ward ac weithiau'n eistedd am gyfnod byr yn yr ystafell ddydd. Gan amlaf byddai'n eistedd ar ei ben ei hun, weithiau yn ei ystafell ei hun, weithiau yn ystafell wely rhywun arall. Dros y pythefnos nesaf, datgelodd ei ymddygiad fwy a mwy o'r drasiedi a oedd wedi'i lethu:

- *'Eithaf gwrthwynebus y bore 'ma pan gafodd help i ymolchi a gwisgo – treisgar a chrac heb ddim syniad beth y dylai fod yn ei wneud.'*
- *'Wedi'i faeddu'i hun – cafodd fàth yn anfoddog iawn. Treisgar iawn pan dynnwyd ei ddillad oddi arno.'*
- *'Wedi'i wlychu ei hun. Yn wrthwynebus iawn a threisgar wrth baratoi i fynd i'r gwely.'*
- *'Yn gyndyn o adael ei ystafell. Yn gwylltio pan fyddai pobl yn mynd ato.'*
- *'Aflonydd a chynhyrfus iawn.'*

Cynyddwyd dos Mr Abrahams o Haloperidol unwaith eto. Erbyn hyn roedd yn cymryd chwe gwaith yn fwy na'r ddos wreiddiol.

Ni ddeuai'r hen Mr Abrahams i'r golwg yn aml. Prin iawn oedd y sylwadau fel '*dymunol ac yn barod ei gymwynas heddiw*', '*yn gwenu ac yn eithaf siaradus y prynhawn 'ma*'. Yn hytrach, y teimlad a gawn o ddarllen ei gofnodion oedd o ddyn sy'n methu goroesi ar y ward, heb sôn am ffynnu. Nodweddwyd ei gyfnod yn yr ysbyty gan ofynion dryslyd, disgwyliadau anaddas, colli urddas, diffyg cydymdeimlad, methiant i'w 'adnabod ef' a dymuniad i reoli ei ymddygiad. Roedd yn fyd cymdeithasol malaen a waethygwyd drwy ddefnyddio meddyginiaeth wrthseicotig. A allwn ni ddychmygu sut y gallai'r dyn hwn, a oedd wedi cyrraedd mewn gwisg mor drwsiadus, deimlo o orfod cerdded ar hyd y ward yn ei byjamas? A yw hi'n ormod o naid i'r dychymyg ystyried y gallai fod wedi ystyried hyn yn arwydd y dylai gysgu? A beth wnaeth staff y ward? Tynnu'r fatres oddi ar ei wely. Mae'r siart bwysau'n nodi maint ei ddirywiad corfforol. Ar ei ail ddiwrnod yn yr ysbyty, 83.0 kg oedd ei bwysau. Pan gafodd ei ryddhau, 76.1 kg oedd ei bwysau.

Cyrhaeddodd Mr Abrahams y cartref nyrsio gyda nyrs i'w hebrwng. Rwy'n credu y gallwn fod yn ffyddiog na fyddai ei ymddangosiad wedi denu'r un sylwadau ffafriol a gafodd brin bum wythnos cyn hynny; sylwadau a gyfleodd mor huawdl deimladau pawb a gyffyrddwyd gan ei urddas a'i ymddygiad.

Bu farw Mrs Abrahams 18 mis yn ddiweddarach. Roedd canser y fron arni, ond nid oedd wedi sôn braidd dim ers iddi gael ei diagnosis, gan mor llwyr anobeithiol oedd cyflwr ei gŵr. Am y pum mlynedd a oedd yn weddill o'i fywyd, nid oedd Mr Abrahams yn gwybod dim am ei golled. Bu farw yn 2000. Ond nid dyma ddiwedd ei stori.

Penderfyniad Mr Abrahams naw mlynedd ynghynt a barodd i mi ddod yn rhan o'i etifeddiaeth. Wythnosau'n unig cyn ei gyfeirio at yr ysbyty, a thri mis cyn iddo gael diagnosis o glefyd Alzheimer, roedd wedi newid ei ewyllys. Pan ddarllenwyd yr ewyllys, achosodd y newidiadau rwyg rhwng aelodau'r teulu. Aeth dau berthynas ati i herio'r ewyllys, a honni ei bod yn ddi-rym oherwydd 'diffyg galluedd ewyllysiol Mr Abrahams' gyda'r bwriad o ddirymu'r profiant. Hynny yw, roedden nhw'n honni nad oedd Mr Abrahams, er ei fod heb gael diagnosis o glefyd Alzheimer adeg newid ei ewyllys, yn ddeallusol gymwys i wneud hynny.

Gan fod y cynnydd mewn dementia'n gynnil a llechwraidd, roedd hwn yn honiad dilys, ond a oedd y clefyd wedi datblygu'n ddigonol i danseilio gallu Mr Abrahams pan aeth ati i newid ei ewyllys? Rydym ni'n gwybod ei fod wedi bod yn cael problemau gyda'i gof ers rhyw dair blynedd pan siaradodd ei wraig gyntaf â'r meddyg teulu, ond a oedd hyn yn ddigon i achosi iddo fethu penderfynu? Ym mis Ionawr 2002, ddeng mlynedd ar ôl i Mr Abrahams lofnodi ei ewyllys, gofynnwyd i mi roi fy marn.

Yn debycach i'r ditectif teledu ymddangosiadol ansicr Columbo, yn hytrach na'r eithafol graff Sherlock Holmes, cychwynnais ar daith i fyd cymhleth cyfeillgarwch a pherthynas deuluol.

Dyma'r man cychwyn: er fy mod i'n gwybod beth oedd i ddod, dylid cymryd bod rhywun yn alluog i wneud penderfyniad adeg ei wneud, y dylid gallu dangos anallu ac y dylai unrhyw ddatganiad am anallu fod yn benodol bob amser i'r penderfyniad sydd o dan ystyriaeth. Does dim angen cael cof perffaith i benderfynu newid ewyllys. Yr hyn a oedd yn angenrheidiol oedd i Mr Abrahams allu cofio am gyfnod digon hir er mwyn iddo ddeall yr hyn oedd yn cael ei ddweud wrtho neu'n cael ei gynghori, ac i allu dangos rhesymeg a barn yn y cyfnod hwnnw.

Y term a roddir ar fod yn eiddo ar y farn honno yw 'gweithredu goruchwyliol' (*executive functioning*) ac mae'n cofleidio'r gallu ymenyddol uchaf sy'n angenrheidiol i ymddwyn fel oedolyn addas a chyfrifol. Mae dementia yn aml yn niweidio hwn yn gynnar wrth iddo afael mewn claf ac felly nid oedd y rhagolygon o gynnal etifeddiaeth Mr Abrahams yn ymddangos yn ffafriol iawn.

Buan y daeth hi'n amlwg fod telerau'r ewyllys newydd nid yn unig yn gyson â rhwydwaith wybyddus Mr a Mrs Abrahams o deulu a ffrindiau ar yr adeg honno, ond roedden nhw hefyd yn adlewyrchu gweithredoedd y bobl a oedd fwyaf agos a chefnogol i'r ddau ohonyn nhw. Roedd hyn yn arwydd da. Wrth i mi siarad â'r teulu ac â ffrindiau, yn ogystal ag adolygu datganiadau gan bobl a oedd yn adnabod Mr a Mrs Abrahams, daeth hi hefyd yn glir fod Mr Abrahams, er bod ei gof yn pallu, drwy gydol 1991 yn ymddangos yn alluog ac yn rhesymol ym mhopeth a wnâi. Parhaodd hyn tan haf 1992. O hynny ymlaen, dechreuodd 'ymddygiad rhyfedd' a 'dryswch' arglwyddiaethu. Ac eto, onid yw'r gofidiau a ddaeth o ganlyniad i'w godwm yn ystod yr hydref blaenorol, y data clinigol a gasglwyd ar ddechrau 1992, a'r diagnosis a roddwyd ym mis Ebrill 1992 yn dadlau i'r gwrthwyneb? Nid yw'r anghysondeb hwn mor annisgwyl â hynny.

Ar ôl iddo gwympo, ymddengys fod Mr Abrahams wedi profi stad ddryslyd acíwt yn ychwanegol at ei ddementia. Gwellodd hynny ar ôl i'r sioc drawmatig dawelu. O hynny ymlaen, wrth i glefyd Alzheimer afael ynddo, datgelodd Mr Abrahams ddementia a oedd yn gwaethygu'n gynyddol – ond tybed a allai'r asesiad ar ddechrau 1992 fod wedi gorliwio mesur ei ddirywiad?

Roedd yr asesiad yn golygu ei bod yn rhaid iddo fynd i leoliad clinigol dieithr ac un a fyddai, yn ôl pob disgwyl, wedi cynyddu'i orbryder, ymhell o gysur cyfarwydd ei drefn bob dydd. Mewn lle dieithr, gofynnwyd cwestiynau heriol iddo, a mynnwyd ei fod yn cwblhau tasgau nad oedd yn debygol o fod wedi dod ar eu traws erioed. Er bod yr asesiad 'pur' hwn wedi galluogi gwneud diagnosis cywir, ac y dylid cymeradwyo hynny, y risg sy'n deillio o gynnal asesiadau fel 'gornest oddi cartref yn hytrach nag un gartref' yw y gallan nhw orbwysleisio gwendid a methu cydnabod cryfderau personol.

Defnyddiwyd profion sgrinio safonol yn yr archwiliad. Er

bod sgôr Mr Abrahams yn is na'r torbwynt (*cut-off point*) ar gyfer diffyg gwybyddol, datgelodd dadansoddiad o'r canlyniadau ei fod wedi sgorio'n wael ar eitemau'r prawf a oedd yn mesur cof, cyfeiriad a chanfod geiriau'n unig. Roedd galluoedd eraill, fel canolbwyntio, deall iaith, canfyddiad, pracsis (cydlynu symudiadau) a hyd yn oed meddwl yn haniaethol yn dal i fod wedi'u cynnal yn dda. Datgelodd y canlyniadau hyn nad oedd dementia Mr Abrahams wedi achosi difrod helaeth.

Hyd yn oed o fewn maes cof a chyfeiriad, pa mor ddibynadwy oedd y canlyniadau? Er enghraifft, gofynnwyd iddo ble'r ydoedd ac i enwi'r lle, y diwrnod, y dyddiad a'r flwyddyn. Nid oedd wedi gwneud yn dda. Serch hynny, cyflwr naturiol pethau yw peidio â chofio. Dim ond yr hyn sy'n bersonol berthnasol neu'n arwyddocaol y byddwn ni'n ei gofio. Mewn geiriau eraill, y pethau y gallai fod galw amdanyn nhw yn y dyfodol, a allai fod yn ymarferol iawn neu'n adlewyrchu dymuniad i gofio digwyddiad llawen neu wers a ddysgwyd rywbryd mewn dydd a ddaw. Rydym yn ymateb i bopeth arall ac yna yn ei daflu o'r neilltu i bob pwrpas ar unwaith. Nid ei anghofio, ond nid ychwaith ei gofio. Nid yw methu cofio profiad neu ddarn o wybodaeth ar ôl iddo ddigwydd yn ddim ond tystiolaeth eich bod chi'n anghofus os oedd ymgais i'w gofio yn y lle cyntaf.

Pa mor hanfodol oedd hi fod Mr Abrahams yn cofio manylion llai ei leoliad? Roedd ei wraig wedi dod gydag ef i'r ysbyty. Gan wybod hyn, nid oedd angen iddo wybod enw na lleoliad y clinig. Mewn geiriau eraill, nid oedd fawr o werth gweithredol i'r wybodaeth hon. Beth fyddwn ni'n ei wneud â gwybodaeth ddiangen? Nid ydym ni'n ei hanghofio; yn hytrach, nid ydym ni'n ymdrechu i'w chofio yn y lle cyntaf.

Yn yr un modd, roedd Mr Abrahams yn byw bywyd a phob diwrnod yn ddigon tebyg i'r llall. Nid oedd hi'n fawr o bwys pa ddydd oedd hi. Ydym ni'n profi trawma pan fyddwn ni'n anghofio pa ddydd yw hi pan fyddwn ni ar ein gwyliau? Ydym ni'n dod â'r gwyliau i ben ac yn mynd i geisio asesiad cof brys? Byddai'n beth rhyfedd iawn petaem ni'n gwneud hynny. Yn hytrach, mae'n teimlo fel rhyddhad bendigedig rhag straen beunyddiol cyfrifoldebau a dyletswyddau. Dyna yn ei hanfod oedd wedi digwydd i Mr Abrahams.

Ar adeg pan fydd pwerau gwybyddol yn methu, a ddylem ni ddisgwyl i berson abl a threiddgar sy'n ceisio addasu i'r dirywiad yn ei gof wneud yr hyn y mae bob amser wedi ei wneud, ond i raddau hyd yn oed yn fwy: hynny yw, cofio'r hyn sy'n wir hanfodol yn unig? Dylai'r asesiad fod wedi archwilio 'cof ystyrlon' Mr Abrahams, ac nid oedd wedi gwneud hynny. Oherwydd bod y cwestiynau a ofynnwyd yn amherthnasol, nid oedd hi'n bosibl dweud bod yr asesiad wedi sefydlu gwir ddifrifoldeb ei anghofrwydd, a ddiffiniwyd gennyf mewn man arall fel 'diffyg gallu cadw'r hyn sy'n hanfodol ar gyfer bywyd beunyddiol a'i gofio'. (Mae gallu gwneud hynny'n arddangos 'cof ystyrlon'.) O ganlyniad, gellid dadlau bod yr asesiad wedi tanbrisio gallu Mr Abrahams i gofio'r hyn a oedd yn ystyrlon ac yn hanfodol. Roedd y seiciatrydd wedi rhoi diagnosis cywir o ddementia – yr hyn y gellid dadlau yn ei gylch oedd pa mor ddifrifol yr ydoedd.

Fel y dangosodd Grace i ni ym Mhennod 1, mae rhywun sydd â chronfeydd seicolegol wrth gefn, fel dyfeisgarwch (amcanwyd yn yr asesiad fod deallusrwydd Mr Abrahams yn yr ystod uchaf), yn gallu datblygu ffyrdd o addasu a fydd yn arwain at ffyrdd adeiladol o fyw ei fywyd. Mewn dementia cynnar, mewn lleoliadau cyfarwydd, a digon o awgrymiadau o'ch cwmpas i gynnal y cof, gellir cadw effeithiau niwed niwrolegol draw am gyfnodau o amser, ac mae atgofion hunangofiannol a storiwyd, cof emosiynol, gwybodaeth sydd wedi'i chaffael, dealltwriaeth o iaith, dealltwriaeth semantig (gwybod ystyr geiriau) a chof trefniadol (cofio sgiliau) i gyd yn cael eu defnyddio i helpu i addasu. Yn fy marn i, dyma oedd yn digwydd i Mr Abrahams hyd at haf 1992. Am gyfnodau o amser, cynyddol fyr, ac yntau mewn lleoliadau cyfarwydd iddo, gallai roi'r argraff ei fod yn gweithredu'n llwyr heb amhariad. Yn arbennig, roedd ei sgiliau cymdeithasol rhagorol yn rhoi clogyn cymdeithasol abl iawn y gallai ei wisgo i 'guddio' unrhyw ddirywiad. Nid oedd yn annisgwyl felly mai'r un cyntaf i sylwi fod rhywbeth o'i le, heblaw am ei wraig, oedd y garddwr roedd Mr Abrahams yn ei weld bob dydd.

Roedd y nod cyntaf – gosod ei ddiffygion gwybyddol tybiedig yn eu cyd-destun – wedi'i gyflawni. Nid oedd y ffrindiau a'r teulu a'i disgrifiodd fel roedd bryd hynny'n dweud celwydd er mwyn ennill yn ariannol. Adeg ei asesiad, nid oedd Mr Abrahams wedi'i amharu gymaint ag y gellid dychmygu. Hyd yn oed dros y misoedd canlynol, pan oedd mewn lleoliadau cyfarwydd, ymysg pobl gyfarwydd, roedd yn gwneud yn iawn, oherwydd dyma'r adegau pan allai weithredu'r gwytnwch deallusol roedd ei angen arno i fod yn ef ei hun.

Roedd y cwestiwn nesaf yn allweddol i fater gallu. A oedd yr archwiliad nid yn unig wedi gorliwio difrifoldeb ei ddiffyg cof, ond hefyd wedi methu asesu'r gallu deallusol hanfodol oedd yn angenrheidiol i newid ewyllys, sef gweithredu goruchwyliol? Os mai felly roedd hi, yna byddai'n anoddach derbyn y gred nad oedd Mr Abrahams yn meddu ar allu meddyliol i newid ei ewyllys ychydig wythnosau cyn i'r asesiad ddechrau.

At ei gilydd, nid oedd yr archwiliad wedi asesu gweithredu swyddogaethol oherwydd nad oedd y profion a ddefnyddiwyd wedi'u cynllunio i wneud hynny. Roedd ansicrwydd yn parhau felly. Ond nawr, roedd poblogrwydd Mr Abrahams ar fin dod i'r fei. Roedd ganddo lawer o ffrindiau a oedd yn fwy na pharod i rannu atgofion am 'Stan'. Fe fydden nhw'n sôn wrthyf am ei hwyliau da, ei ddiddordeb mewn hen gelfi a gwin, ei graffter treiddgar, ac er bod dros ddeng mlynedd wedi mynd heibio, am ddigwyddiad ar Ddydd Calan 1992. Roedd yn achlysur nad yw cymeriad canolog y stori yn ei gofio hyd heddiw.

Roedd Mr Abrahams a'i wraig ar wyliau byr. Fe drefnon nhw gael cinio yn eu gwesty gyda ffrindiau agos a oedd yn byw gerllaw, ynghyd â mab y ffrindiau a'i deulu. Dyma'r ffrindiau'n adrodd yr hanes: 'Dywedodd Stan y dylem ni i gyd gwrdd. Doedd dim yn well ganddo na'r hyn y byddai'n ei alw'n "ford dda". Felly dyna wnaethon ni.' Daeth pawb ynghyd i ginio. Wrth i'r pryd bwyd fynd yn ei flaen, dechreuodd y ferch fach, a oedd ddim ond yn ddwyflwydd oed, ddiflasu, ac nid yn annisgwyl, dechreuodd y dagrau lifo. 'Gadawodd Stan y bwrdd i fynd i'r tŷ bach. O leiaf, dyna ddywedodd e. Ond mewn gwirionedd fe aeth e lan i'w ystafell a dod yn ôl ag anrheg Nadolig fy wyres. Roedd ei hwyneb hi'n bictiwr. Welwch chi, dyna Stan: hael ac ystyriol i'r eithaf. Doedd e ddim wedi dweud dim oherwydd nad oedd e'n moyn difetha syrpréis Becky.'

Datgelodd y weithred garedig honno lawer am allu deallusol Mr Abrahams, a'r hyn a elwir yn aml yn ddeallusrwydd emosiynol. Dangosodd ei ymateb i stranc y ferch fach bob un o'r gweithredoedd goruchwyliol uwch hynny sy'n angenrheidiol i ddatrys problemau. Roedd wedi dangos cydymdeimlad ac ystyriaeth am deimladau pobl eraill. Roedd wedi rhesymu ateb, wedi gweithredu'i ddoethineb, ac yna gallodd weithredu'i gynllun drwy ddod o hyd i'w ystafell mewn gwesty dieithr, dod o hyd i'r anrheg – yr un gywir hefyd – ac yna ddychwelyd. Pam oedd y digwyddiad hwn mor arwyddocaol? Roedd wedi digwydd rhwng ei ymweliad â'r cyfreithiwr i newid ei ewyllys a dychwelyd i arwyddo'r ddogfen.

Hynny yw, roedd wedi digwydd ar yr union adeg roedd angen i mi wybod a oedd yn meddu ar allu gweithredol (*executive capacity*). Gwasanaethodd haelioni ei ysbryd a'i gyfaredd goeth Mr Abrahams yn dda, yn ystod ei oes, ac ar ôl hynny. Diogelwyd ei etifeddiaeth nid yn gymaint gan fy ymchwil fforensig i, ond gan natur y dyn. Roedd wedi medi'r hyn a heuodd, heblaw am gyfnod o 35 niwrnod pan ymddangosai nad oedd hi'n fawr o bwys pwy oedd ef. A fu ef o fawr bwys fyth eto? A gafodd ef ei ailddarganfod yn y cartref gofal? Trist dweud nad wyf yn gwybod.

3

Affêr y goroeswr

'Wyt ti'n disgwyl i mi gredu hynny? Os nad wyt ti'n gallu meddwl am ddim byd gwell i'w ddweud, paid â dweud dim. Dwi ddim yn ffŵl.'

Unwaith eto, roedd Colin wedi dod adre'n hwyr. Weithiau, o'r gwaith, droeon eraill o'r dafarn neu o glwb jazz. Byddai'n cynnig yr esgusodion mwyaf tila. Roedd wedi colli allweddi ei gar, roedd wedi methu dod o hyd i'r car, roedd wedi gadael ei siaced ar ôl, neu roedd wedi mynd ar goll. Byddai Colin yn taeru ei fod yn dweud y gwir. Doed ganddo ddim rheswm dros fod mor ddi-lun, ond byddai'n sicrhau Helen bod y diffygion cof hyn, a oedd weithiau'n cythruddo, weithiau'n peri embaras, yn hollol ddilys. 'Wyt ti'n gofidio am rywbeth? Wyt ti dan bwysau? Ydy gwaith yn drech na ti?' Na, roedd Colin yn teimlo'n iawn, ychydig yn flinedig, efallai, ond pwy na fyddai'n flinedig, yn y diwydiant cyhoeddi? Byddai'r naill ddyddiad cau yn dilyn y llall yn ddi-baid. Roedd wedi byw gyda'r amodau hynny ers blynyddoedd. 'Na, does dim byd yn bod.'

Roedd hi'n amlwg fod rhywbeth yn bod ac roedd Helen wedi byw drwy'r profiad hwn unwaith o'r blaen. Chwalwyd ei phriodas gyntaf gan affêrs ei chyn-ŵr. Roedd yr arwyddion yn union yr un peth. Dod i mewn yn hwyr heb reswm da, cael ei rwystro'n annisgwyl, colli diddordeb ynddi hi neu yn y cartref, neu'r cyfnodau hynny o dawelwch a oedd yn gymaint o dân ar ei chroen. Y gwir amdani oedd nad dim ond synfyfyrio Colin oedd yn gwneud iddi bryderu. Dros yr wythnosau diwethaf hyn, oherwydd am wythnosau rydym ni'n sôn, roedd Colin yn ymddangos yn wahanol. Dim byd mawr, ond pethau bach. Roedd e'n fwy dywedwst ar brydiau, fel pe bai wedi ymgolli yn ei feddyliau. Nid oedd mor ofalgar ohoni. Oedd, roedd hi wedi bod yma o'r blaen. 'Dwed y gwir. Pwy yw hi? Rwy'n gwybod dy fod ti'n cael affêr.' Fyddai Colin byth yn dadlau, dim ond protestio nad oedd e'n euog o ddim, ac yn cerdded i ffwrdd.

Roedd hyn oll wedi digwydd yn hollol annisgwyl. Roedd eu priodas yn un hapus. Roedd hi'n rhoi digon o le i Colin. Nes i'r ddau gyfarfod wyth mlynedd ynghynt, nid oedd Colin erioed wedi ystyried priodi. Roedd wedi ymgolli'n llwyr yn ei yrfa, ac roedd ganddo gylch clòs o ffrindiau a oedd yn rhannu'i frwdfrydedd tanbaid am jazz. Byddai ar y llwyfan yn chwarae sacsoffon llyfn ac o'r galon yn ogystal â threulio oriau mewn clybiau, yn gwrando ar yr hyn y byddai'n ei alw'n 'gerddoriaeth awyrgylch'. Yn ei thro, teimlai Helen ei bod hi'n gymar i rywun a oedd wir yn ei charu. Roedd Colin yn ddyn mwyn a doniol ac yn ddigon hwyr yn ei fywyd roedd wedi cael 'ffrind gorau ac enaid hoff cytûn', sef Helen. Ac eto, roedd hi'n teimlo erbyn hyn ei fod yn ei bradychu.

Rai diwrnodau ar ôl ffrae fawr, pan ddadleuodd Colin â hi am y tro cyntaf, cafodd Helen alwad ffôn gan un o'i gyd-weithwyr. Dwedodd wrthi fod Colin wedi bod yn crio yn y gwaith. Y noson honno, eisteddai Colin yn eu lolfa, gan ddweud drosodd a throsodd, 'Dwi ddim yn gwybod beth sy'n bod arna i.' Roedd Helen yn ceisio gwneud synnwyr o'r cyfan. A oedd hi'n anghywir? A oedd nerfau Colin yn chwalu? Erbyn diwedd yr wythnos honno, roedd Helen yn gofidio am ei gŵr. Roedd hi'n sylwi ar bob math o bethau bach nad oedden nhw fel y dylen nhw fod. Fyddai Colin ddim yn tynnu dŵr y tŷ bach bob tro; byddai'n gadael y tiwb past dannedd heb ei gau. Ac yna dechreuodd Colin fod yn drwsgl. Roedd hi wedi cadw Colin draw o'r peiriant golchi llestri erioed, oherwydd nad oedd erioed wedi deall sut i'w lwytho'n gywir, ond roedd hyn yn wahanol. 'Roedd fel pe bai Colin wedi meddwi; chi'n gwybod, tamed bach yn tipsi.' Baglu wrth fynd lan llofft, estyn i godi gwydryn a'i daro oddi ar y bwrdd, neu adael i allweddi drws y ffrynt lithro drwy'i fysedd. Dim byd trawiadol, ond roedd y cyfan yn tynnu sylw, yn amhosibl ei reoli, ac yn digwydd yn fwyfwy aml. Roedd hyn yn peri cryn bryder i Helen.

Cytunodd Colin i weld eu meddyg teulu. Cafwyd apwyntiad erbyn diwedd yr wythnos. Erbyn hynny roedd y symudiadau anwirfoddol a'r gwingo wedi dechrau. 'Gallwn weld bod y meddyg yn gofidio. Fe ddywedodd nad oedd yn gwybod beth oedd yn bod ar Colin ond roedd yn sicr nad oedd nerfau Colin yn chwalu.' Fe drafodon nhw hwyliau Colin, ei broblemau gyda'i gof, ei letchwithdod a'r gwingo a'r hercio nad oedd yn gallu'u rheoli. 'Dywedodd y byddai'n cyfeirio Colin ar frys at niwrolegydd.'

Hyd y dydd heddiw, nid yw Helen yn gwybod sut y llwyddodd i fyw drwy'r tair wythnos nesaf. Roedd y dyddiau yn eu tro yn smala ac yn ofnadwy. Byddai Colin yn cael anhawster gyda geiriau, gan ddweud un peth a golygu rhywbeth arall; byddai'n cerdded o gwmpas gan wisgo un esgid yn unig; byddai'n ceisio rhoi siwgr yn ei de â fforc. Cafodd Helen fraw o weld mor gyflym roedd Colin yn dirywio. Nid yn unig roedd e'n methu mynd i'w waith, roedd hi'n teimlo'n anniddig o'i adael ar ei ben ei hun am fwy na chyfnod byr. Roedd hi'n ffodus ei bod hi'n rhedeg ei chwmni cysylltiadau cyhoeddus ei hun, felly roedd hi'n gallu trefnu ei gwaith er mwyn treulio'r rhan fwyaf o amser yn gweithio gartref. 'Roedd hi'n anodd gwybod beth i'w wneud. Roedd Colin fel pe bai ar ei orau'n eistedd ar ei ben ei hun yn gwrando ar gerddoriaeth. Ei chwarae'n dawel, yn y cefndir, fel petai.' A dyna newid arall. Fel arfer, byddai Helen yn gwybod ble roedd Colin yn y tŷ, oherwydd bod sŵn cerddoriaeth yn hollbresennol, yn annioddefol o uchel yn aml. Ond bellach roedd Colin yn sensitif. Nid iddi hi, ond i synau uchel ac 'roedd e'n cwyno drwy'r amser fod y goleuadau'n rhy lachar'.

Roedd y niwrolegydd yn ddidaro. Cofiai Helen ef yn dweud ei fod wedi cynnal archwiliad corfforol a niwrolegol llawn, gan gynnwys EEG (*electroencephalograph*), ac ynghyd â'i disgrifiad hi o symptomau Colin, ei fod yn bur sicr fod clefyd niwrolegol ymgynyddol ar ei gŵr – clefyd Creutzfeldt–Jakob (CJD), math prin a marwol o ddementia a oedd yn taro ar hap, yn ôl pob golwg. Dywedodd nad oedd dim y gellid ei wneud. Chwalwyd byd Helen ond yn rhyfedd ddigon, nid oedd hi wedi cael sioc. Nid oedd hi erioed wedi clywed am CJD ond roedd hi wedi ofni ers dyddiau fod yr hyn a oedd yn ymddangos o flaen ei llygaid yn wirioneddol ofnadwy. Serch hynny, nid oedd dim wedi'i pharatoi hi ar gyfer yr hyn a ddywedodd y meddyg ymgynghorol nesaf. Roedd hi'n annhebygol y gellid disgwyl i Colin fyw rhagor nag ychydig fisoedd. Esboniodd fod bron tri chwarter y cleifion â CJD arnyn nhw yn marw o fewn chwe mis i ddechrau cael symptomau; roedd rhai'n marw o fewn wythnosau.

'Roedd hynny mor oeraidd a chlinigol. Mewn sawl ffordd, dyna oedd angen i mi ei glywed. Doeddwn i ddim eisiau gobaith ffug nac optimistiaeth galonogol ar gam. Roeddwn i eisiau gwybod beth fyddai'n rhaid i ni ei wynebu. Ond doedd dim "ni" yn mynd i fod. Nid yn unig roedd Colin yn mynd i farw cyn pen rhai misoedd, ond byddai'n methu deall ei gyflwr yn fuan iawn. Byddai ei ymwybyddiaeth o'r hyn a oedd yn digwydd o'i gwmpas yn diflannu hefyd. Un diwrnod, ni fyddai yn fy adnabod i. Dywedodd y meddyg ymgynghorol y byddai'n rhaid i mi gysylltu â'r gwasanaethau cymdeithasol. Yn y pen draw, byddai angen cartref nyrsio ar Colin, ac yna, yn iasol, fel pe bai Colin eisoes wedi peidio â bod, dywedodd, "mater i'r un sy'n goroesi yw marwolaeth dyn yn hytrach na mater iddo ef ei hun". Yn ddiweddarach, dysgais mai dyfyniad gan Thomas Mann oedd hwnnw. Rydw i'n meddwl mai ffordd y meddyg o ddweud wrthyf am ofalu amdana i fy hun oedd hynny ond ar y pryd, nid oedd dweud hynny'n gymorth o gwbl. Gadewais yr ysbyty mewn niwl. Nid oedd dim fel pe bai'n real. Ac yna baglodd Colin, ac roeddwn i'n ôl yn y byd go iawn o orfod ymdopi.'

Fe ddirywiodd Colin yn gyflym, ond nid yn yr un modd. Daeth pob diwrnod newydd â'i her newydd. Nid oedd yn cysgu'n dda, felly yn aml byddai Helen wedi ymlâdd erbyn y bore. Roedd Colin yn fwyfwy lletchwith ac yn gynyddol ansefydlog ar ei draed. Byddai'n hawdd ei ddychryn, ond roedd yn waeth nag arfer un bore ac roedd hi'n amlwg ei fod yn ofnus. Daliai ati i sôn am ladron yn torri i mewn i'r tŷ. Nid oedd dim a ddywedai Helen yn ei dawelu. Pan ddechreuodd bentyrru dodrefn yn erbyn drws y ffrynt a gweiddi am help, dechreuodd hi ofidio ei fod wedi colli ei bwyll.

Mewn panig, ffoniodd Helen y meddyg teulu. Nid oedd yntau'n siŵr beth i'w wneud er gwell, ond yn ôl ei arfer roedd yn gefnogol ac yn cydymdeimlo. Cysylltodd ef â seiciatrydd a awgrymodd yn ei dro fod y meddyg yn cyfeirio Colin at y tîm seiciatrig ar gyfer oedolion hŷn fel mater o argyfwng, gan y bydden nhw'n gallu cael gafael ar wasanaethau a chefnogaeth i bobl â dementia. Am y tro cyntaf, teimlai Helen nad dim ond diagnosis roedd hi wedi'i gael. Rhoddwyd meddyginiaeth i Colin i leddfu ei orbryder. Dechreuodd nyrs seiciatrig gymunedol a gweithiwr cymdeithasol ymweld â nhw. Cafwyd ymdeimlad ei bod weithiau'n anodd iddyn nhw ddeall beth oedd yn digwydd, yn enwedig mor gyflym roedd Colin yn dirywio, ond nid oedd hynny o bwys. Y peth pwysig oedd bod yno bobl bellach wrth law y gallai hi ddibynnu arnyn nhw am arweiniad. Weithiau, roedd gwybod eu bod nhw yno yn ddigon. Ers wythnosau, roedd hi wedi damnio ffrindiau am droi eu cefnau arnyn nhw a gwneud iddi hi deimlo mor unig. Bellach roedd siarad â phobl a oedd yn ddieithriaid i bob pwrpas yn dod â rhyddhad enfawr, er mai'r unig beth oedd yn gyffredin rhyngddyn nhw oedd gofalu am Colin. Byddai'n sôn am ei dicter, ei thristwch, a'i bargeinio taer am ddyfodol i Colin. Unwaith, roedd hi wedi'i amau, ond bellach roedd cariad cynnes a diffuant Helen yn amlwg. Nid oedd amheuon a chyhuddiadau bellach yn effeithio ar y cariad dwfn a deimlai tuag at ei gŵr. Mor wahanol i'r gwewyr a deimlai rai misoedd ynghynt.

Roedd pob agwedd ar allu ymenyddol Colin yn ddifrifol o wael bellach. Nid oedd yn gallu gwneud dim drosto'i hun ac roedd angen cymorth gweithiwr gofal yn y cartref ar Helen. Roedden nhw wedi ceisio cynnwys Colin yn ei gynllun gofal bob amser ond roedd hyn yn anodd bellach, oherwydd prin ei fod yn ymwybodol o'r hyn a oedd yn digwydd o'i gwmpas ac roedd ei leferydd yn gynyddol floesg ac aneglur. Trefnwyd cynhadledd achos a chytunwyd mai'r lle gorau i i ddiwallu anghenion cynyddol gymhleth Colin fyddai cartref nyrsio. Nid oedd hyn oherwydd bod gwasanaethau wedi methu ateb ei ofynion. Roedd gofalu am Colin am yr hyn a deimlai fel pob eiliad roedd hi'n effro wedi dechrau llethu Helen a hithau'n gorfod gwylio Colin a gofalu amdano'n ddi-dor. Dair wythnos yn ddiweddarach, cafodd ei dderbyn i gartref nyrsio a gofrestrwyd i ofalu am bobl â dementia. Dyma pryd y cyfarfu Helen a Colin â mi am y tro cyntaf.

Roeddwn wedi cael cais i gynghori staff y cartref oherwydd nid oedd yr un o'r nyrsys wedi cael profiad o ofalu am rywun â CJD. Chwyrlïai cymaint o ofidiau a chwedlau o gwmpas y clefyd, ac ambell erthygl gynhyrfus yn y cyfryngau yn codi rhagor o fwganod. Ydy CJD yn heintus? Os felly, onid drwy waed y mae'n cael ei drosglwyddo? A fyddai angen nyrsio rhwystrol (ynysu'r claf gyda rheolau glanweithdra llym)? Nid oedd gen i lawer o brofiad o hyn. Roeddwn wedi gweithio gyda dau berson â CJD tybiedig, y naill wedi cael cadarnhad o'i ddiagnosis mewn archwiliad post-mortem. Bu farw'r llall brin bum niwrnod ar ôl iddi gael ei derbyn i gartref gofal ac ni chlywais i fyth beth oedd canlyniad ei phost-mortem hi.

Siaradais â'r tîm gofal a'u helpu i gael gwir oleuni ar y sefyllfa. Eu gofid pennaf oedd rheoli haint. Cawson nhw eu sicrhau y byddai cydymffurfio â gweithdrefnau rheoli heintiau safonol yn ddigon i reoli unrhyw berygl clinigol. Mewn sawl ffordd, y neges oedd 'gofalwch eich bod chi'n gwneud beth fyddai disgwyl i chi ei wneud'. Felly pwysleisiwyd yr angen i osgoi torri'r croen. Yr unig beth roedd yn rhaid gofalu amdano oedd tynnu cyn lleied o waed â phosibl. Rhannwyd gwybodaeth gan rwydwaith cefnogi CJD y Gymdeithas Alzheimer â'r tîm staff i leddfu'u gofidiau. Yr hyn a oedd o'r pwys mwyaf oedd cyflwyno cynllun gofal a oedd yn ymateb i anghenion dibynnol cynyddol Colin, ond nad oedd yn arwain at ofalu diystyr ac ymyriadau meddygol a fyddai'n gweithio yn erbyn darparu'r ansawdd bywyd gorau posibl a marwolaeth gyfforddus ac urddasol yn y pen draw.

Yn ystod wythnosau olaf ei fywyd, roeddem yn gwneud ein gorau i rannu'r weledigaeth o Colin fel person, yn hytrach na'i weld fel yr hyn a oedd yn weddill ar ôl clefyd niwrolegol ofnadwy. Y gwirionedd oedd bod Colin wedi mynd y tu hwnt i ddiffygion. Roedd angen i ni ymateb i'r hyn a oedd yn weddill a pheidio â thalu llawer o sylw i'r hyn a gollwyd. Oedd, roedd angen nyrsio sgilgar a chytuno ar gynllun gofal iddo, ond Colin y dyn fyddai ar flaen ein meddwl drwy gydol y broses. Yn hyn o beth, cawsom help Helen ac roedd hi'n amlwg bod angen amser arni a chyfle i sôn am y dyn a oedd wedi bod yn werth y byd iddi hi.

Rywsut, llwyddodd i ddal ati i fynd i'r gwaith bob dydd ond ryw ben byddai'n anelu am y cartref nyrsio, gan gyrraedd tua amser cinio fel arfer. Weithiau gallech chi weld ei bod hi'n dioddef o'r galar dwysaf a thywyllaf. Ar ddiwrnodau arbennig o ddrwg, byddai'n igian crio'n afreolus. Y bore hwnnw, roedd hi wedi anghofio sut deimlad oedd rhoi cusan hwyl fawr i Colin cyn gadael am y gwaith. Wrth sefyll ger drws y ffrynt, ni allai hyd yn oed ddychmygu'i wyneb. Wedi'i hypsetio'n lân – ac fel y dywedodd hi'i hun, 'roedd yn wallgof. Hollol afresymol, ond roedd yn rhaid i mi ei wneud' – dechreuodd redeg o gwmpas y tŷ, gan aildrefnu lluniau o Colin ac o'u hamser gyda'i gilydd, a thynnu lluniau o ddroriau, a oedd wedi bod ynghudd ers blynyddoedd. 'Rwy'n teimlo mor euog,' meddai. 'Rwy'n crio drosof fi fy hun, nid dros Colin.' Dechreuodd geiriau Thomas Mann atsain.

Dros yr wythnosau nesaf, dirywiodd Colin yn gorfforol yn gyflym. Oherwydd ei broblemau cydbwysedd a chydsymud – a elwir yn atacsia cerebelar – roedd bwyta, yfed, sefyll a cherdded yn anodd. Roedd hi'n boenus gweld ei symudiadau a'i ystumiau plyciog nad oedd yn gallu'u rheoli. Credai Helen mai'r rheswm nad oedd braidd neb o'i ffrindiau wedi ymweld ag ef oedd oherwydd bod ei ddirywiad mor anesboniadwy ar y dechrau ac yna mor frawychus yr olwg. Prin fu galwadau ffôn, hyd yn oed. Wyddai neb, na Helen, hyd yn oed, beth i'w ddweud.

Er mwyn i Colin beidio â chynhyrfu'n ormodol, roedd llenni ei ystafell wastad hanner ar gau a dôi gwawl mwyn ar draws yr ystafell o lamp ar fwrdd bach. Byddai'r nyrsys yn cael eu hatgoffa o werth creu awyrgylch tawel a llonydd. Wrth ofalu am anghenion corfforol Colin roedden nhw'n dyner ac yn gwneud cyn lleied o symudiadau sydyn â phosibl. Er ei bod hi'n debygol nad oedd Colin yn gallu deall dim erbyn hynny, bydden nhw'n eu cyflwyno'u hunain ac yn siarad yn fwyn ag ef am yr hyn roedden nhw'n bwriadu'i wneud. Defnyddiwyd meddyginiaeth i reoli symudiadau digymell ei gyhyrau a'i ystumiau, ond yn aml, nid oedd hyn yn gwneud fawr o les amlwg iddo.

'A fyddai ei gerddoriaeth awyrgylch yn help?' holodd Helen.

Roedd wrth ei fodd gyda cherddoriaeth erioed. 'Byddai Colin yn dweud bob amser bod cerddoriaeth yn ei helpu i ymlacio.' Roeddwn i'n amheus ond nid oedd dim i'w golli. Felly recriwtiwyd David Sanborne, Kenny G, Courtney Pine, Dave Brubeck ac eraill i'r tîm gofal. Roedd yr ystafell yn hyfryd. Bellach, roedd y gerddoriaeth roedd Colin yn ei hoffi gymaint yn gefndir cysurlon a chyfarwydd i'r ymyriadau nyrsio a oedd yn nodweddu diwrnodau Colin. Roedd y trawsnewidiad, er nad oedd yn llwyr o bell ffordd, yn ardderchog ac yn rhyddhad i'w weld. Am gyfnodau hir, roedd Colin yn ddedwydd. Hyd yn oed yn ystod y dyddiau mwyaf cythryblus, byddai ei symudiadau lletchwith a'r diffyg cydsymud yn llai amlwg ambell dro ac roedd Helen yn sicr fod cysgod gwên ar ei wyneb ambell waith. Byddai Helen yn dweud, 'Ie, dyna Colin i'r dim'. O bryd i'w gilydd, fe alwai ambell un o'i ffrindiau heibio 'lle Colin'. Pa mor wir oedd y newid a ddaeth dros Colin? Dydw i ddim yn sicr. A oeddem ni'n gweld newidiadau yn y modd y teimlai pobl eraill? Yn bendant. Beth bynnag oedd yn digwydd, atseiniai'r cynllun gofal â rhythm newydd. Ac roedd Helen yn ymdopi'n well o lawer.

Serch hynny, roedd y dirywiad yn parhau'n ddi-baid. Cyn bo hir, ni allai Colin symud na siarad a byddai llyncu'n fwyfwy anodd iddo. Yn ddisymud a mud (cyflwr a elwir yn fudandod acinetig), nid oedd Colin yn ymwybodol o'r hyn a oedd yn digwydd o'i gwmpas, er y teimlech fel pe bai ei lygaid yn eich dilyn chi weithiau. Ac ymlaen yr âi'r gân.

Nid oedd dim i'w ennill o ddiffodd y gerddoriaeth a phwy a ŵyr – ar ryw lefel o ymwybyddiaeth, fe allai'r synau teimladwy hynny fod yn gwneud rhyw gysylltiad. Byddai un o'r tîm gofal, fi weithiau, yn ceisio bod ar gael bob amser i Helen, oherwydd wrth i Colin symud yn araf tuag at farwolaeth, gwyddwn ei bod hi'n teimlo'n eithafol o unig, yng nghwmni ei meddyliau a'i hatgofion yn unig.

Ar ddydd Mercher y bu farw Colin. Roedd Helen wedi bod gydag ef yn ddi-dor am bron 30 awr. Roedd ei thrallod yn fawr ond roedd ei hymddygiad yn urddasol dros ben. Cawsom sgwrs yn ddiweddarach y diwrnod hwnnw ond fel sy'n digwydd mor aml, oherwydd amgylchiadau ni welais i mohoni byth eto ac mae hynny'n ofid i mi. Er ei bod hi wedi cael colled enbyd rwy'n dal i obeithio ei bod hi, wrth i'r blynyddoedd dreiglo, yn gwneud llawer mwy na dim ond goroesi.

4

Gŵr nad oes neb yn ei adnabod erbyn hyn

Ysgrifennodd A R Luria, 'Nid cof yn unig sy'n gwneud dyn', ond buan y dysgai Mr Bryan nad yw bywyd heb gof yn fywyd o gwbl. Hebddo, ni theimlai ei fod yn ddim. Heb barch, yn wynebu embaras, yn ofni cael ei watwar, ymdopai mewn dulliau a oedd yn teimlo'n iawn iddo ef. Yn y broses, dinistriodd ei briodas.

Gofynnodd meddyg teulu Mr Bryan i mi ei weld. Roedd wedi dod yn gynyddol anghofus a chysetlyd ac roedd ei wraig wedi cyrraedd pen ei thennyn. Ymwelais ag ef yn ei gartref a chawsom sgwrs hir. Parhaodd ein sgwrs am bron hanner awr, a dyna'r broblem. Cawsom sgwrs ystyrlon nad oedd camgymeriadau ac yngan diddeall yn amharu arni. Ar ambell achlysur, ailadroddodd ei hun a dwywaith, heb sylwi, dewisodd y gair anghywir. Awgrymai'r arwyddion fod ganddo glefyd Alzheimer cynnar. Ac eto, nid oedd ei ddementia'n ddifrifol iawn. Nid yn unig roedd wedi sgwrsio'n dda, roeddwn i'n eistedd gyferbyn â dyn a oedd yn drwsiadus, wedi'i eillio ac yn raenus yr olwg, a gwyddwn ei fod wedi gwneud hynny'i hun yn llwyr. Felly pam oedd ei wraig yn methu ymdopi?

O gornel fy llygad wrth i mi siarad â Mr Bryan, gallwn weld

ei wraig yn y gegin, yn tawel gorddi gan ddicter. Siaradais â hi ac esboniais ei bod hi'n rhy gynnar i ddweud beth oedd yn bod ar ei gŵr ac y byddai'n rhaid i'n hasesiad barhau. Ond o'r hyn roeddwn newydd ei weld a'i glywed, roedd wedi ymddangos fel dyn abl ac, er nad yn rhywun y gallech nesu'n hawdd ato, yn ddigon dymunol. Felly pam oedd byw gydag ef mor anodd? Aeth Mrs Bryan ati i ddweud wrthyf fod ei gŵr wedi bod yn feirniadol ac yn rhagfarnllyd bob amser. Nid oedd erioed wedi goddef ffyliaid ac ni allai ddygymod â gwendidau ynddo ef ei hun. Roedd anoddefgarwch o'r fath bellach yn ei gwneud hi'n anodd iawn iddo addasu wrth i'w gof ballu. Byddai hi'n dweud wrtho, 'Rho'r gorau i geisio cofio negeseuon pan fydd pobl yn ffonio: ysgrifenna nhw ar bapur.' Ni fyddai'n gwneud hynny, oherwydd bod hynny'n cyfaddef ei wendid. Byddai hi'n dweud, 'Paid â phoeni am y pethau y mae'n rhaid i ti eu gwneud, cadwa ddyddiadur ar gyfer y diwrnod, ac yna byddi di'n gwybod beth sydd wedi'i wneud, a beth sy'n dal heb ei wneud.' Ni fyddai'n gwneud hynny chwaith, oherwydd, unwaith yn rhagor, byddai hynny'n cyfaddef ei fod yn gwanhau. Roedd hyn yn ei gwneud hi'n benwan.

Athrawes ysgol wedi ymddeol oedd Mrs Bryan. Hi wyddai orau. Roedd ganddi safonau hefyd. Dechreuodd Mrs Bryan fod yn fwy o fam i'w gŵr na gwraig. Nid dyma'i bwriad hi, ond wrth i'w gŵr ddod yn llai abl, gwelsom yr hyn roedd y prif awdurdod ar ddementia, Tom Kitwood, yn defnyddio'r gair 'plentyneiddio' i'w ddisgrifio. Yn hytrach na gweld ei gŵr fel dyn a oedd â'i ffyrdd a'i anghenion yn mynd yn fwyfwy tebyg i rai plentyn, roedd hi'n ystyried ei fod yn blentyn.

Wrth i'r misoedd fynd heibio, aeth Mrs Bryan yn llai a llai goddefgar o'i gŵr. O fewn eiliadau o ddod at ei gilydd, byddai hi'n dweud wrtho am rywbeth y dylai fod wedi'i wneud yn wahanol neu'n well, neu rywbeth y gallai fod wedi anghofio'i wneud. Roedd eu perthynas wedi dirywio i'r fath raddau, byddai Mr Bryan yn cerdded allan o ystafell pan fyddai ei wraig yn cerdded i mewn iddi. Ni fyddai'n aros am y feirniadaeth erbyn hyn. Yn y pen draw, fe'i gyrrid i fod nid yn unig ar wahân i'w wraig, ond i fod allan yn yr ardd. Funudau ar ôl ei baratoi ei hun am y diwrnod, byddai allan. Siaradais ag ef ac fe ddaeth hi'n amlwg fod ei resymau'n gymhleth ond hefyd yn ddigon disgwyliedig. Nid dymuniad i fod ar wahân i'w wraig oedd ganddo. Pwyntiodd at y ffenestr a dweud, 'Pan fydda i allan yn fanna, fydda i ddim yn methu. Mae'n gorfforol, ddim yn feddyliol. Efallai nad yw fy nghof i gystal ag y bu, ond rwy'n 67, beth allwch chi ei ddisgwyl? Ond allan yn fanna, mae'n wahanol.' I liniaru'i ofidiau, roedd Mr Bryan yn cysgodi y tu ôl i'r myth bod heneiddio yn dod â diffygion cof mawr yn ei sgil, sy'n dwyn gydag ef ddibyniaeth a dryswch. Mewn ymateb i hynny, chwiliai am orchestion newydd i gynnal ac i atgyfnerthu ei hunan-barch.

Ond roedd yn dal i wneud camgymeriadau 'allan yn fanna'. Wrth iddi ddod yn gynyddol anodd iddo gofio beth roedd wedi ei wneud a heb ei wneud, ac wrth i'w resymu ddod yn gynyddol amheus, byddai'n chwynnu, yn tocio, yn torri'r glaswellt, yn tacluso'r perthi ac yn troi'r pridd sawl gwaith bob dydd. Er nad oedd ei gamgymeriadau a'i gamfarnau'n amlwg iawn iddo yntau, roedd hi'n fwy pwysig iddo wybod nad oedd ei wraig wrth ei ysgwydd yn dweud wrtho beth roedd yn ei wneud o'i le. Roedd bellach yn dawel ei feddwl, er bod hynny'n costio'n ddrud iddo, heb yn wybod iddo.

Ni welai Mrs Bryan fod ateb i'r sefyllfa ac nid oedd

gweithredoedd ei gŵr yn ei chysuro. Roedd yn gweld colli eu perthynas ac yn teimlo'n unig. Yn unig, nid dim ond oherwydd ei bod hi'n treulio cyn lleied o amser gyda'i gŵr, ond hefyd oherwydd bod ffrindiau wedi rhoi'r gorau i ymweld â nhw ac na fyddai cymdogion yn galw heibio mwyach.

Nid oedd Mr Bryan yn hoffi cael pobl yn dod i'w cartref. Roedd wedi bod yn ddyn tawel, preifat erioed, ond erbyn hyn byddai'n dweud, 'Dim mwy. Dydw i ddim eisiau pobl yma. Dwi'n gwneud ffŵl ohonof i fy hun. Dwi'n anghofio enwau, dydw i ddim yn adnabod pobl, dwi'n colli llinyn y sgwrs.' Ac aeth yn ei flaen, 'A dydw i byth eto eisiau gweld yr olwg yna ar wynebau pobl sy'n dweud wrtha i ar amrantiad 'mod i wedi fy ailadrodd fy hun. Allan nhw byth mo'i guddio.' Felly os oedd pobl yn galw, byddai'n codi ac yn cerdded allan heb yngan gair. Gan amlaf, byddai y tu allan eisoes. Byddai ei wraig yn rhoi arwydd iddo ddod i mewn ond byddai'n syllu drwyddi ac yn bwrw ymlaen â beth bynnag roedd yn ei wneud. Teimlai pawb yn lletchwith, felly rhoddon nhw'r gorau i alw. Bydden nhw'n dweud, 'Dydy George ddim am i ni fod yma. Rydyn ni'n deall. Mae'n rhaid ei bod hi'n anodd iddo fe, ond bydden ni'n dal i ddwlu i'ch gweld chi. Dewch heibio unrhyw bryd. Fe allen ni fynd allan am y dydd.' Ac fe fyddai Mrs Bryan wedi bod wrth ei bodd yn gwneud hyn, ond roedd hi'n methu.

Byddai hi'n dweud wrthyf, 'Rydw i wedi diflasu gymaint ac mor unig. Allwch chi ddim dychmygu gymaint yr hoffwn i weld fy ffrindiau, ond sut alla i? Mae e'n gwneud pethau twp. Wnaiff e ddim gwrando. Fe allwn i fynd allan ac fe allai benderfynu coginio rhywbeth. Fe fyddwn i'n dod adre a phwy a ŵyr beth fyddai wedi'i wneud i'r gegin. Fe allai hyd yn oed roi'r tŷ ar dân. Welwch chi, alla i ddim.'

Nid yn unig roedd Mrs Bryan yn unig, roedd hi wedi'i hynysu ac yn gweld y fagl yn tynhau amdani. Ond yn hytrach na chyfaddef ei bod hi'n anodd iddi ymdopi â rôl gofalu nad oedd hi erioed wedi'i dymuno – oherwydd, fel y dywedai wrthyf yn ddiweddarach, 'mae euogrwydd yn dod yn hawdd i mi, ac rwy'n giamstar arno' – penderfynodd hi ddylanwadu ar ddigwyddiadau.

Roedd Mr a Mrs Bryan yn gwpl cymharol gefnog. Roedd Mr Bryan wedi codi i fod yn uwch-reolwr mewn cwmni gweithgynhyrchu mawr. Roedden nhw'n byw mewn tŷ pâr deniadol ar stad cynllun agored. Un diwrnod, penderfynodd Mrs Bryan adael y glwyd ochr ar agor. Roedd hyn yn fwriadol. Golygai hyn fod ei gŵr yn rhydd i fynd i'r ardd o flaen y tŷ. Wrth i amser fynd heibio roedd yr un mor barod i fynd â'r ferfa, y torrwr gwair a'i offer i du blaen y tŷ ag yr ydoedd i aros yn y cefn, a bwrw iddi i weithio yno. Yn anffodus, pan oedd o flaen y tŷ, nid oedd Mr Bryan yn deall bob amser ble roedd ei ardd yntau'n gorffen a gerddi ei gymdogion yn dechrau. Buan y diflannodd goddefgarwch. Yn sgil tresmasu a difrod cafwyd colli tymer a gwrthdaro. Aeth llwyni hoff yn foncyffion hysb, dinistriwyd gwelyau blodau wrth i Mr Bryan, o fewn cyfyngiadau ei ddementia, docio, plannu a chadw'i hun yn brysur yn gyffredinol yn 'ei' ardd.

Er mai Mrs Bryan oedd wedi achosi i hyn ddigwydd, roedd ymdopi'n anodd iddi. Gan eistedd gyferbyn â'i meddyg teulu, torrodd i lawr gan ddweud bod ymddygiad ei gŵr yn amhosibl. Ac yntau'n amharod, yn gywir felly, i ragnodi tawelydd cryf i reoli ymddygiad heriol Mr Bryan, fe'i cysurodd y byddai'r gwasanaethau cymdeithasol yn gallu ei helpu. Esboniodd wrthi fod sgileffeithiau annymunol a phosibilrwydd o niweidio iechyd yn gysylltiedig â thawelu â meddyginiaeth, ac na ddylid rhoi cynnig ar hyn nes eu bod wedi rhoi cynnig ar bob peth arall. Y peth gorau fyddai atgyfeirio Mr Bryan at y gwasanaethau cymdeithasol.

Bythefnos yn ddiweddarach, daeth gweithiwr cymdeithasol i weld Mr a Mrs Bryan. O'i blaen roedd gwraig ofalgar, rugl a llafar, oedd wedi blino'n lân. Dan bwysau ac ar ben ei thennyn, disgrifiodd Mrs Bryan y gwrthdaro â chymdogion. Gallai'n hawdd ddeall y rhesymau dros hyn gan fod ei gŵr wedi achosi'r fath niwed i'w gerddi a fu gynt heb flewyn o'i le. Ac yna, roedd angen ystyried yr heol. Roedd ei gŵr fel pe bai wedi colli pob ymdeimlad o berygl. Ie, heol dawel, yn y maestrefi ydoedd: 'Ond dyw hynny ddim yn golygu na allai damwain ddigwydd. Edrychwch ar y ceir sydd wedi'u parcio,' byddai hi'n ei ddweud yn aml, 'mae e'n cerdded mas rhyngddyn nhw. Un diwrnod, bydd e'n achosi damwain, a bydd rhywun yn cael ei ladd.'

Straen, tresmasu, niwed a dinistr, heb sôn am y perygl o ymosodiad a damwain, daeth y cyfan ynghyd ym meddwl y gweithiwr cymdeithasol i wneud iddi gynghori y dylai Mr Bryan fynd i gartref gofal. Felly ynghynt na'r disgwyl, lai na thair blynedd ers i mi ymweld ag ef gyntaf, aeth Mr Bryan i gartref gofal i fyw ochr yn ochr â 15 o bobl â dementia. Nid pobl eraill â dementia, oherwydd yn absenoldeb unrhyw graffter, nid yw grwpio cymdeithasol gofal dementia'n casglu ynghyd bobl sy'n deall gwirionedd eu bywydau. I Mr Bryan, ei brofiad ef oedd byw ochr yn ochr â phobl nad oedd ganddo ddim yn gyffredin â nhw.

I ni, mae'n amlwg. Os edrychwn ni i mewn i ystafell a gweld deg o bobl â dementia, dyna'n union rydym ni'n ei weld. Ond os ydych chi'n un o blith y deg, rydych chi'n eich gweld eich hun fel y gwnaethoch erioed, ochr yn ochr â naw o... beth? Pobl eraill sy'n ymddwyn mewn ffyrdd rhyfedd sy'n peri gofid i chi, ond yn fwy na hynny, sy'n anesboniadwy.

Fel y gwelsom yn stori Mr Abrahams, ysgrifennodd Tom Kitwood am yr hyn a alwai'n 'seicoleg gymdeithasol falaen', term sy'n disgrifio digalondid lleoliadau gofal lle nad yw person â dementia'n cael ei drin fel person go iawn, ond yn hytrach yn cael ei ddirymu a'i ddibrisio a'i deimladau'n cael eu hanwybyddu. Er bod y cysyniad hwn yn cael ei ddefnyddio i ddisgrifio diffygion gweithredoedd wrth roi gofal, gellir gweld malaenedd (*malignancy*) hefyd yn y grwpio cymdeithasol sy'n digwydd gyda dementia. Gall ymddygiad y bobl y mae'n byw ochr yn ochr â nhw ddibrisio person â dementia sy'n eistedd mewn lolfa a'i gynhyrfu. Felly hefyd weithredoedd y bobl sy'n gofalu amdano.

Roedd Mr Bryan i fod yn y cartref am bum niwrnod. Roedd y pedwar diwrnod cyntaf i gyd yn debyg iawn i'w gilydd. Ac yntau wedi cynhyrfu, ni fyddai'n gwneud dim â neb. Byddai'n treulio'i ddyddiau'n cerdded ar hyd y coridorau. Pan fyddai'n cyrraedd drws allanol, byddai'n dechrau tynnu'r ddolen ond roedd pob drws ar glo neu â baffl (nid yw pob drws mewn unedau ac ar wardiau gofal dementia wedi'u cloi mewn gwirionedd, ond maen nhw wedi'u rheoli gan god digidol, dolenni y mae'n rhaid eu tynnu i ddau gyfeiriad ar yr un pryd, neu ddolen ychwanegol gynnil. Mae pob un o'r 'bafflau' hyn wedi'u cynllunio i rwystro rhywun â dementia rhag gadael). I Mr Bryan, nid oedd ymdeimlad ganddo o fod wedi cyrraedd. Yn hytrach, teimlai ei gaethiwed. Yn ei rwystredigaeth, byddai'n curo'n wyllt ar y drws. Pe bai rhywun yn mynd ato, byddai'n syllu, yn dweud dim, ac yn cerdded i ffwrdd. Yn y pen draw, byddai'n dod yn ôl i'r lolfa. Heb gydnabod neb, byddai'n cerdded ar draws yr ystafell i mewn i'r ystafell haul. Ond, oherwydd nad oedd hi'n ddiogel i breswylwyr fod y tu allan heb oruchwyliaeth, cadwyd y drysau Ffrengig i'r ardd dan glo bob amser. Byddai'n ceisio'u hagor, yn ofer. Gan fethu, byddai'n dechrau taro'r gwydr. Oherwydd ei fod erbyn hyn yn berygl iddo'i hun, byddai gofalwr yn mynd ato ar unwaith a'i dywys oddi yno. Heb yngan gair, byddai'n gadael y lolfa ac yn parhau i gerdded yn ôl a blaen ar hyd yr adeilad. Dyma oedd ei fywyd yn y cartref gofal.

Ar y pumed diwrnod, roedd y bore'n mynd rhagddo fel arfer. Ar ôl cerdded ar hyd y coridorau, gan roi cynnig ar agor dolenni'r drysau ac anwybyddu pawb, buan y cafodd ei hun yn yr ystafell haul. Fel arfer, dechreuodd guro ar y gwydr. Ac yntau'n gynyddol wyllt, aeth y curo'n uwch. Er lles ei ddiogelwch ei hun, rhuthrodd un o'r gofalwyr draw ato i'w dywys oddi yno. Gan ddweud wrtho am ymdawelu, fe'i rhoddodd i eistedd mewn cadair freichiau yn y lolfa. Mewn byr o dro, roedd hi wedi ymadael, oherwydd bod ganddi 'bethau i'w gwneud'. O fewn eiliadau, cododd Mr Bryan o'r gadair, a dechrau gadael y lolfa.

Roedd staff glanhau'r cartref o gwmpas yn golchi ac yn rhoi sglein ar y lloriau. Ymhen ychydig gamau, daeth Mr Bryan at un o'r conau plastig oedd yn rhybuddio bod y llawr yn llithrig. Oedodd, cododd y côn, trodd, a thrawodd wraig fusgrell, ffwndrus, oedd yn pendwmpian mewn cadair ger y drws. Roedd yr ymosodiad yn ffyrnig a'r anaf yn ofnadwy.

Ar unwaith, tywyswyd Mr Bryan i'r swyddfa a galwyd am y meddyg teulu a'r parafeddygon. Gwnaeth meddyg teulu Mr

Bryan gais i'w gymryd i'r ysbyty ar unwaith. Cyrhaeddodd nyrs seiciatrig gymunedol ac aeth gyda Mr Bryan i'r uned seiciatrig acíwt. Cefais alwad ffôn ac amlinelliad bras o'r hyn oedd wedi digwydd a dywedwyd wrthyf ei fod wedi mynd i'r ward asesu. Cyrhaeddais y ward 20 munud yn ddiweddarach a thrwy gyd-ddigwyddiad, ar yr un adeg â'i wraig. Ei geiriau cyntaf i mi, yn hollol bendant, oedd: 'Nid fy ngŵr sydd wedi gwneud hyn. Dduw mawr, rydyn ni'n gwybod nad yw e'n ddyn hawdd, ond roedd e'n ŵr bonheddig. Fyddai e erioed wedi codi ei law yn erbyn menyw. Na, nid fy ngŵr sydd wedi gwneud hyn.'

Yn amlwg, ei gŵr oedd wedi gwneud hyn ond wrth weithio gyda phobl sy'n ein herio, rydym ni'n aml yn clywed teuluoedd yn dweud 'nid fy mhartner/rhiant mo hwnna' ac ati. Ystyrir y newid mewn ymddygiad yn dystiolaeth bod eu hanwylyn wedi diflannu. A phwy neu beth sydd yno yn ei le? Cragen, neu efallai gorff a welir yn ddim mwy na chartref i glwstwr o arwyddion a symptomau clefyd. Ac yn anffodus, mae gormod o ymarferwyr yn bwydo'r gred hon, oherwydd pryd bynnag y bydd gofalwyr o blith y teulu'n gofyn pam roedd eu mam, tad, gŵr, gwraig yn sgrechian, yn crwydro, yn gwrthwynebu cael gofal, neu'n gwneud unrhyw un o blith lliaws o weithredoedd sy'n anodd i ni eu deall, yr ymateb fynychaf, yn syml, yw 'oherwydd bod ganddyn nhw ddementia'. Ac eto, pe bai hynny'n wir, oni fyddai'r rhan fwyaf o bobl â dementia'n ymddwyn yn yr un ffordd heriol? Maen nhw'n rhannu'r un batholeg, a dywedir mai symptomau'r batholeg honno yw'r ymddygiad. Ond gwyddom nad dyma'r darlun llawn.

Mae pobl â dementia'n wahanol i'w gilydd. Edrychwch heibio i'r anabledd gwybyddol, a'r hyn sy'n ein taro fwyaf yw eu bod yn unigryw, nid yn debyg i'w gilydd. Felly, pam ydym ni'n diraddio'u hymddygiad i fod yn symptomau clefyd yn hytrach na'i weld yn dystiolaeth o geisio goroesi mewn byd sy'n atsain o ofn, bygythiad a dirgelwch? A yw'n bosibl nad ydym ni erbyn hyn yn eu gweld fel pobl y mae angen cydnabod eu teimladau a pharchu eu barn? A allwn ni ddweud mewn gwirionedd, beth bynnag y bydd rhywun â dementia'n ei wneud, ei fod yn ei wneud oherwydd bod dementia arno?

Felly, a oeddem wedi tystio i weithred ddifeddwl, ar hap a oedd yn symptom tebygol o glefyd Alzheimer, ynteu a oedd ei ymosodiad treisgar yn gyforiog o ystyr a oedd yn gyson â'r dyn a arferai fod yn wybyddus i ni i gyd?

Sut oedd Mr Bryan wedi dygymod â'i ddementia? Drwy osgoi pobl a thrwy neilltuo'i hun i'r ardd, lle byddai'n gweithio am oriau heb saib. Y gweithredoedd hyn oedd wedi tanseilio gallu ei wraig i ofalu amdano yn y dechrau. Ar ôl iddo gael ei dderbyn i gartref nyrsio, bu'n rhaid iddo ddioddef presenoldeb pobl bob eiliad roedd yn effro. Nid oedd ots mai prin oedd y sgwrs i'w hosgoi na chwaith bod diffyg hunanymwybyddiaeth yn golygu nad oedd ei fethiannau bellach yn wybyddus iddo. Roedd y dyn hwn, a fu mor breifat, yn teimlo bod presenoldeb pobl yn gwasgu arno. Cawsai ei yrru i adael eu cwmni a'u presenoldeb. Ac eto, nid yw hyn yn llwyr esbonio'i angen i adael y cartref. Roedd yno dynfa gadarnhaol hefyd. Am bron tair blynedd, roedd wedi mwynhau bod yn yr ardd. Yno cawsai dawelwch meddwl. Bellach, â'r ardd yn ei demtio, ni allai mo'i chyrraedd. Ar y diwrnod tyngedfennol hwnnw, pan oedd ei rwystredigaeth yn ddiatal, anelodd ergyd ac roedd yr effaith yn drychinebus.

O ystyried ein dealltwriaeth am Mr Bryan a'i sefyllfa, a

ddylai'r perchennog gael y bai am ei gaethiwo ef, heb sôn am y 15 arall, rhwng pedair wal gan eu temtio â'r tu allan, ond braidd byth yn caniatáu iddyn nhw'r pleser o gyrraedd yr ardd? Na. Y gred oedd bod y cartref yn rheoli risg yn synhwyrol. Ni ddylai pobl â dementia grwydro o gwmpas yn yr awyr agored, heb gwmni, a heb eu gweld mewn ardaloedd anniogel. Pwy a ŵyr beth allai ddigwydd? Yn ddiamau, roedd y cartref yn darparu amgylchedd diogel, ond a oedd yn rhaid iddo gyfyngu gymaint, ac a oes modd dweud ei fod wedi cynnig y math o fywyd i Mr Bryan y byddai yntau wedi dymuno'i fyw?

I ba raddau y dylid dal y gweithiwr cymdeithasol yn gyfrifol? Pa arweiniad roddodd hi i Mrs Bryan wrth iddi chwilio am gartref gofal addas? Roedd y cartref yn gyfforddus, yn hardd ac mewn lle dymunol, ond a fyddai byth wedi gallu diwallu anghenion Mr Bryan am breifatrwydd a rhywbeth i'w wneud? Neu ai'r gwirionedd oedd na chafodd ei anghenion erioed mo'u hystyried go iawn? Nid oedd y gwaith papur a ddarparwyd gan y gweithiwr cymdeithasol yn fawr mwy na rhestr o broblemau a chwynion. Soniodd amdano'n 'crwydro y tu allan' a'r dinistr a achosai, y gwrthdaro a'r ffraeo, y peryglon a'r risg o gael damwain ac o ymosod, ac am ei wraig yn methu ymdopi â'r straen. Ond beth amdano ef? Wrth i mi droi'r tudalennau, holais fy hun pryd y byddai stori Mr Bryan yn dechrau. Stori am y dyn balch a thawedog hwn yn ymgodymu i dderbyn y dirywiad oedd ynddo; sut y bu iddo ymdopi o'r diwedd drwy neilltuo'i hun oddi wrth bobl eraill a chael noddfa yn ei ardd yn y pen draw.

Ni ddechreuodd stori Mr Bryan fyth. Dim ond rhyw sylw arwynebol a roddwyd i ddiwallu'i anghenion. A ofynnwyd i'r gweithiwr cymdeithasol gyfiawnhau ei gweithredoedd?

Naddo. Mae'r awdurdod, y symlrwydd a'r tawelwch meddwl sy'n nodweddu 'model' y clefyd hwn yn rhoi cyfle i ni i gyd geisio lloches mewn diwylliant lle nad oes raid i ni holi cwestiynau, na chael ein holi chwaith, ynghylch ein gweithredoedd ein hunain. Gerbron pobl â dementia sy'n ymddwyn mewn ffyrdd heriol, gwyddom ble mae'r cyfrifoldeb – y rheswm bob amser yw bod ganddyn nhw ddementia!

Y gwirionedd yw bod Mr Bryan wedi rhoi anghenion roedd angen eu diwallu i bawb a oedd yn gyfrifol am ofalu amdano, nid problemau i'w rheoli na symptomau i'w cyfyngu, ac fe'i siomwyd yn aruthrol. Oherwydd nad oedd yr un cartref gofal yn barod i'w dderbyn, pydrodd am ddwy flynedd ar ward ysbyty. Nid oedd hi o bwys bod modd esbonio'i ymddygiad ar sail anghenion na chawson nhw mo'u diwallu, y farn oedd bod y peryglon yn rhy fawr. Ddim ond ar ôl iddo fynd yn rhy fusgrell ac iddo beidio â chael ei ystyried yn fygythiad i bobl eraill y cafodd ei ryddhau i gartref nyrsio i bobl ag anghenion dwys. Bu farw saith wythnos yn ddiweddarach. Roedd ei dynged yn drychinebus, ond nid ei dynged ef yn unig oedd hon. Dyna hefyd oedd tynged gwraig a oedd yn pendwmpian yn ddiniwed mewn cadair freichiau.

5

Rhywbeth ynglŷn â'i wên

Mae hi'n wyth mlynedd ers i mi gwrdd â John am y tro cyntaf yn ystafell haul ei dŷ twt a thaclus, ond cofiaf y cyfarfyddiad cyntaf hwnnw fel pe bai ddoe.

Fe'm cyfarchwyd gan wyneb coch, rhadlon. Safai'n stond a'r heulwen yn golchi drosto, ac edrychai'n llond ei groen o iechyd. Cyflwynwyd fi gan ei wraig, ac wrth iddo afael yn dynn yn fy llaw, llefarodd lif blith draphlith o eiriau – rhai'n addas, eraill yn doredig. Brwydrai geiriau am le ochr yn ochr â geiriau gwneud a synau; roedd y rhan fwyaf ohonyn nhw'n annealladwy i mi. Daeth cysgod o ddigalondid dros ei wyneb a throdd ymaith. Clywais ef yn dweud, 'mae'n ddim nid na... fel...', ac yna, distawrwydd. Edrychai fel dyn wedi'i drechu'n llwyr. Aeth Barbara â mi i'r naill ochr a dweud yn ddagreuol fod lleferydd ei gŵr yn mynd yn fwyfwy annealladwy.

Cynigiodd Barbara wneud paned o goffi i bob un ohonom. Rwy'n meddwl bod hyn er mwyn rhoi cyfle iddi ymdawelu yn hytrach nag i fod yn groesawgar y tro hwn. Ciliodd i'r gegin. Eisteddais wrth ochr John ac wrth i mi droi i'w wynebu, daeth rhywbeth yn lle'r digalondid, rhywbeth y byddwn yn dod mor gyfarwydd ag ef – gwên mor llydan, byddai'n goleuo'i wyneb.

Dysgais yn fuan fod John wrth ei fodd yng nghwmni pobl. Roedd ganddo lawer o ffrindiau. Roedd yn brysur yn ei eglwys leol. Byth yn swnllyd na hy, roedd yn ddyn cynnes, cyfeillgar a mwyn. Ond pam oedd e'n gwenu nawr, i ble'r aeth y digalondid?

Roedd yr ateb yn syml. Er mai munudau'n unig oedd wedi mynd heibio, roedd e wedi anghofio iddo gael anhawster i 'nghyfarch i. Anghofio? Ie, ond i raddau'n unig. Arhosai rhyw gymaint o hunanymwybyddiaeth, oherwydd yn ystod gweddill fy amser gydag ef y bore hwnnw, byddai'n gwenu, yn amneidio'i ben i gytuno, ond ni ddywedai fawr ddim. Roedd hi'n amlwg ei fod yn deall mwy o lawer nag y gallai ei fynegi. Roedd e'n dal i fwynhau cwmni pobl eraill, er na allai gyfrannu fawr ddim i'r sgwrs.

Cymerodd Barbara gyfrifoldeb llwyr am bopeth a ddigwyddai yn y cartref. Er nad oedd ond yn 57 oed, roedd John heb weithio ers pum mis. Er nad oedd John wedi cael diagnosis ffurfiol eto, gwyddai Barbara beth oedd yn digwydd. Roedd hi wedi'i weld o'r blaen. Roedd ei mam wedi marw o glefyd Alzheimer ynghynt yn y flwyddyn. Wrth i John ddirywio'n sylweddol, roedd hi'n dechrau deall popeth oedd wedi bod yn ei phoeni hi ers rhai blynyddoedd bellach.

Er nad oedd neb yn gwybod hynny ar y pryd, roedd stori John wedi dechrau bedair blynedd ynghynt mewn gwirionedd. Nid oedd wedi bod yn hapus yn ei waith ers talwm. Nid oedd neb yn gwybod pam. Roedd wedi gweithio yn yr un swydd ers 27 o flynyddoedd, felly pam oedd yn teimlo gymaint dan bwysau ac yn anhapus nawr? Naill ai nid oedd John am ddweud, neu nid oedd yn gwybod. Diagnosis ei feddyg teulu oedd pwysau gwaith ac iselder. Byddai John yn cael papur doctor am rai wythnosau ac yna byddai'n dychwelyd i'w waith. Ryw fis yn ddiweddarach, byddai gartre'n sâl eto. Ar yr adegau pan oedd gartref, heblaw am fod yn annaturiol o dawel a phell ei feddwl, roedd yn ymddwyn yn hollol naturiol.

Un diwrnod, daeth adref o'r gwaith a dweud wrth ei deulu, 'Rydw i wedi rhoi fy notis.' Rwy'n credu bod pawb yn falch, yn dawel bach, oherwydd roedden nhw'n gwybod bod John wedi bod mor anhapus. Brin dair wythnos yn ddiweddarach, roedd y teulu'n cael swper gyda'i gilydd pan ddywedodd John ei fod wedi dod o hyd i swydd newydd. Fel un, roedd y teulu wrth eu bodd. Dywedodd ei ferch wrthyf, 'Doedd Dad ddim wedi bod yn hapus, ond ar ôl dod allan o'r lle yna, roedd wedi dod ato'i hun. Dad oedd e eto.'

'Ble fyddi di'n gweithio?' 'Yn unlle gwell,' atebodd, 'Rydw i wedi cael swydd yn y ffatri gyferbyn â'r hen le. Fi fydd y gofalwr.' I bob pwrpas, golygai hyn y byddai'n gyfrifol am sgubo rhwng y peiriannau a'r meinciau gweithio, ac yna gael gwared ar y naddion pren. 'Alli di ddim,' meddai pawb, mewn braw. 'Mae gen ti sgiliau da. Rwyt ti'n trin peiriannau. Alli di ddim!' Ond daliodd John ei dir. Roedd wedi penderfynu.

Am dair blynedd, gweithiai John yn y ffatri. Roedd yn boblogaidd, fel erioed, ond buan y deallodd ei gyd-weithwyr newydd gymaint o duedd oedd ynddo i wneud y pethau mwyaf twp. Roedd pawb yn cyd-dynnu'n dda, serch hynny, felly bydden nhw'n goddef John yn hytrach na'i feirniadu. Bydden nhw'n cuddio'i gamgymeriadau ac yn rhoi help llaw iddo. Weithiau byddai'n gocyn hitio'u hiwmor. Allen nhw ddim peidio, ond roedden nhw'n gwybod y byddai John yn derbyn popeth yn rasol. Yr argraff a roddai oedd nad oedd ymhlith y mwyaf disglair o blant dynion. Byddai'n sgubo'r un ardal dro ar ôl tro, byddai'n gadael i naddion bentyrru ac roedd fel pe na bai'n sylwi arnyn nhw. Ar adegau eraill, ni fyddai'n gwybod beth i'w wneud â'r naddion pren neu'n anghofio'i fod wedi addo gwneud rhywbeth. Un diwrnod, cafwyd ymarfer larwm tân yn y ffatri. Daeth pawb ynghyd yn y maes parcio ond nid oedd John i'w weld yn unman. Daethpwyd o hyd iddo o'r diwedd, yn crwydro'r ffatri, ar goll ac wedi drysu. Nid oedd yn cofio beth ddylai'i wneud pan seiniai'r larwm ac roedd yn methu meddwl am y peth synhwyrol i'w wneud. Dyna ddiwedd ar ei yrfa yn y ffatri. Ni fyddai rheolau Iechyd a Diogelwch yn caniatáu hynny. Dyma pryd yr awgrymodd cyflogwr John ei fod yn cael seibiant salwch tymor hir, tra oedd y meddygon yn archwilio'i iechyd. Gwyddai pawb na fyddai John yn dychwelyd.

Dyma pam roeddwn i'n eistedd wrth ochr John. Roedd ei feddyg teulu wedi gofyn i mi 'asesu a chynghori'. Nid oedd hi o'r farn erbyn hyn mai pwysau gwaith ac iselder oedd achos y dirywiad yn ei allu. Gan fod ei gof, ei leferydd a'i resymu yn graddol waethygu, roedd hi bellach yn ddigon hawdd dod i ddiagnosis tebygol o glefyd Alzheimer – nad oedd mor hawdd bedair blynedd yn ôl. Yr hyn nad oedd John wedi'i ddeall bryd hynny, neu efallai nad oedd yn gallu cyfaddef, oedd mai clefyd Alzheimer oedd y rheswm dros y dirywiad yn ei allu i ganolbwyntio, a oedd yn ei dro yn achosi ei bryderon yn ei waith. O ganlyniad, roedd hi'n anodd iddo ddeall cymhlethdod y peiriannau a threfn y tasgau oedd i'w cwblhau. Dirywiodd ei hwyl, wrth iddo deimlo'n gynyddol ddi-glem a rhwystredig. Ond ar y pwynt mwyaf tyngedfennol hwn yn ei fywyd, dangosodd John gryfder ysbryd a'i cynhaliodd am dair blynedd yn rhagor. Blynyddoedd pan lwyddodd i gadw'i dawelwch meddwl a thrysori byw bywyd normal. Drwy newid ei swydd, roedd wedi gostwng i lefel is o ran sgiliau, ond roedd yn gallu mynd i'r gwaith bob dydd gan wybod bod yr hyn a ddisgwylid ganddo o fewn ei allu. Nid oedd wedi codi cywilydd arno'i hun. Roedd wedi gweithredu â synnwyr cyffredin ac wedi addasu i'r hyn a oedd yn dinistrio'i alluoedd yn llechwraidd.

Serch hynny, rwy'n amau a oedd John yn gwybod mewn gwirionedd ei fod yn ymdopi â dementia. Fel llawer o bobl sy'n byw drwy ddechrau dementia, aeth John i mewn i fyd o gyfrinachau tywyll. Rwy'n amau ei fod wedi gwneud popeth a allai i osgoi gweld cadarnhau ei ofidiau neu gael ei weld fel ffŵl. Yn ystod cyfnodau cynnar dementia mae gwadu, chwedleua, bod yn hunanol, beio eraill, ac osgoi sefyllfaoedd i gyd yn rhan o'r ymddygiad a welir. Defnyddir geiriau a gweithredir mewn ffyrdd sy'n rhoi'r camargraff bod personoliaeth yn newid. Mae ymddygiad yn newid ond nid felly personoliaeth. Mae angen i ni ddeall bod person yn dygymod â thrawma seicolegol mor anferth nes ei bod yn anodd ei amgyffred. Bydd rhai'n methu ymdopi'n dda o gwbl, bydd eraill yn dangos gwytnwch eithriadol, oherwydd bod gan bob un ohonom adnoddau gwahanol. Os edrychwn y tu hwnt i'r golygfeydd a'r synau sy'n peri penbleth ac yn ddigon i'n gwylltio, down i ddeall yn aml fod yr hyn a oedd unwaith yn anesboniadwy bellach yn llawn bwriadau rhesymegol a synnwyr cyffredin.

Pwy o'n plith sydd wedi deffro, efallai pan na fyddwn gartre, ac am eiliad neu ddwy heb unrhyw syniad ble rydym ni? O fewn eiliadau, mae'r geiniog yn syrthio, a gwyddom ble rydym ni. Ond dychmygwch pe na bai'r geiniog yn syrthio. Er gwaethaf pob ymdrech, does dim ateb yn dod. Sut fyddech chi'n teimlo? Yn llawn ofn? A fyddai panig yn dechrau crynhoi? O leiaf byddai'r teimladau hynny'n datblygu yng nghysur preifat ystafell wely. Yn achos dementia, mae methu gwybod ble'r ydych chi, o ble ddaethoch chi, sut gyrhaeddoch chi a beth ddylech chi ei wneud nesaf yn gallu digwydd yn unrhyw le, ar unrhyw adeg. Pan fyddwch chi ar eich pen eich hun, yn y stryd, mewn siop, mewn car, ar fws, a does dim ots faint fyddwch chi'n canolbwyntio, pa mor daer rydych chi'n chwilio am ateb, prin y daw'r ateb hwnnw i'r fei.

A fyddech chi'n dymuno mentro allan o dan yr amgylchiadau hynny? Os ydych chi'n ateb 'na fyddwn', a oes gennym dystiolaeth fod eich personoliaeth wedi newid, ynteu a ydych chi'n dal i fod yr un peth ag erioed, ond bod eich ymddygiad wedi newid? Rydych chi'n dygymod â braw a gofid nad ydych erioed wedi profi eu tebyg. Ond yn y broses o ymddwyn mor wahanol, ydych chi'n ymddwyn mewn ffordd hollol gall, er bod eich ymddygiad yn creu penbleth i bawb arall? Ac mi fydd yn creu penbleth iddyn nhw, yn enwedig os dewiswch chi beidio byth â rhannu'r rheswm dros eich amharodrwydd i adael eich cartref.

Roedd gallu John i ddygymod ac i fwrw ymlaen â'i fywyd wedi'i gwneud hi'n anodd rhoi diagnosis i ddechrau, ond nid mwyach. Rhoddodd Barbara y gorau i'w swydd ran-amser i ofalu am ei gŵr. Gydag amser, daeth yn fwy dibynnol arni, ond am ddwy flynedd aeth pethau rhagddyn nhw yn hollol ddidrafferth. Roedd yn mynd i'w eglwys leol, byddai ffrindiau'n parhau i alw a byddai'n mynd â'i gi am dro. Roedd Barbara yn gefn diysgog iddo, gan ei amddiffyn yn aml. Byddwn i'n ymweld â nhw bob mis ac er ei bod hi'n anodd i John ei fynegi ei hun, byddai'n eistedd gyda ni wrth i ni sgwrsio. Fe allech weld ei fod yn dal i ddeall mwy nag y gallai ei ddweud. Weithiau byddai'n gallu yngan ambell air, weithiau byddai'n edrych ychydig yn syn, ond byddai'n gwenu bob amser – ni fyddai byth yn peidio â gwenu.

Ar ôl sawl mis o ofalu'n ddi-gŵyn, synhwyrai Barbara fod rhywbeth arswydus yn digwydd. Roedd John wedi bod yn gymeriad serchus, dymunol a pharod i gydweithredu. Nawr roedd ei hwyl yn dywyllach. Roedd yn llai parod i dderbyn help ac ar brydiau byddai'n ei wrthod. Yr hyn na allai hi mo'i ddeall yn iawn oedd bod dementia John, chwe blynedd ers y dechrau, yn gwaethygu'n raddol. Erbyn hyn roedd yn dangos arwyddion o agnosia ac apracsia (colli'r gallu i adnabod a chydsymud). Nid colledion na diffygion niwrolegol yn unig mo'r rhain sy'n gwneud pobl yn fwy dibynnol ac yn newid eu hanghenion gofal. Mae'r ymateb emosiynol i'r newidiadau rhwystredig a brawychus hyn yr un mor bwysig – maen nhw'n creu byd mewnol hollol anhrefnus, yn llawn o deimladau newydd, ac weithiau'n eithafol. Ar draul pawb sy'n ymwneud â'r sefyllfa, dyma fyd mae pobl broffesiynol yn ei anwybyddu'n rhy aml.

Yn yr ystafell ymolchi, roedd hi'n anodd i John gydlynu'i symudiadau. Roedd yn cael anhawster cydio yn ei gadach ymolchi, ei eilliwr, neu beth bynnag arall roedd ei angen arno, a'u defnyddio. Yn ôl ei harfer, roedd Barbara yno i'w helpu. Ond roedd John yn methu deall pam na allai wneud y pethau roedd wedi'u gwneud mor ddidrafferth erioed, heb feddwl yn ymwybodol amdanyn nhw. Ni fyddai erioed wedi methu codi unrhyw beth a ddymunai a'i ddal yn y modd cywir, oherwydd bod y rhain yn sgiliau sylfaenol. Gosodir sylfeini'r rhain ym misoedd cyntaf ein bywyd. Dyma adeg 'profiad cyn cof' pan fo'r ymennydd yn anaeddfed ac nad yw'n caniatáu i ni gofio'r hyn a ddysgir ac a wneir. Rydym yn storio'r hyn sy'n cael ei gadw yng nghilfachau hynafol ein hymennydd, fel 'cof ymhlyg' (*implicit memory*), hynny yw, yr hyn rydym ni'n ei wybod amdanom ni'n hunain nad oes angen meddwl yn ymwybodol amdano, o reidrwydd. Os byddwn ni'n gollwng rhywbeth sydd ei angen arnom, byddwn yn ei godi. Os bydd eisiau rhywbeth arnom ni, byddwn yn estyn amdano ac yn cydio ynddo. Ond ni allai John wneud hynny mwyach ac roedd yn methu esbonio hyn, oherwydd nid oedd yn gwybod bod hyn yn digwydd oherwydd bod dementia arno. Roedd ei ddirnadaeth a'i hunanymwybyddiaeth wedi hen ddiflannu.

A allwn ni ddychmygu'r fath ddryswch a rhwystredigaeth a ddioddefodd wrth ganfod 'amgylchedd mewnol' nad oedd yn gallu'i ddeall o gwbl? Os yw pobl yn rhwystredig, maen nhw'n colli'u tymer ac yn ddig. Nid yw'n fawr o syndod felly bod cysylltiad rhwng apracsia ac ymosodedd. Nid yw'r cysylltiad hwn yn ganlyniad dirywiad ym meinweoedd yr ymennydd: mae'n deillio o rwystredigaeth. Roedd yn rhaid i Barbara addasu nawr i ddicter John oherwydd ei rwystredigaeth. A hithau wedi bod mor ofalgar a hawddgar erioed, roedd hyn yn anodd iddi. Câi John broblemau dirnad ac adnabod hefyd. Weithiau pan roddai Barbara ei gadach ymolchi neu ei rasel iddo, byddai'n syllu arno'i hun yn y drych ac yna'n ymestyn yn araf tuag ato. Digwyddai achosion felly'n amlach, gan greu dryswch ac ofn. Weithiau, ond nid yn aml, byddai'n gwneud i John wenu yn ei ffordd hunanfychanol, wrth iddo ddeall ei gamgymeriad hurt. Gan sylweddoli bod ei weithred yn 'anghywir', byddai weithiau'n arwain ei law yn ôl at ei wyneb; dro arall byddai'n taflu'r rasel neu'r cadach i lawr mewn dicter.

Sylweddolodd mab John fod 'rhywbeth mawr o'i le' pan aeth ef a'i wraig â'i rieni allan am bryd o fwyd. Aeth John a'i fab i'r tŷ bach. Safai'r ddau wrth ochr ei gilydd ger y lle gwneud dŵr. Aeth ei fab i olchi ei ddwylo, a meddyliodd, 'Ble mae Dad?' Trodd i weld bod ei dad wedi mynd o'i le gwneud dŵr yntau i'r un roedd ei fab wedi'i ddefnyddio, a'i fod yn 'golchi' ei ddwylo yn nŵr ei fab. Ac eto, gwyddai'n amlwg ei fod yn gwneud rhywbeth o chwith, oherwydd roedd yn crio'n dawel. Roedd John eisiau golchi ei ddwylo. Roedd angen sinc arno. Roedd wedi darganfod rhywbeth gwyn, wedi'i wneud o borslen. I John, roedd wedi dod o hyd i fasn golchi dwylo.

Os oes agnosia arnoch, rydych chi'n gweld heb wybod yn iawn. Edrychai John ar ei fyd, gwelai – ac eto, beth roedd John yn ei weld? O'r hyn a wyddom am agnosia, mae'n debygol ei fod yn gweld nodweddion unigol ond nid yn gweld wynebau neu wrthrychau cyfan. Byddai rhywbeth llachar, lliw trawiadol neu siâp anghyffredin yn dal ei sylw. Drwy fethu â gweld y cyfan, a gweld manylion yn unig, byddai John yn camddehongli, weithiau oherwydd ei fod yn llenwi'r bylchau â nodweddion nad oedden nhw'n bodoli.

Trodd yr haf yn hydref. Roedd dyddiau a arferai fod yn heulog a braf bellach yn gymylog a diflas. Gyda throi'r cloc, daeth y gwyll hyd yn oed ynghynt. Âi'r nosweithiau'n hirach a daeth tro brawychus ar fyd i John. Byddai'n gweld ei adlewyrchiad yn sgrin y teledu ac yn cael cip arno'i hun yn y ffenestri, ond pobl eraill oedd y rhain i John. Byddai'n codi o'i gadair, yn pwyntio, yn chwifio'i freichiau, yn syllu ac yn gweiddi 'Ewch, mynd o 'ma!' Ond os ydych chi'n gweiddi ar eich adlewyrchiad, beth mae hwn yn ei wneud? Mae'n gweiddi'n ôl. Byddai'n cythru am y ffenestri ac yn curo ar y gwydr, gan ddal i floeddio. Cododd ymddygiad ei gŵr ofn ar Barbara. 'Does neb yno,' byddai hi'n dweud. Byddai hi'n ei gysuro drwy ddweud nad oedd angen iddo ofidio am ddim. Ond nid oedd hi'n bosibl cysuro John. Ni allai gredu Barbara oherwydd ei fod yn gwybod, yn ei fyd yntau, bod rhywbeth o'i le. Roedd artaith a braw yn gwmni iddo bob dydd. Ceisiodd Barbara ddal ati i fod yn dosturiol, ond roedd ffrwydradau John yn dweud arni. Un diwrnod, wrth i John sefyll yn yr ystafell haul, cynhyrfodd yn lân. Wrth i Barbara ei dywys oddi wrth y ffenestr, dywedir bod John wedi ceisio'i tharo. Rwy'n grediniol nad oedd hyn yn wir. Fy marn i yw ei fod yn ceisio'i chael hi i sefyll y tu ôl iddo. Nid awydd i niweidio Barbara oedd achos hyn, ond angen i'w gwarchod rhag y bobl roedd John yn eu gweld. Er gwaethaf pob ymddygiad i'r gwrthwyneb, roedd John yn dal i fod yn ŵr ffyddlon a theyrngar. Y broblem oedd ei bod hi'n mynd yn fwyfwy anodd i Barbara weld hynny.

Ymddygiad a 'orddysgir' ers ein plentyndod yw bod y tŷ bach fel arfer ar y llawr cyntaf. Pan fyddai angen mynd i'r tŷ bach ar John, byddai'n dringo'r grisiau. Ar ôl cyrraedd y landing, byddai apracsia ac agnosia'n ddau gyfaill difaddau. Anaml iawn y byddai'n llwyddo i ddefnyddio'r toiled yn llwyddiannus. Byddai'n cael anhawster gyda'i ddillad: roedd pob gwregys, bwcl, botwm a sip yn rhwystrau anorchfygol. Byddai'n gwlychu'i hun; neu os oedd wedi llwyddo gyda'i ddillad, byddai'n gwneud dŵr ar y llawr, ar hyd y wal, neu yn y bath. Ond ni allai John sylweddoli mor ddibynnol yr ydoedd, oherwydd iddo syrthio i'r un fagl â phawb sydd â dementia.

Pan oedd John yn arfer gwybod bod angen Barbara arno, dyna pryd roedd ei hangen hi leiaf arno, ond pan oedd arno'i hangen fwyaf, ni wyddai John mo hynny o gwbl.

Yn wahanol i John, gwyddai Barbara am yr anawsterau y byddai ei gŵr yn eu hwynebu. Byddai'n ei ddilyn i'r llofft ac yn cael llond lle o elyniaeth. Roedd e'n rhwystredig. Ni allai feddwl pam roedd hon (oherwydd fy mod i'n credu nad oedd John, ar sawl achlysur, yn adnabod ei wraig bellach) yn ymyrryd yn ei breifatrwydd pan oedd yn gwneud un o'r pethau mwyaf personol. Roedd Barbara bron â chyrraedd pen ei thennyn. Byddai hi'n dweud, 'Pam mae e'n gwneud hyn i fi?' 'Beth ddigwyddodd i'r dyn briodais i?'

Tua phump o'r gloch y bore un diwrnod, cymerodd Barbara gam di-droi'n-ôl. Cafodd ei deffro gan John. Roedd e'n sefyll o flaen y bwrdd gwisgo ac yn gwneud dŵr i mewn i'r drôr uchaf. Taflodd ei hun allan o'r gwely a chythru i'w gyfeiriad. Nid oedd hi'n meddwl yn glir. 'Roeddwn i eisiau ei symud o 'na. I'r tŷ bach, dwn i ddim. Roeddwn i eisiau i'r cyfan fod drosodd. Na... dwi'n meddwl... ro'n i am iddo fe stopio.' Roedd y wawr newydd dorri. Roedd hi'n dod ato o'r tu ôl. Wrth iddi gydio ynddo, daliwyd John yn ddirybudd. Mae'n amheus gen i a yw dweud bod John wedi dychryn ar yr eiliad honno'n gwneud cyfiawnder â'i deimladau. Trodd ar ei echel a'i bwrw hi. A Barbara wedi'i syfrdanu am ennyd, gan syllu i lygaid nad oedd yn ei hadnabod o gwbl, trawodd ef ar draws ei wyneb. Pa ryfedd iddi ffonio'r nyrs seiciatrig gymunedol, bedair awr yn ddiweddarach, i ddweud nad oedd hi'n gallu ymdopi mwyach?

O fewn 72 awr, roedd John mewn gofal seibiant. Trefnwyd iddo aros yno am wythnos. Ond dim ond am ddeuddydd yr arhosodd yno. Roedd gormod o ffenestri. Byddai'n crwydro'r coridorau gan wylltio a churo ar y gwydr. Gwrthodai fwyta, gwthiai staff o'r neilltu, ac yn aml bydden nhw'n yn dod o hyd iddo'n ceisio agor drws y ffrynt, yn fawr ei ffwdan. Ar y nos Sul, ffoniodd rheolwr y cartref Barbara, gan ddweud nad oedden nhw'n gallu dygymod ag ymddygiad John ac a allai hithau ddod i'w nôl yn y bore? Dyna a wnaeth Barbara, ond cafodd ei hun mewn lle ofnadwy a elwir yn 'euogrwydd'. Gwyddai fod ansawdd y gofal y gallai hi ei roi i ddyn nad oedd hi'n meddwl amdano mwyach fel gŵr iddi yn sobor o brin o amynedd a thosturi, ac eto gwyddai nawr mor ingol iddo y byddai byw mewn cartref gofal. Pa ffordd bynnag y byddai'n troi, gwyddai y byddai hi a John ill dau'n dioddef.

Wrth i ni siarad, roedd hi'n glir mai dyma'r adeg i roi caniatâd i Barbara ollwng gafael. Ni allai oddef mwy. Ni soniodd eto sut roedd John yn dal i fod yr un dyn gofalgar, tyner roedd hi wedi rhannu'r tri deg rhywbeth o flynyddoedd diwethaf yn ei gwmni. Buom yn siarad yn hir am y ffaith nad arwyddion clefyd oedd y newid yn ei ymddygiad a'i dymer, ond yn hytrach dystiolaeth ei fod bellach yn ddyn ofnus, mewn gwewyr a oedd yn ceisio goroesi mewn byd na allwn ni prin mo'i amgyffred. Roedd bellach yn amser iddi hi symud ymlaen a dod i ben â'r artaith sy'n dod yn sgil gwybod bod anwylyn yn dioddef. Roedd John fel petai'n ddieithryn. Onid oedd hi'n bosibl bod y salwch wedi'i adael yn gragen wag, roedd modd ei hadnabod yn allanol fel John, ond nad oedd mwyach yn John, y dyn roedd hi wedi'i adnabod a'i garu am flynyddoedd? O fewn tri mis i adael i Barbara sôn am symptomau, aeth John i gartref nyrsio. Roedd y cartref hwn yn enwog nid am 'reoli ymddygiad heriol', ond am fod y gofalwyr yn edrych y tu hwnt i ymddygiad unigolyn ac i mewn i'w fyd goddrychol o deimladau.

Oherwydd ymrwymiad go iawn ei ofalwyr i'w anghenion emosiynol ac iddyn nhw ddangos eu bod yn deall seicoleg John, bu'n bleser ei weld yn addasu oherwydd ei fod bellach yn byw mewn dedwyddwch cymharol. Mae ganddo gynllun gofal a gynllluniwyd i ddiwallu ei angen i gael tawelwch meddwl, yn hytrach nag i reoli ei ffrwydradau treisgar, ac mae hwn yn ymdrin â'i broblemau â chydsymud ac adnabod. Nodwedd y gofal personol yw bod yn dyner ac yn oddefgar tuag ato, ac nid yw gofynion trefn wedi'i chyfyngu gan amser yn effeithio arno. Mae'n treulio'r rhan fwyaf o'i amser naill ai yn ei ystafell wely neu mewn lolfa fach. Yn y ddwy ystafell, nid oes na drych na theledu, ac yn yr hwyr, mae'r llenni ynghau bob amser. Heb adlewyrchiadau, nid yw 'dieithriaid' yn ei arteithio mwyach. Bydd John yn eistedd yn dawel am gyfnodau maith. Bydd nyrs yn treulio amser yn ei gwmni, pryd bynnag mae'n bosibl. Nid ydyn nhw'n sgwrsio, ond nid yw hynny o bwys. Mae bod yng nghwmni rhywun â llygaid dibryder a gwên gysurlon yn gwneud y tro'n iawn. Pan ddaw ei wraig i ymweld ag ef, gellir gweld rhyw ystum o adnabyddiaeth, oherwydd buan y daw'r wên yn ôl i'w wyneb. Ar adegau, bydd John yn pefrio yn ei chwmni. Nid yw Barbara yn dymuno dim byd mwy na hyn, oherwydd ei bod hithau hefyd bellach wedi cael tawelwch meddwl.

6

'Nid ein modryb ni yw honna!'

Gwraig yn ei phumdegau hwyr oedd Janet. Ychydig yn hen ffasiwn ei ffordd, roedd hi'n byw gyda'i mam 93 oed. Dyna sut y bu erioed, oherwydd nad oedd Janet erioed wedi gadael cartref. Hi oedd yr ieuengaf o bum plentyn, a gwelodd bob un o'i brodyr a'i chwiorydd yn mynd dros y nyth. Doedden nhw ddim wedi mynd yn bell, oherwydd roedden nhw'n deulu agos iawn. Hyd yn oed yn achos y ddau a aeth i ffwrdd i'r coleg, dychwelyd wnaethon nhw. Un ar ôl y llall, fe briodon nhw, sefydlu'u cartrefi eu hunain a gydag amser, cawson nhw eu plant eu hunain. Nid felly Janet. Roedd hi'n fodlon ei byd gartref gyda'i rhieni, ac ar ôl i'w thad farw, roedd hi'n hapus i fyw gyda'i mam – y ddwy ohonyn nhw, yn fam a merch, yn byw ynghyd yn ddedwydd a thawel. Nid gorfod byw gyda'i gilydd roedden nhw, ond dewis. Roedd mam Janet yn wraig hyfryd, yn llawn bywyd ac yn fwy effro na sawl gwraig 20 mlynedd yn iau na hi. Doedd dim newid ar Janet a'i harferion cyfarwydd ac roedd hi'n hapus i gadw cwmni i'w mam.

Ni ddylai hyn awgrymu bod bywyd Janet wedi mynd drwy'i dwylo, chwaith. Roedd hi'n uchel ei pharch ac yn annwyl iawn gan lawer yn ei chymdogaeth. Ers bron 30 mlynedd, hi oedd rheolwr y gegin a'r ffreutur yn yr ysgol gynradd leol. Roedd cenedlaethau o blant bach wedi tyfu gan wybod am dynerwch a gofal Janet. Disgrifiwyd hi gan lawer fel menyw neis iawn. Byddai bob amser yn ystyrlon, doedd ganddi fyth air croes i'w ddweud am neb, a byddai'n mynd i drafferth i helpu pobl roedd hi prin yn eu hadnabod, hyd yn oed. Allai neb gofio iddi godi ei llais erioed, heb sôn am anghytuno â neb. I'w neiaint a'i nithoedd, hi oedd eu hoff fodryb, yn gynnes a chroesawgar ac yn falch o'u gweld bob amser.

Roedd Janet yn 59 oed pan fu farw ei mam yn annisgwyl. Heb ddrama nac argyfwng, hunodd yn dawel yn ei chwsg. Am y tro cyntaf erioed, roedd Janet ar ei phen ei hun. Gwerthodd y tŷ bychan a fu'n gartref y teulu a phrynodd fflat deulawr ger yr ysgol, brin ddwy stryd o gartref un o'i brodyr a'i deulu. Gweithiodd am flwyddyn arall ac yna ymddeol. Credaf y gellir dweud yn hyderus iddi fwynhau'r pedair blynedd nesaf. Manteisiodd yn llawn ar yr amser a oedd ganddi bellach i fod gyda'i theulu, gan ymroi'n llwyr nid yn unig i'w neiaint a'i nithoedd, ond i'w plant bach nhw hefyd. Ond roedd newid ar droed.

Pan ofynnir pryd y dechreuodd dementia yn un o'u hanwyliaid, ni fydd llawer o deuluoedd yn sôn am un digwyddiad penodol a gododd fraw arnyn nhw. Yn hytrach, dônt i sylweddoli'n araf, ag ymdeimlad cynyddol bod rhywbeth o'i le. I deulu Janet, ei gweld hi'n mynd yn ddi-raen oedd hyn. Dechreuodd Janet wisgo'r un dillad ddydd ar ôl dydd, naill ai heb sylwi neu heb falio bod ei blows, ei siwmper, ei sgert yn byglyd a staeniog. Roedd hi'n drewi ychydig hefyd, a oedd yn embaras iddyn nhw. A hwythau'n methu deall ac yn teimlo'n lletchwith am y peth, ni ddywedodd ei theulu ddim. Ond un diwrnod, holodd un o'i chwiorydd beth oedd yn bod. Roedd yr ateb yn un i godi pryder. Gwadodd Janet fod unrhyw beth o'i le, ond nid yr hyn a ddywedodd a gododd bryder yn ei chwaer, ond yn hytrach, y modd yr atebodd. Atebodd yn gas, yn siarp. Buan y deallodd y teulu: 'Peidiwch â sôn am hynny'. Aeth misoedd heibio a dwysáu wnâi eu gofid. Roedden nhw i gyd yn synhwyro bod rhywbeth ofnadwy yn digwydd i'w chwaer. Nid dim ond golwg anniben oedd arni erbyn hyn: roedd cartref Janet hefyd yn mynd i'r un cyfeiriad. Roedd y gegin yn enwedig mewn cyflwr truenus, yn anniben ac yn fudr, a llestri a chyllyll a ffyrc heb eu golchi am ddyddiau bwygilydd. Unwaith eto, roedd fel pe na bai Janet yn ymwybodol fod unrhyw beth o'i le, neu doedd hi ddim yn poeni. Soniodd neb yr un gair.

Yna dechreuodd y galwadau ffôn. Byddai'n ffonio'i brodyr, ei chwiorydd, ei nithoedd a'i neiaint sawl gwaith y dydd. Eto, roedd fel pe na bai Janet wedi siarad â nhw ers dyddiau, er mai ychydig oriau oedd wedi mynd heibio mewn gwirionedd. Daeth pethau i'r pen pan aeth Janet ar goll wrth ddychwelyd o ganol y ddinas, taith roedd hi wedi'i gwneud gannoedd o weithiau o'r blaen. Roedd wedi drysu gymaint ac mewn cymaint o wewyr, roedd angen i'r heddlu ddod â hi adref.

Digon oedd digon. Ffoniodd un o chwiorydd Janet y meddyg teulu ac esbonio popeth a oedd wedi bod yn digwydd ac mor bryderus roedd pawb. Doedd meddyg Janet yn dda i ddim. Roedd yn deall eu gofidiau ond dywedodd nad oedd yn gallu gwneud dim. Janet oedd ei glaf. Byddai'n falch o'i gweld pe bai hi'n ymweld â'r feddygfa, roedd hyd yn oed yn barod i siarad â hi dros y ffôn, ond hyd nes y byddai hi'n cysylltu ei hun, roedd yn methu gwneud dim. Ond ni welai Janet unrhyw reswm pam y dylai hi fynd at y meddyg. Aeth rhagor o fisoedd heibio, yna ymyrrodd ffawd i roi help llaw. Cafodd Janet y ffliw a bachodd ei theulu ar y cyfle. Roedd hi'n teimlo'n sâl, felly cytunodd iddyn nhw wneud apwyntiad ar ei rhan.

Gydag un o'i chwiorydd ac un o'i nithoedd yn gwmni, cafodd Janet ei hun yn eistedd gyferbyn â'i meddyg. Yn amlwg, roedd hi'n sâl, ond ni allai yntau beidio â gweld ei bod hi fel pe na bai hi'n gwybod pam roedd angen ei weld arni. Ymddangosai'n ddryslyd ac roedd golwg bell arni. Ni ddatgelwyd llawer drwy ofyn cwestiynau, oherwydd prin oedd y sgwrs. Heb amheuaeth, roedd y ffliw arni, ond roedd y meddyg hefyd yn meddwl bod iselder ar Janet. Dywedodd wrthyn nhw am ystyried popeth a oedd wedi digwydd iddi. Roedd hi wedi colli ei mam, wedi symud tŷ ac wedi ymddeol cyn pen blwyddyn. Dywedodd y meddyg wrthyn nhw fod y rhain, yn amlwg, wedi bod yn ddigwyddiadau mawr ac ingol yn ei bywyd. Er eu bod wedi digwydd bum mlynedd ynghynt, nid oedd Janet wedi addasu gystal â'r disgwyl, a bellach roedd hi'n medi'r canlyniadau emosiynol.

Nid oedd diagnosis ei meddyg yn annisgwyl. Fel y gwelsom gyda Grace (Pennod 1), pan fydd pobl ganol oed neu mewn henoed cynnar yn amlygu arwyddion cynnar dementia, maen nhw'n cael camddiagnosis o iselder yn aml. Mae'r arwyddion – diffyg canolbwyntio a diddordeb, bod yn anghofus a difater – yn debyg, ac ni ddisgwylir gweld dementia mewn rhywun mor gymharol ifanc. Mae'n ddiagnosis sy'n werth ei ystyried pe na bai ond i'w ddiystyru, oherwydd dim ond drwy fynd drwy broses o eithrio popeth arall y gellir rhoi diagnosis o ddementia i rywun.

Rhoddwyd tabledi gwrthiselder i Janet. Am yn agos at dri

mis, daliodd ei meddyg at y diagnosis, nes iddo godi bwgan dementia un diwrnod. Nid oedd yn credu mai dyna oedd yn bod arni. Roedd Janet yn dal i fod yn gymharol ifanc ac fel arfer gwelir dementia mewn hen bobl. At ei gilydd, roedd yn dal i feddwl bod iselder mawr arni nad oedd yn ymateb i driniaeth. Teimlai, serch hynny, mai'r llwybr gorau i'w ddilyn oedd cyfeirio Janet at 'wasanaeth seiciatrig yr henoed'.

Yn anffodus i'r teulu hwn, roedden nhw'n byw mewn rhan o'r wlad lle roedd y gwasanaeth yn gyfyngedig i un proffesiwn yn unig, sef seiciatreg. Nid y proffesiwn ei hun oedd yn peri gofid; ond yn hytrach y pryder na all un proffesiwn yn unig fyth fod yn ffynhonnell pob gwybodaeth. Yn aml, fel yn yr achos hwn, mae dibynnu ar un proffesiwn hefyd yn golygu dibynnu ar un person. Canlyniad hyn yw oedi anorfod ac aneffeithlonrwydd. Dim ond hyn a hyn o achosion y mae'n bosibl delio â nhw, a gall amser aros am apwyntiad ymestyn yn ddidrugaredd. Pe bai achos Janet wedi'i ystyried yn un brys, byddai'r seiciatrydd wedi ymweld â hi yn ei chartref, a hynny o fewn 72 awr. Ond nid felly yr oedd, a chynigiwyd apwyntiad claf allanol iddi – ymhen saith mis. I'r gwasanaeth, roedd yr amser aros y byddai'n rhaid i Janet ac eraill ei ddioddef yn nod llwyddiant, yn dystiolaeth o'r galw mawr am wasanaeth gwerthfawr, yn hytrach na thystiolaeth o aneffeithlonrwydd a methiant amlwg i ddiwallu anghenion cleifion.

Tra oedd Janet yn disgwyl i weld y seiciatrydd, anfonwyd nyrs seiciatrig gymunedol ati, i fod yn gyfrifol am gadw golwg ar Janet. Roedd y nyrs yn amau mai dementia oedd arni. Rhybuddiodd y teulu i ddisgwyl y gwaethaf. Aeth y misoedd heibio, a pharhaodd Janet i waethygu. Ni ddigwyddodd dim byd trawiadol, dim byd dirdynnol, ond gallech weld bod Janet yn llai ymwybodol o'r hyn oedd yn digwydd o'i chwmpas, yn dangos llai o ddiddordeb mewn pobl eraill ac yn fwy tebygol o wneud pethau nad oedd rheswm amlwg dros eu gwneud.

Pan ddaeth hi'n bryd i'r seiciatrydd weld Janet, fy marn i yw ei fod wedi gwneud yr hyn a wnaeth oherwydd yr hyn a welai o'i flaen. Gyda Janet, roedd dwy chwaer iddi, ill dwy wedi ymlâdd, ac efallai mai dyma pam nad oedd dim byd trychinebus wedi digwydd. Roedd hi mewn perygl erbyn hyn pan fyddai ar ei phen ei hun: byddai'n mynd allan heb ddim rheswm ac weithiau'n mynd ar goll, ond yn ddi-ffael, byddai'n dychwelyd i'r tŷ roedd wedi'i rannu gyda'i mam. Gallai'r gegin fod yn lle arbennig o beryglus a byddai'n anghofio cau drws y cefn. I reoli ei hymddygiad peryglus, byddai rhyw aelod o'r teulu'n cysgu yng nghartref Janet bron bob nos i gadw golwg arni. Dywedodd y seiciatrydd na allai fod yn sicr beth oedd yn bod ar eu chwaer. Gallai fod yn ddementia, ond yr hyn yr hoffai ei wneud oedd ei hanfon i'r uned asesu lle byddai modd iddo ddeall yn well beth oedd yn digwydd. Yna gallai wneud diagnosis cywir a chytuno ar gynllun gofal.

Yr hyn rydw i'n meddwl roedd e'n ei ddweud mewn gwirionedd oedd 'Fe gewch chi sbel,' seibiant rhag straen gofalu am wraig oedd yn fwyfwy bregus. Ni allai ddweud, serch hynny, pryd y byddai gwely ar gael oherwydd bod llawer o wardiau asesu erbyn heddiw'n gweithredu fel 'ystafelloedd aros'. Maen nhw'n darparu lle i fyw i bobl sy'n mynd yno oherwydd bod eu teuluoedd yn methu ymdopi â'r crwydro, y gweiddi, yr ymosodedd ac unrhyw un arall o'r mathau o ymddygiad sy'n plagio ac yn blino gofalwyr teuluol. A hynny weithiau am fisoedd a hyd yn oed flynyddoedd.

Ers dros 20 mlynedd mae'n hysbys iawn bod nifer o ofalwyr

o blith teulu'n dweud, 'Gallaf ddygymod â'r pethau nad ydyn nhw'n gallu'u gwneud erbyn hyn, ond rwy'n methu dygymod â'r pethau y maen nhw wedi dechrau'u gwneud'. Yn hyn o beth, maen nhw'n golygu eu bod nhw'n gallu dygymod â'u partner neu eu rhiant yn dibynnu arnyn nhw. Efallai na fydden nhw erioed wedi dychmygu y byddai'r dydd yn dod pan fydden nhw'n gorfod gofalu am anghenion personol eu hanwylyn, ei helpu i ymolchi, gwisgo a defnyddio'r tŷ bach, a bod yn gyfrifol am bob agwedd ar ei fywyd beunyddiol. Efallai eu bod wedi'u hamau eu hunain i ddechrau, ond mae cynifer o deuluoedd yn camu i'r adwy ac yn derbyn yn stoïcaidd yr hyn y mae angen ei wneud. Y sicrwydd bod perthynas yno o hyd sy'n eu cynnal, er mai perthynas yn seiliedig ar y naill yn dibynnu ar y llall ydyw bellach, nid y ddau'n dibynnu ar ei gilydd.

Ond os yw eu hanwylyn yn dechrau ymddwyn mewn ffyrdd hollol wahanol i'r arfer, ac yn enwedig os na fyddai erioed wedi ymddwyn fel hyn, mae ei ymddygiad yn heriol ac mae'r gallu i ofalu'n edwino. Nid yw hyn ddim ond oherwydd nad oes gan y teulu sy'n gofalu y sgiliau angenrheidiol i ddygymod. Mae'n fwy cymhleth na hynny. Mae gweithred ddibynnol fel cael eich gwisgo neu gael cymorth i fwyta yn gyfyngedig, mae ganddi derfynau amser, gellir ei rhagweld yn aml, ac ar ôl gorffen, mae wedi'i 'gwneud'. Ceir ymdeimlad bendigedig o ryddhad ei bod drosodd – tan y tro nesaf. Mae cam-drin, galw, gofyn cwestiynau'n ddi-baid neu geisio gadael cartref yn barhaus er mwyn 'mynd adref' yn heriol oherwydd bod baich y gofal yn ddi-ben-draw, mewn gwrthgyferbyniad â gweithred ddibynnol, ac mae'r effaith yn achosi lludded emosiynol.

Os 'teimlir' hefyd bod yr ymddygiad yn dystiolaeth bod yr un a arferai fod mor gyfarwydd wedi ymadael, daw bron yn amhosibl i blentyn neu bartner ymroi'n llwyr i'r hyn a elwir yn ddiwrnod gofal '36 awr', cyfnod o gyfrifoldeb di-baid a goruchwylio parhaus. I ymroi fel hyn i ofalu, rhaid i bartner neu blentyn sy'n gofalu wybod ei fod yn gofalu am rywun y mae wedi'i adnabod a'i garu ers blynyddoedd. Os yw'n credu ei fod yn gofalu am ddieithryn, neu ddim mwy na chragen sy'n llety i symptomau clefyd, mae'r ymddygiad yn debygol o wylltio a chythruddo a bydd hi'n anodd i lawer ddygymod. Mewn amgylchiadau o'r fath, bydd gofal yn y cartref yn dymchwel yn y diwedd a bydd y sawl sydd â dementia'n gorfod mynd i ysbyty neu gartref gofal. Nid yw'n syndod sylweddoli os bydd yn mynd i'r ysbyty yn gyntaf, mae'n annhebygol y bydd yn dod adref o gwbl. Oherwydd bod dod o hyd i le mewn cartref gofal yn anodd, y canlyniad yn aml yw y bydd yn aros ar ward am oesoedd neu'n nychu yno, ym marn rhai.

Arhosodd Janet dros dri mis cyn iddi fynd i'r ysbyty i gael ei 'hasesu'. Roedd bron dwy flynedd wedi mynd heibio ers i'w theulu ddechrau gofidio am ei golwg ddi-raen. Cyrhaeddodd yn ddifywyd ac encilgar, a phrin yn siarad yn ddealladwy.

Un wythnos ar ddeg yn ddiweddarach, roedd golwg druenus arni. Roedd hi'n dreisgar, yn cam-drin pobl ac yn ddinistriol. Byddai'n poeri, yn taro, yn cicio ac yn sgrechian. Ar y dechrau, byddai ei theulu'n ymweld â hi yn eu heidiau ac yna prin y bydden nhw'n galw. Pe baech chi'n dal un o'r teulu ar eu hymweliadau byrion, anaml, a holi 'Sut mae eich modryb, yn eich barn chi?' gwyddech beth fyddai eu hateb. 'Beth ydych chi'n ei feddwl, sut mae ein modryb? Nid ein modryb ni yw hon. Pe baech chi wedi adnabod ein modryb, byddech chi'n gwybod ei bod hi'n wraig fwyn, hyfryd. Ond ddwy noson yn ôl fe gysylltoch chi â ni i ddweud ei bod hi wedi ymosod ar glaf arall, oedd wedi gorfod mynd i'r adran frys a'i arddwrn wedi'i dorri. Mae dwy nyrs adre'n sâl, wedi'u hanafu pan drawodd hi nhw wrth iddyn nhw geisio'i hatal rhag gadael y ward. Rydyn ni wedi siarad â'r seiciatrydd. Mae wedi dweud wrthon ni nad oedd ganddo fe erioed amheuaeth bod dementia arni hi. Mae'r clefyd ofnadwy hwn wedi dinistrio ein modryb. Dyna pam na fyddwn ni braidd byth yn ymweld. Byddai'n well gennym ni ei chofio hi fel roedd hi o'r blaen.'

Roedd dementia ar Ronald Reagan am sawl blwyddyn. Tua diwedd ei oes, crynhodd ei gofiannydd Edmund Morris ei deimladau yn *The New Yorker*: 'Er 'mod i'n hollol gyfarwydd â'r wyneb a'r corff yna... nid oeddwn yn teimlo'i bresenoldeb wrth fy ochr, ddim ond ei absenoldeb.' Nid yw'n anodd deall pam roedd teulu Janet yn teimlo'r un peth, ond a oedden nhw'n gywir i honni bod eu modryb wedi diflannu? Oedd y seiciatrydd yn gywir i roi'r argraff glir mai'r rheswm roedd Janet yn ymddwyn fel hyn oedd oherwydd bod dementia arni? Neu a ddylai'r tîm clinigol fod wedi gofyn cwestiwn syml i'r teulu a fyddai wedi egluro cyflwr Janet? Pe baen nhw wedi'i ofyn, bydden nhw wedi cael esboniad am ymddygiad Janet. Ond wnaethon nhw byth ofyn. Wnaethon nhw erioed feddwl gwneud hynny, oherwydd eu bod wedi ymgolli mor llwyr yn y gred bod 'dementia'n esbonio popeth'.

Yn rhy aml, tynged druenus pobl â dementia yw hyn: ar ôl iddyn nhw gael diagnosis, mae popeth sy'n digwydd ar ôl y diagnosis yn cael ei briodoli i'r diagnosis! Nid dim ond diddymu'r cof a'r deall, ond popeth y mae'r person yn ei wneud. Does dim pwynt mynd i ganlyn 'pam' oherwydd rydym ni'n gwybod yr ateb eisoes – 'oherwydd bod dementia arno'. Ond prin iawn y mae hynny'n wir. Mae gormod o weithwyr proffesiynol yn y maes yn rhy barod i gael eu hudo gan symlrwydd prosesau'r clefyd, ond nid dim ond oherwydd bod teuluoedd yn honni nad yr un oedd yn annwyl iddyn nhw maen nhw'n ei weld bellach. Mae hyn hefyd oherwydd nad yw'r person yn ddim byd tebyg i rywun 'normal' – mae'n taenu ei faw ei hun, yn 'bwyta' pethau anfwytadwy, yn dinoethi ei hun o flaen eraill, yn taro pobl heb reswm. Nid yw pobl yn gwneud pethau o'r fath. O ganlyniad, mae ei ymddygiad yn ei osod y tu allan i libart dynol ryw, ac mae'r 'model clefyd' yn cael cynulleidfa barod.

Felly pa gwestiwn ddylai'r tîm clinigol fod wedi'i ofyn? Yn syml, 'Pam na wnaeth Janet erioed adael cartref?' Pe bai wedi gofyn y cwestiwn hwnnw, byddai'r tîm wedi deall bod Janet yn un swil ac ansicr erioed. Roedd hi'n llywaeth a dihyder a theimlai'n lletchwith ac anghyfforddus yn aml yng nghwmni pobl ddieithr. A hithau'n ansicr ohoni'i hun, nid oedd hi byth yn mynd i gamu allan i'r byd mawr drwg. Adeiladodd y wraig dawel a swil hon fyd digyffro iddi'i hun, ac ynddo, ffynnodd. Roedd hi'n hapus yng nghanol pobl a phethau cyfarwydd. Pan fu farw'i mam, symudodd i fyw ddwy stryd i ffwrdd oddi wrth ei brawd. Ni fyddai hi byth yn newid.

Y peth trist yw, pan oedd hi fwyaf agored i niwed, pan nad oedd hi mwyach yn gwybod beth oedd yn digwydd o'i chwmpas, pan nad oedd hi'n gallu dirnad dim byd ac yn methu cyfleu ei gofidiau a'i hansicrwydd, cafodd ei hun mewn sefyllfa na allwn prin mo'i dirnad. Ar y ward yn yr ysbyty eisteddai Janet yn y lolfa ymhlith pobl nad oedd hi'n eu hadnabod, ac a oedd yn codi ofn mawr arni, ddim ond oherwydd eu bod nhw yno. Byddai wedi edrych drwy lygaid anghrediniol ar bobl a oedd yn cerdded yn ôl a blaen, yn codi eitemau dychmygol o'r llawr, yn dod draw ati hi, yn siarad yn annealladwy, yn symud ei heiddo, yn cyffwrdd â'i dillad, yn gweiddi, yn curo ar ffenestri, yn gorwedd ar lawr, yn tynnu eu dillad, yn gwneud dŵr o'i blaen, a fyddai gan Janet ddim math o syniad pam y dylai hi fod yno.

A fyddem ni'n aros? A fyddem ni'n teimlo'n ddiogel? Pa mor aml y byddwn ni'n clywed am bobl â dementia'n ymbil am gael mynd adref? Wrth ddweud 'adref' dydyn nhw ddim o reidrwydd yn golygu lle penodol – yn aml, defnyddir y gair fel trosiad i fynegi angen taer i fod yn ddiogel eto.

Nid oedd Janet, y wraig swil a llywaeth honno, ansicr a dihyder, yn mynd i aros. Roedd hi'n mynd adref. Ond bob tro y byddai'n cyrraedd at y drws, byddai'n gweld bod clo digidol yn ei warchod. 'Chaiff cleifion ddim cerdded allan.' Pa ryfedd iddi wylltio, a hithau'n anesboniadwy o gaeth, yn ogystal â'i bod yng nghanol pobl oedd yn codi ofn arni? Roedd geiriau cysurlon y nyrsys yn wrthwynebus i bopeth a welai Janet, popeth a deimlai. Byddai hi wastad wedi mynd i banig pe bai ei bywyd cysgodol wedi'i droi o chwith ond ni ddigwyddodd hynny nes iddi fod ar ei mwyaf bregus, ac yn lleiaf abl i ddygymod. Yna ymatebodd â chynddaredd a oedd yn anghyson â phopeth roedd y nyrsys yn ei wybod amdani.

Ar ôl gofyn y cwestiwn, roedd hi'n amlwg nad oedd ymddygiad treisgar Janet yn gysylltiedig â'i chlefyd o gwbl, ond yn ymwneud â gwraig a oedd yn driw iddi hi'i hun ac yn byw mewn 'math o boen seicolegol na allwn ni brin amgyffred ei ddycnwch na'i ddwyster' (Tom Kitwood).

Erbyn hyn, mae Janet wedi llonyddu rywfaint. Mae'r artaith wedi gwella. Mae hi wedi anghofio am ei chyfnod ar ward yr ysbyty, ond nid yw hynny'n lleihau dim ar y trawma a brofodd hi. I bobl â dementia, 'y fan a'r lle' sy'n cynnal eu hiechyd emosiynol, nid eu gorffennol na'u dyfodol. Os yw'r foment honno'n digwydd bod yn uffern ar y ddaear, dyna'u bywyd nhw. Mae popeth arall wedi peidio â bod ac er anghofio profiad, nid yw hynny'n diddymu'r boen a deimlwyd. Bydd yn rhaid aros i weld sut y cafodd Janet hyd i le emosiynol gwell, serch hynny, nes i ni gael stori Penny K (Pennod 22).

RHAN II

Heriau fel ffenestri

'Nid yw clefyd fyth yn ddim ond colled neu ormodedd – ceir ymateb bob amser ar ran yr organeb neu'r unigolyn a effeithir i adfer, ailosod, gwneud iawn am ei hunaniaeth a'i chadw, waeth pa mor rhyfedd fo'r dulliau.'

Oliver Sacks

7

'Dwi wedi gwneud hyn o'r blaen'

'Ydw i'n gwneud y peth iawn? Dwi wedi byw yma mor hir.' Roedd Moira yn gofidio, felly hefyd ei phlant. Roedd hi ar fin symud tŷ ac roedd fel petai'r cyfan yn ormod iddi. Byddai'n holi drosodd a throsodd ai dyma oedd y penderfyniad iawn. Byddai'n cytuno mai dyma oedd y penderfyniad cywir. Nid oedd byw ar ei phen ei hun, â digon o le i droi mewn tŷ mawr, yn gwneud lles iddi. Byddai'n ychwanegu at ei hunigrwydd. Roedd yn ddrud hefyd. Ond o fewn dyddiau, weithiau o fewn oriau, byddai'n ffonio'i merch neu'i mab unwaith eto, yn ofidus ac yn ansicr. Roedd Moira wedi bod mor hyderus erioed. Roedd hi hefyd yn fenyw ddeallus. A hithau bellach yn 73, bu'n fyfyrwraig ym Mhrifysgol Rhydychen dros 50 mlynedd yn ôl, rhywbeth eithriadol i ferch ifanc ym Mhrydain yn ystod y blynyddoedd ar ôl y rhyfel. Dyna gyfnod pan oedd rhagfarn ac eithrio yn rhemp, i'r graddau mai dim ond ychydig a gâi fynd i brifysgol o gwbl, heb sôn am gyrraedd entrychion addysg Rhydychen a Chaergrawnt. Y gwir oedd bod Moira yn eithriadol. Cytunai ei phlant, a dyna pam roedden nhw'n gofidio gymaint.

Ar ôl i'w mab ei hannog, ymwelodd hi â'i meddyg teulu.

Drwy ddagrau, cyfaddefodd ei bod wedi colli ei hyder. Nid oedd hi'n ymdopi'n dda. Byddai'n anghofio'r hyn roedd hi wedi bwriadu'i wneud nesaf, yr hyn roedd hi wedi'i ddweud wrth rywun a ble roedd hi wedi rhoi pethau. Roedd hyn yn digwydd yn aml oherwydd ei bod hi'n pacio'i holl eiddo yn barod i symud. Weithiau, nid oedd hi'n cofio'r hyn roedd hi wedi penderfynu'i gadw neu gael gwared arno. Byddai'n treulio oriau yn chwilio'n seithug am ryw drysor o'i gorffennol cyn cofio'i bod hi wedi penderfynu nad oedd hi wir mo'i angen erbyn hynny. Mae'n siŵr ei fod eisoes ar dip y cyngor, a hithau wedi'i roi yn y bin ddyddiau'n ôl.

Nid oedd ei meddyg teulu'n poeni'n arbennig amdani, oherwydd bod hwn yn gyfnod emosiynol a dirdynnol i Moira. I gysuro'i phlant yn gymaint â lleddfu unrhyw bryderon a oedd ganddi, gofynnwyd i mi ei gweld. Roedd y meddyg wedi ysgrifennu: *'y cof byrdymor yn dirywio'n gynyddol... bydd hi'n anghofio beth mae hi wedi mynd ati i'w wneud, mae hi'n teimlo'n ddryslyd ac mae hyn yn achosi pryder mawr iddi... Teimlaf ei bod hi'n addas ei chyfeirio ar gyfer asesiad cof a gwybyddiaeth gwrthrychol rhag ofn y dylid ei hystyried ar gyfer cael triniaeth. Fodd bynnag, fy argraff gyffredinol yw nad yw hi ond yn profi'r diffygion cof byrdymor sy'n dod yn sgil straen, gofid a heneiddio.'*

Roedd Moira yn gwrtais, yn huawdl ac yn ddiolchgar fy mod i wedi rhoi o'm hamser i ymweld â hi yn ei chartref. Roedd hi'n ddymunol iawn ac roeddwn i'n teimlo'n hoff iawn ohoni ar unwaith. Wrth i ni sgwrsio, doeddwn i ddim yn teimlo unrhyw ofid mawr. Fyddai hi byth yn colli trywydd ein sgwrs nac yn ei hailadrodd ei hun. Datgelodd archwiliad o'i chof rai problemau wrth gofio pethau newydd ond roedd popeth arall yn iawn. Roedd canlyniad y prawf hwn yn gyson ag anghofrwydd arferol bywyd beunyddiol. Serch hynny, roedd angen rhoi'r sefyllfa yn ei chyd-destun. Wrth i rywun heneiddio, hyd yn oed pan fydd wedi penderfynu cofio rhywbeth, gall y cof fod yn llai effeithiol nag y bu. Nid wedi'i andwyo yn gymaint ond yn tueddu i achosi profiadau 'ar flaen fy nhafod'. Y troseddwyr tebygol oedd straen ac oedran, meddwn yn gysurlon wrth Moira.

Aeth blwyddyn heibio a chefais lythyr arall gan feddyg teulu Moira: *'Mae hi wedi bod yn hynod annibynnol ac abl erioed... mae hi wedi dirywio'n aruthrol dros y chwe mis diwethaf. Yn ddiweddar, aeth ar y trên anghywir wrth deithio i Lundain a chyrraedd Manceinion... adroddodd am ddigwyddiad rhyfedd pan oedd hi'n hollol grediniol fod ei mab a'i merch yng nghyfraith yn y tŷ ac yn addurno ystafell wely.'*

Roedd Moira yn fy nghofio a chefais groeso cynnes ganddi eto, ond bellach roedd hi'n arddangos arwyddion ei bod wedi colli 'hanner modfedd'. Roedd hi'n ceisio ond yn methu llwyddo o ychydig. Roedd yno ryw lun ar normalrwydd ond nid oedd dim byd yn teimlo'n hollol iawn. Roedd hi'n byw yn ei chartref newydd ond roedd yn lle diflas, a theimlai'n llwm. Roedd Moira wedi'i gwisgo'n addas ond a fyddai hi wedi gwisgo'r sgert honno gyda'r esgidiau hynny fel arfer? Roedd hi wedi cribo'i gwallt, ond heb wneud fawr ddim arall. Ar fwrdd y gegin, roedd llythyrau'n blith draphlith. Roedd yr amlenni wedi'u gollwng ar lawr ac yno roedden nhw, yn beli anghofiedig o bapur crebachlyd. Yr argraff a gawn gan Moira hefyd oedd o rywun bregus a chythryblus.

Nid oedd Moira yn siŵr a oedd ei chof yn waeth, er ei bod hi'n meddwl efallai ei fod. Roedd hi'n fwy gofidus am y ffaith nad oedd hi, na'i chartref, na'i bywyd yn teimlo'n iawn, rywsut. Roedd hyn yn anodd iddi ei esbonio. Roedd hynny hefyd yn tarfu arni, oherwydd iddi fod yn un huawdl erioed, a'i geirfa'n goeth a soffistigedig. 'Wnes i sôn 'mod i wedi astudio Saesneg yn y brifysgol? Anodd credu erbyn hyn, yn tydi?' Yn ystod ein sgwrs, gwnaeth yr un sylw hunanddifrïol hwn bedair gwaith.

Problem Moira oedd ei chof gwael o hyd. Byddai'n anodd iddi gofio pa ddiwrnod oedd hi a soniodd am fynd ar goll pan oedd hi ar ei gwyliau yn yr Almaen gyda'i merch. Roedd popeth arall – canolbwyntio, meddwl, iaith a dirnadaeth – yn normal. Mae'n debygol bod anghofrwydd Moira wedi datblygu'n nam gwybyddol ysgafn (MCI: *mild cognitive impairment*), cyflwr diniwed o anghofrwydd gormodol, nad oedd yn ymgynyddu (*progress*). Serch hynny, roedd angen bod yn wyliadwrus. Bydd 40 y cant o bobl ag MCI yn cael diagnosis o glefyd Alzheimer o fewn tair blynedd ac roedd larwm yn seinio yn y cefndir. Roedd Moira yn gallu gwneud penderfyniadau'n iawn a'i sgwrs yn llifo'n rhwydd – dyma fenyw ddeallus iawn o 'mlaen i. A oedd ei galluoedd presennol yn normal iddi hi? A oedd hi'n bosibl bod ei sgôr, a oedd uwchlaw trothwy unrhyw nam, yn rhoi camargraff o'r hyn oedd i ddod, oherwydd iddi fod unwaith mor ddeallus?

Yn drist iawn, daeth y dementia'n amlwg cyn pen rhai misoedd. Cefais gyfarfod â'i mab a oedd yn ei chael hi'n anodd derbyn beth oedd yn digwydd. 'Collais fy nhad 17 mlynedd yn ôl, a nawr rwy'n colli fy mam… dyw 74 ddim yn hen.' Roedd hyn yn ypsetio Moira oherwydd roedd hi'n ymwybodol bod ei chof yn ei siomi, bod ei gallu i bwyso a mesur yn wael, a theimlai'n fregus: 'Weithiau, y cyfan rydw i eisiau'i wneud yw mynd i mewn i dwll a chuddio.' Roedd arni ofn bod ar ei phen ei hun. Roedd Moira wedi dod i arfer â'r unigrwydd a ddaeth yn sgil colli ei gŵr. Roedd ei dau blentyn yn byw ymhell oddi wrthi, a byddai ei mab yn enwedig yn teithio'r byd ar fusnes. Ond nawr roedd unigrwydd yn golchi drosti'n donnau poenus. Roedd yr ofn, serch hynny, yn rhywbeth newydd sbon ac nid oedd hi'n dymuno rhannu'i bywyd â hwn. Roedd Moira yn ei hamau'i hun. Teimlai allan o reolaeth. Pa gamgymeriadau hurt allai hi fod wedi'u gwneud ond nad oedd hi'n gallu eu cofio? A oedd y drysau wedi'u cloi, a oedd hi wedi gadael ffenestr ar agor? Efallai'i bod wedi bwriadu gwneud rhywbeth, efallai fod angen gwneud rhywbeth, ond ei bod hi wedi anghofio? Nid oedd hi'n teimlo'n ddiogel gartref mwyach, ond nid oedd unlle arall i fynd iddo, a neb i siarad ag ef. Yna dechreuodd y rhithdybiau a'r rhithweledigaethau.

Fisoedd ynghynt, roedd atgyfeiriad y meddyg teulu wedi sôn am y digwyddiad rhyfedd hwnnw pan oedd hi wedi bod yn daer bod ei mab a'i wraig yn ei hystafell wely. Bellach roedd y cymdogion yn cael braw pan ddechreuodd Moira guro ar eu drysau gan holi a oedden nhw wedi gweld ei mab a'i merch. Dro arall byddai'n crwydro'r strydoedd gan chwilio, weithiau gan alw'u henwau'n orffwyll. Galwyd yr heddlu ddwywaith. Rhoddodd y meddyg teulu gyffur tawelu cryf iddi, cyffur gwrthseicotig i bob pwrpas, i'w thawelu ac i fygu'i rhithdybiau. Roedd nyrs seiciatrig gymunedol eisoes yn ymweld yn wythnosol ond bellach gofynnwyd i weithwyr cymorth alw arni'n ddyddiol i gadw golwg arni a'i helpu i goginio a siopa. O gwmpas y tŷ, ar y soffa, ar gadeiriau'r ystafell fwyta, ar stôl ger y ffôn, gwelson nhw fod Moira wedi gosod lluniau o'i mab a'i merch. Nid lluniau ohonyn nhw'n blant bach, ond fel roedden nhw heddiw. Yn yr un modd, pan fyddai wedi bod allan yn chwilio, nid am blant bach, ifanc a bregus roedd hi'n chwilio, ond amdanyn nhw'n oedolion. Nid oedd hyn yn nodweddiadol o'r dryswch a welwn mewn dementia pan fydd atgofion o'r gorffennol pell yn dod yn wirionedd, wrth i'r person ail-fyw ei orffennol.

Pan fyddech yn gofyn iddi pam oedd hi'n rhoi lluniau ei phlant ar gadeiriau, atebai'n dawel, 'Ble arall fydden nhw'n eistedd?' Heb oedi, cyfaddefodd, 'Wrth gwrs, rydym ni'n siarad. Pam na fyddech chi eisiau siarad â'ch plant?' Nid sgwrsio'n unig. Weithiau roedd y bwrdd wedi'i osod i dri. Yn y gegin, byddai bwyd roedd Moira wedi'i goginio ar gyfer y teulu'n dal i geulo a duo mewn sosbenni, powlenni caserol neu o dan y gril. Roedd platiau gerllaw, ond nid oedd hi erioed wedi gweini'r bwyd.

Mae tua 20 y cant o bobl â chlefyd Alzheimer yn cael rhithdybiau a rhithweledigaethau (er bod llawer mwy'n cael eu disgrifio felly ar gam, a hwythau mewn gwirionedd yn camddehongli'r hyn sy'n digwydd o'u cwmpas). Er bod yr hyn y maen nhw'n ei weld ac yn ei wybod yn codi arswyd arnyn nhw, mae'r hyn y mae eraill yn ei weld ac yn ei glywed yn eu dychryn. Pa ryfedd fod triniaeth ar ffurf tawelyddion cryf yn gyffredin. Serch hynny, ni newidiodd ymddygiad Moira. Oedd, roedd hi'n fwy swrth ac nid oedd ei meddwl mor finiog, ond roedd hi'n dal i siarad â'i ffotograffau, weithiau'n coginio ar eu cyfer i gyd ac ambell dro'n dal i grwydro'r strydoedd i chwilio amdanyn nhw.

Dechreuais gyfarfod â Moira yn rheolaidd ac roedd hi'n drist ei gweld hi'n ceisio dal ei gafael ar weddillion ei bywyd. Ambell ddiwrnod, byddwn yn cyrraedd a byddai pot o de a gwledd flasus o gacennau bach ar y bwrdd. Gwyddwn mai ni oedd i fod i fwyta'r rhain, oherwydd byddai hi'n edrych ar ei chalendr bob dydd i weld pwy fyddai'n ymweld â hi. Wrth iddi sôn am ei 'bywyd amhosibl ei ddisgrifio na'i ddychmygu' byddai pethau'n mynd yn drech na hi weithiau. Unwaith syllodd i fyw fy llygaid a dweud yn gwynfanus, 'Rwy'n anghofio, ond rwy'n dal i deimlo.' A hithau gartref ar ei phen ei hun ac yn ofni'r dyfodol, tybed a oedd siarad â'r trysorau o luniau'n rhoi cysur a thawelwch meddwl iddi ac felly nad oedd hi'n gweld drychiolaethau o gwbl? Yn hytrach, a oedd ansicrwydd a chael ei gwahanu oddi wrth y rhai a oedd yn golygu fwyaf iddi hi yn achosi'i gweithredoedd? Drwy eu rhoi i 'eistedd' o amgylch y tŷ, roedd hi'n cyflawni'r hyn a ddymunai fwyaf, sef bod yn deulu agos unwaith eto, heb bellter nac amser yn eu gwahanu.

'Moira, pan fyddwch chi'n siarad â'r ffotograffau, ydych chi'n credu mai eich plant chi ydyn nhw?'

'Na, fy lluniau i ydyn nhw, ond maen nhw'n real i mi.'

'Real?'

'Ie, real. Maen nhw'n real. Dydyn nhw ddim yn dweud dim, ond rwy'n gwybod. Rwy'n gwybod beth maen nhw'n ei ddweud.'

'Sut ydych chi'n gwybod?'

'Oherwydd mai fy mhlant i ydyn nhw. Fi yw eu mam. Rwy'n eu hadnabod nhw, maen nhw'n fy adnabod i... rwy'n gwybod eu bod nhw.'

'Ydyn nhw'n dweud yr hyn rydych chi'n dymuno'i glywed?'

Edrychodd arna i'n graff. 'Na, ddim bob amser... ond yna rwy'n sylweddoli bod yr hyn y maen nhw'n ei ddweud yn iawn. Dyw bywyd ddim yn gallu bod fel y dymunwch chi bob amser, ond mae siarad yn helpu, a gwrando hefyd,' a gwenodd. Ac yna cefais fy syfrdanu. Roeddwn wedi ymgolli yn yr hyn roedd hi'n ei ddweud wrthyf ac nid oedd wedi fy nharo i ofyn cwestiwn amlwg. 'Atebodd' Moira'r cwestiwn beth bynnag. 'Rwy wedi gwneud hyn o'r blaen.' Drigain mlynedd ynghynt.

Roedd Moira yn 14 oed pan fu farw'i thad. Soniodd am ei thor calon. Am dreulio oriau bwygilydd yn crio yn ei hystafell wely. Teimlo'n unig, yn dyheu am bresenoldeb dyn mwyn, tawel a fu mor agos ati. Ef oedd ei chyfaill mynwesol. Pwy fyddai'n ei chysuro hi nawr? 'Rhois lun o 'nhad wrth ochr fy ngwely. Roedd yn pwyso yn erbyn y golau wrth ochr y gwely, na, y lamp. Byddwn i'n mynd ag ef i'r ysgol gyda fi. Ei gadw ym mhoced fy nghôt a byddwn yn edrych arno fe. Ro'n i'n ei ddychmygu e'n siarad gyda fi ac ro'n i'n teimlo'n well, ond yn drist. Roedd y cyfan yn gybolfa, oherwydd nad oedd e ddim gyda fi go iawn.' Chwe deg mlynedd yn ddiweddarach, yn wyneb gofidiau annirnad, goroesodd Moira, yn enghraifft aruthrol o'r bod dynol. 'Yn hanesyddol, fel naratifau – rydym ni'n unigryw, bob un ohonom,' ysgrifennodd Oliver Sacks – ac er mai anaml y bydd hanes yn ei ailadrodd ei hun, mae weithiau'n odli.

Pam nad oedd Moira wedi ymddwyn fel hyn pan fu farw'i mam, neu yn fwy diddorol, pan fu farw'i gŵr o ganser yr ysgyfaint ac yntau ddim ond yn 59 oed? Oherwydd dim ond pan drechwyd hi gan ansicrwydd a hunanamheuaeth y teimlodd hi'r angen. Ar adeg arall, mewn lle arall, roedd arni angen teimlo unwaith eto bresenoldeb y rheiny roedd hi agosaf atyn nhw. Cysurai ei hun drwy siarad, nid â'i thad, ond â'i phlant. Nid oedd hi wedi 'colli'i phwyll' ond a hithau ar ei hisaf, roedd ei meddwl, a oedd bellach dan fygythiad rhesymu amheus a chof a oedd yn methu, yn chwarae tric creulon arni. Daeth yr hyn roedd hi'n dyheu amdano'n fwy na dim yn wir a dyna pryd y dechreuodd y chwilio. Ar adegau eraill, roedd y ffiniau rhwng y gwirionedd a'r dychymyg yn aneglur er mwyn bod yn gysur. Nid rhithdybiau na rhithweledigaethau mohonyn nhw, ond gweithredoedd gwraig a oedd yn dal ei gafael ar ei mab a'i merch, fel roedd wedi gwneud unwaith o'r blaen a hithau'n ferch ifanc a oedd yn galaru ac yn dyheu am fod yn agos at ei thad.

8

Gwallgofrwydd Mrs O

Mrs O yw'r wraig fwyaf treisgar i mi ddod ar ei thraws erioed. A hithau'n byw mewn cartref gofal, roedd hi'n codi arswyd ar y staff a oedd yn gofalu amdani. Pan gwrddais i â hi roedd hi'n 75 oed a dementia difrifol arni. Ar ôl i'w gŵr farw, roedd hi wedi byw ar ei phen ei hun am sawl blwyddyn nes iddi orfod mynd i uned gofal dementia mewn cartref gofal preswyl. Roedd hyn oherwydd ei hunanesgeulustod a'i hymddygiad cynyddol beryglus. O'r diwrnod cyntaf, roedd hi'n ofid. Roedd hi hefyd yn ddirgelwch. Ym marn rhai o'i gofalwyr, roedd hi'n ymgorfforiad o wallgofrwydd.

Byddai'n cerdded o gwmpas y cartref ac anaml y byddai'n dangos ei bod yn ymwybodol o'r hyn oedd o'i chwmpas. Gan amlaf, byddai'n eistedd yn fodlon, gan wenu weithiau ar bobl a âi heibio ac yn amneidio'i phen, er mai prin y gallech weld hyn. Ambell waith byddai'n codi ei llaw. Byddai'n cymryd rhan, er yn ddifywyd, mewn gweithgareddau. Yn ei hanfod, roedd hi'n cyfleu naws garedig.

A hithau wedi ffwndro'n lân ynghylch ble roedd hi a heb allu i siarad yn ddealladwy, roedd hi'n dibynnu'n fawr iawn ar y bobl a oedd yn gofalu amdani. Dyna pryd y byddai Mrs O yn newid yn llwyr. Byddai'r staff, wrth ei helpu o'r gwely a'i helpu i wisgo amdani ac ymolchi (roedden nhw wedi hen roi'r gorau i geisio rhoi bath iddi) yn wynebu ffyrnigrwydd afreolus. Cafodd yr enw o fod yn un nad oedd yn fodlon cydweithredu ac a oedd yn dreisgar, a'i hymddygiad yn cael ei esgusodi fel un o nodweddion dementia drwg. 'Dyna ysgrifennodd y seiciatrydd,' meddai un o'r uwch-ofalwyr wrthyf, 'symptom ymddygiadol anwybyddol dementia. Er, dwi'n meddwl weithiau ei bod hi'n wallgof, a dyna'r cwbl.'

Helpu Mrs O yn y tŷ bach oedd yn achosi'r pryder mwyaf. Roedd nifer o'r staff yn meddwl ei bod hi'n gwlychu ac yn baeddu'i hun, ond mewn gwirionedd roedd hi'r un mor abl i reoli'i phledren a'i choluddion â'r rheiny a oedd yn gofalu amdani. Anaml iawn y byddai'n gwlychu ei hun yn y gwely neu mewn cadair. Yn hytrach, byddai'r staff yn dod ar ei thraws yn crwydro, wedi baeddu, ar ôl methu dod o hyd i'r tŷ bach, mae'n siŵr. Byddai staff yn dod o hyd i ddillad gwlyb wedi'u cuddio, gymaint oedd ei hembaras. Ond, roedd ei helpu yn y tŷ bach, ceisio gweld a oedd ei dillad wedi baeddu, a cheisio newid ei dillad gwlyb, yn peri gofid enfawr i Mrs O.

Gellid ei chlywed yn sgrechian ledled y cartref. Byddai'n taro, pwnio, crafu a phoeri. Byddai'r ymosodiadau ar staff yn aml yn troi'n ymgodymu a byddai dau ofalwr yn gorfod delio â hi bob tro. Er bod hyn yn gwneud y sefyllfa yn un 'bosibl ei rheoli', nid oedd yn lleihau gronyn ar drawma'r profiad. Ond nid y profiad o fynd i'r tŷ bach oedd y sbardun i ddeall yr hyn oedd yn digwydd ym meddwl Mrs O ond, yn hytrach, y briwiau ar ei choesau.

Roedd y briwiau ar ei choesau wedi bod yn broblem pan oedd hi'n byw gartref. Byddai nyrsys ardal yn ymweld â hi bob dydd i'w glanhau ac i roi rhwymyn arnyn nhw. Awgrymai pob adroddiad ei bod hi'n mwynhau'r ymweliadau hyn. Nid yn unig nad oedd cofnod o ymddygiad treisgar na dryslyd, ond yn ôl y nodiadau, ymddangosai'n 'hoff o sgwrs' ac yn 'siriol'. Term a ddefnyddid yn aml oedd 'dymunol ddryslyd', er fy mod i o'r farn ei bod hi'n iawn i ni ofyn, wrth glywed ymadrodd o'r fath, 'dymunol i bwy?' Nid i'r un sydd â dementia, ond i'r rheiny sy'n gofalu amdani.

Yn y cartref gofal, roedd ei hymddygiad wrth i'r uwch-ofalwyr newid y rhwymynnau ar ei choesau yr un mor dreisgar â'i hymddygiad wrth ei helpu i fynd i'r tŷ bach. Ac eto, roedd adroddiadau'r nyrsys ardal yn disgrifio sut y câi Mrs O gymorth yn y tŷ bach yn yr wythnosau cyn iddi ddod i'r cartref gofal heb anhawster o gwbl. Beth oedd wedi digwydd i'r wraig a fu, ychydig fisoedd ynghynt, mor ddymunol a pharod i gydweithredu?

Roedd y model clefyd-ganolog yn cynnig ateb parod. Mae dementia'n ymgynyddu. Yn amlwg, roedd hi bellach yn dadatal, yn fwy ffwndrus a dibynnol, ac yn gyffredinol yn fwy anodd. Ac eto, fel y gwelsom eisoes, ac y byddwn yn dal i weld mewn straeon eraill, mae rhoi'r bai am bopeth y bydd pobl yn ei wneud ar y batholeg sydd wrth fôn y cyflwr yn esboniad diffygiol.

Fel y gwelsom ni yn Rhan 1, nid dim ond cam-drin yw'r broblem, ond hefyd gofal difeddwl, dideimlad ac ansensitif. Mae Tom Kitwood wedi crynhoi hyn yn ei derm 'seicoleg gymdeithasol falaen' – gweithredoedd sydd mor gynnil, maen nhw'n 'anweledig' ym marn y gofalwyr sy'n eu cyflawni, ond fe allant arwain yn hawdd iawn at 'wrthwynebu treisgar' wrth ddarparu gofal personol. A oedd Mrs O yn ymateb i arferion gofal gwael? Nac oedd, mae'n debyg. Yn y cartref hwn, roedd y gofal yn sensitif a pharchus. Newidiwyd gorchuddion ei briwiau yn ei hystafell wely, yn breifat; byddai drysau'r tŷ bach yn cael eu cau bob tro. Byddai'r staff yn gwenu, yn ei hannog yn dyner ac yn esbonio pethau'n syml iddi. Roedden nhw'n deall y gallai'r esboniadau hyn fynd ar goll ar amrantiad ac felly bydden nhw'n ailadrodd yn gyson yr hyn a ddywedwyd. Er ei bod hi'n debygol nad oedd Mrs O yn deall yn aml iawn, heb sôn am gofio'r hyn a glywsai, nid oedd ffyrdd mwyn y staff o weithio yn ei chysuro. Ni châi cyswllt llygad, siarad yn dyner nac ystumiau cysurlon unrhyw effaith arni.

Byddai ei hunig blentyn, Rita, yn ymweld â'r cartref ryw ddwywaith yr wythnos. Efallai y byddai wedi dod yn fwy aml pe na bai ymddygiad ei mam yn ei gofidio gymaint. Roedd ei mam wedi bod yn wraig foesol, ddigon swil erioed. Roedd Rita wedi darllen am 'ddadatal' – sef colli pob swildod, ac eto roedd hi'n anodd iddi gysoni ymddygiad treisgar ei mam â'r wraig roedd hi wedi'i hadnabod erioed. Wrth iddi ddod i ymddiried yn y staff, soniai am ei magwraeth lem. Er ei bod hi yn ei harddegau yn ystod cyfnod dilyffethair y 'chwedegau afieithus', dim ond yn grintachlyd y derbyniwyd cariadon, roedd ei sgertiau'n hir, ei sodlau'n isel ac roedd yn rhaid bod adre ar amser penodol, a oedd yn rhy gynnar bob tro. Nid oedd malais yn ei mam, roedd hi'n ofalus ac yn warchodol dros ben.

Roedd Mrs O wedi priodi'n gymharol hen o ystyried ei chenhedlaeth. Roedd hi wedi aros gartref nes ei bod hi'n 30, ac yna priododd 'y dyn o'r Pru' – y dyn yswiriant a fyddai'n ymdrin â busnes ei mam. Roedd hi'n feichiog cyn pen blwyddyn.

Prin y gwelai Rita ei rhieni'n dangos anwyldeb corfforol at ei gilydd – er bod ei mam yn ddigon parod i roi cwtsh iddi hi – ond nid oedd hi erioed wedi amau cariad dwfn ei mam at ei thad. Roedd hi'n methu'i ddangos, dyna'r cwbl. Cafodd Rita yr argraff nad oedd ei rhieni'n agos iawn yn rhywiol. Clywid ambell gŵyn gan ei thad, ambell sylw gwawdlyd, ac wrth gwrs roedd hi'n unig blentyn.

Roedd bywyd gartref yn ddigon di-nod. Roedden nhw'n deulu tawel ac yn byw eu bywyd yn ddigon ceidwadol yn swbwrbia ar ôl y rhyfel. Dyma gyfnod byw'n gynnil ac athroniaeth y dydd oedd 'gwneud y tro a thrwsio'; ni throdd Mrs O byth ei chefn ar ei dulliau darbodus. Nid oedd dim byd anghyffredin yn digwydd, heblaw bod Rita'n methu deall pam na fyddai hi byth yn gweld ei modrybedd na'i hewythrod pan oedd hi'n blentyn – brodyr a chwiorydd ei mam, 'oherwydd roedd Dad yn unig blentyn fel fi'. Yn ogystal â'u bod nhw'n byw yn bell, roedd hi'n amlwg na ddylid sôn amdanyn nhw. Oni bai am Wncwl Harry, brawd hynaf ei mam. Byddai e'n cysylltu'n rheolaidd ond anaml iawn y gwelai hi Maisie, Doris na Phil, chwiorydd a brawd iau ei mam. Ar yr achlysuron prin hynny pan oedd pawb gyda'i gilydd, mewn 'digwyddiad teuluol erchyll' fynychaf, roedd y tyndra'n amlwg. Roedd absenoldeb geiriau'n llefaru'n huawdl iawn.

Roedd Harry yn dal i fod yn rhan o fywyd ei chwaer oherwydd byddai'n ymweld â hi bron pob dydd. Ni ddôi'r lleill fyth. Yn amlach na pheidio, byddai Harry'n dal llaw ei chwaer ac weithiau'n colli deigryn. Fe'i clywid yn dweud yn dawel, 'Mae'n ddrwg gen i, 'nghariad i. Rwy'n gwybod fy mod i wedi dy siomi di.' Penderfynodd y staff mai ystyr hyn oedd bod Harry yn byw'n ddigon agos at y cartref gofal, ar ei ben ei hun mewn tŷ mawr. A dyna ble dylai Mrs O fyw, gydag ef. Gwyddai Harry am ei hanawsterau a theimladau llawer o'r staff tuag ati. Teimlai'n euog. Roedd wedi siomi Mrs O. Roedd

Harry'n rhy lym arno'i hun, ond roedd y cyfan yn gwneud synnwyr.

Un diwrnod, roeddem ni'n ymweld ar yr un pryd. Roedd Harry wedi ypsetio'n fwy nag arfer ac roedd rhywun yn ei gysuro mewn ystafell fach pan gyrhaeddais i. Holodd rheolwr y cartref tybed a hoffwn i gael gair ag ef. A byddai ein sgwrs yn datgelu'r rheswm dros ymddygiad ei chwaer.

Roeddwn wedi disgwyl siarad â dyn trallodus yn wyneb dementia datblygedig ei chwaer, wedi'i lethu gan euogrwydd oherwydd nad oedd wedi rhoi lle iddi yn ei gartref pan oedd fwyaf o angen cymorth arni. Roedd euogrwydd yn amlwg, ond nid am y rheswm a oedd gennym ni mewn golwg. Dechreuodd ddweud wrthyf sut roedd wedi'i siomi hi. Roeddwn i ar fin dweud nad oedd angen teimlo felly a'i fod yn rhy lawdrwm arno'i hun, ond yn hollol annisgwyl dywedodd, 'Oherwydd roeddwn i wastad yn gwybod ei fod yn wir.' Nid oedd gan ei fyrdwn truenus ddim oll i'w wneud â dementia'i chwaer.

Ffrydiodd y geiriau ohono, oherwydd ni allai mwyach ddal yn ôl yr hyn a fu'n ei boenydio am flynyddoedd. Yn blentyn, roedd tad Mrs O wedi ei cham-drin yn rhywiol. Roedd eu mam am warchod ei merch fregus ond roedd hithau hefyd yn cyd-dwyllo yn wyneb arferion brwnt ei gŵr, a gwnaeth yn siŵr na fyddai'r pwnc byth yn cael ei drafod. Ond gwyddai Harry'r gwir oherwydd ei fod yntau wedi bod yno. Roedd wedi gweld. Roedd wedi clywed igian crio'i chwaer fach. Fel y gwnaeth ei frawd mawr (a laddwyd yn ddyn ifanc yn ystod yr Ail Ryfel Byd) ond ni ddywedwyd gair. Hyd yn oed pan drodd y teulu yn ei herbyn, cau'i geg wnaeth Harry.

Wrth i Harri adrodd ei stori, soniodd am 'ewythr' arbennig ei chwaer. Cymydog y bydden nhw'n ei weld weithiau pan fydden nhw'n mynd am dro oedd hwn a fyddai'n rhoi llawer o sylw i'r ferch fach. Ddim ond â'u mam y byddai hwn yn siarad, yn ôl yr hyn a gofiai Harry. Fyddai ef byth yn ymweld â'u cartref, ac ni allai Harri gofio'i weld gyda'u tad erioed. Ai 'plentyn siawns' oedd Mrs O, atgof parhaus o anffyddlondeb ei wraig, a'r un roedd ei 'thad' yn arllwys ei chwerwedd arni?

Oherwydd y cynllwyn mudandod, ni chafodd y brodyr na'r chwiorydd iau byth wybod am hyn. Iddyn nhw, Dad oedd Dad, ac roedden nhw'n ei garu. Ni ddywedodd Mrs O yr un gair wrth iddi dyfu, gan deimlo'n aflan ac annheilwng, mae'n siŵr. Pan oedd hi'n 13 oed, bu farw'i thad. Rhaid bod Mrs O wedi cyfaddef wrth ei chwiorydd ryw ddiwrnod. 'Straeon, dim ond straeon cas a drwg. Dyna feddylion nhw, a ddywedon ni ddim gair,' meddai Harry. Roedd blynyddoedd glaslencyndod Mrs O ansicr, swil, anghyfforddus o gwmpas bechgyn, yn rhai anhapus. Pe bai hi byth yn meiddio sôn am y cam-drin, câi ei chyhuddo o ddifwyno'r cof am ei thad. Yn ei hugeiniau, fe'i gwelid fel hen ferch rwystredig yn rhywiol a oedd yn parhau i ddweud celwyddau maleisus, a pharhaodd Harry a'u mam i beidio â dweud dim. Yn y diwedd, cafodd Mrs O ei diarddel gan ei theulu. Heblaw am Harry, a wyddai ond na ddywedodd air erioed. Dyma'r hollt yn y teulu roedd Rita wedi'i amau erioed.

A dementia bellach yn effeithio arni, rhaid bod byd Mrs O yn ddigon i'w drysu. Yn y cartref gofal, byddai staff yn ceisio dymchwel y rhwystrau rhyngddyn nhw a'r bobl oedd yn cael gofal ganddyn nhw drwy beidio â bod mewn gwisg swyddogol. Eu bwriad hefyd oedd dangos parch mawr at y preswylwyr. Byddai'r gofal personol i gyd yn digwydd ym mhreifatrwydd yr ystafell wely. Roedd hi'n well ganddyn nhw ddefnyddio tŷ bach na chomôd. Ac eto, beth oedd o flaen Mrs O? Pan fyddai angen newid y gorchuddion ar friwiau ei choesau, byddai gweithiwr gofal – ond dieithryn, yng ngolwg Mrs O – yn mynd â hi i breifatrwydd ei hystafell, nad oedd hi o reidrwydd yn ei hadnabod, yn ei rhoi i eistedd ar ei gwely, yn codi'i sgert ac yn tynnu'i sanau i lawr. Allwch chi ddychmygu beth oedd Mrs O'n meddwl fyddai'n digwydd nesaf?

Roedd dementia wedi chwalu'i gallu i resymu, ei gallu i gofio'i phrofiadau beunyddiol, hyd yn oed ei gallu i ddeall geiriau cysurlon y bobl oedd yn gofalu amdani, ond nid oedd wedi dwyn ei henaid. Nid oedd hi wedi ildio hwn i'r clefyd. Plentyn a gafodd ei cham-drin oedd hi ac nid oedd amser wedi lliniaru'r profiad hwnnw. Nid oedd hi'n gallu dweud wrthi'i hun, 'Cefais fy ngham-drin 70 mlynedd yn ôl' oherwydd bod y cyfnod rhwng hynny a nawr wedi syrthio i geudwll yn llawn o atgofion coll na fyddai byth yn gallu'u hadfer. Ac felly, byddai'n ymateb yn wyllt ac yn anghymesur i'r hyn a oedd yn digwydd o'i chwmpas, oherwydd bod ei gofidiau'n seiliedig ar brofiadau o gam-drin nad oedden nhw bellach yn rhan o hen hanes.

Roedd mynd i'r tŷ bach yn achosi'r un gwewyr iddi. A hithau efallai ag agnosia arni (yn methu adnabod pethau'n iawn) a heb unrhyw ymwybyddiaeth ei bod yn dibynnu ar eraill, ei phrofiad oedd bod mewn ystafell fach gydag un, neu weithiau ddau o bobl, a oedd yn ceisio tynnu'i dillad. A oes ryfedd ei bod hi wedi ymladd â nhw?

Roedd Mrs O yn arfer mwynhau ymweliadau'r nyrsys ardal, heb erioed wrthod eu gofal personol, oherwydd nad oedd hi'n teimlo'u bod yn gymaint o fygythiad, nid oherwydd nad oedd dementia wedi rheibio gymaint ar ei meddwl yr adeg honno. Byddai'r nyrsys yn dod yn eu gwisg swyddogol. Roedden nhw'n effeithiol ac yn glinigol wrth ymdrin â hi ac ychydig iawn o berygl oedd y byddai niwl dryswch yn creu camddealltwriaeth ac ofn.

I brofi'r ddamcaniaeth hon, fe ofynnon ni a fyddai'r nyrsys ardal yn fodlon ymweld â'r cartref gofal i newid y gorchuddion ar ei briwiau eto. Fe gytunon nhw i wneud hynny am chwe wythnos ac yn ystod y cyfnod hwnnw, ni cheisiodd Mrs O ymladd â nhw o gwbl. Roedd y wisg swyddogol yn diddymu'r amwysedd a theimlai'n ddiogel. Er hynny, ar ôl dangos bod mwy o gysylltiad rhwng ymddygiad Mrs O a dirgelwch a bygythiad, yn hytrach na dim ond 'dementia', beth fyddai'n digwydd pan fyddai'r staff gofal yn ailgydio yn eu cyfrifoldeb drosti? Nid oedden nhw'n mynd i fynd yn ôl i wisgo gwisg swyddogol er lles un preswylydd yn unig, er i ni ddadlau bod y rhwystrau sy'n gallu datblygu rhwng staff a'r bobl y maen nhw'n gofalu amdanyn nhw yn ymwneud yn fwy â'r 'galon a'r meddwl' nag ag unrhyw beth mor bendant â gwisg benodol.

Yn hytrach, fe atgyfodwyd yr ystafell driniaeth nad oeddem yn defnyddio rhyw lawer arni erbyn hyn, ddim ond fel ystafell storio, a'i llenwi ag 'arwyddion' er mwyn i Mrs O allu deall y cyd-destun. Aeth troli metel i mewn a blwch cymorth cyntaf, rhwymynnau ac eli. Nid oedd modd i neb gamddeall y pwrpas, oherwydd bod yr ystafell yn drewi fel adran frys ysbyty. Roedd gan yr ystafell bwrpas digamsyniol a dyna oedd y nod. Wrth i ddementia waethygu a'r deall ddirywio, dylai negeseuon dylunio mewnol fod yn glir ac yn effeithio ar gynifer o'r synhwyrau â phosib. Gelwir hyn yn 'ofod wedi'i drefnu fel symbyliad'. Enghraifft arall yw ystafell fwyta lle mae clindarddach y cyllyll a ffyrc, arogl y bwyd, a gweld llestri, lliain bwrdd a photeli saws i gyd yn datgan 'dyma ble'r ydw i'n bwyta'.

Pan fyddai angen newid gorchuddion briwiau Mrs O, ni fyddai'n mynd i breifatrwydd ei hystafell wely mwyach. Yn hytrach, bydden nhw'n mynd â hi i'r ystafell driniaeth ac er bod y gofalwyr yn dal heb wisg swyddogol, roedd yr arwyddion mor glir a grymus, roedd popeth yn iawn. Roedd tawelwch meddwl, sydd mor bwysig i bob un ohonom, ond sy'n cael ei ddiystyru'n rhy fynych wrth ofalu am bobl â dementia, wedi cymryd lle panig ac ofn.

Serch hynny, roedd yr her o helpu Mrs O yn y tŷ bach yn parhau, rhywbeth a fyddai'n digwydd hyd at chwe gwaith y dydd, efallai. Fe wnaethon ni ddysgu o'r gwersi a gawsom, gan fynd yn erbyn 'arfer da'. Yn hytrach na mynd â Mrs O i breifatrwydd tŷ bach, sy'n gyson â'r angen i gadw urddas a pharch ar adeg o ofal personol, rhoesom ni gomôd yn yr ystafell driniaeth, y tu ôl i sgrin. Pan oedd hi'n amser ymweld â'r tŷ bach, byddai gofalwr yn mynd â Mrs O i'r ystafell driniaeth, yn eistedd ger y troli, iddi gynefino â'r profiad 'clinigol'. Yna, ddim ond ar ôl i hyn ddigwydd, byddai'r gofalwr yn mynd â hi at y comôd. A hithau wedi'i chysuro gan yr arwyddion niferus, yn ogystal â lleisiau mwyn, gofalgar ei gweithwyr gofal, datgelodd ei hymddygiad sut roedd hi'n teimlo. Dim dicter, dim trais, dim ond derbyn yn dirion.

Nid yw hyn gyfystyr â dweud bod popeth yn berffaith ym myd Mrs O. Nid oedd wedi bod felly erioed, ac ni fyddai felly nawr. Byddai ambell ffrwydrad o bryd i'w gilydd wrth ei thywys at y comôd, ond roedden nhw'n brin iawn. Bydden nhw'n tueddu i ddigwydd pan fyddai staff yn rhy brysur i roi digon o amser iddi gynefino â'r 'profiad clinigol', ac yn mynd â hi y tu ôl i'r sgrin ar unwaith. Roedd yr her o helpu Mrs O allan o'i gwely a'i helpu i wisgo, dadwisgo ac ymolchi yn dal i fod. Serch hynny, ar bob cyfle posibl, byddai'r staff yn symud ei gofal personol i leoliad cysurlon yr ystafell driniaeth a byddai hithau gan amlaf yn llonyddu.

Y peth arall a newidiodd oedd barn y staff bellach am Mrs O: nid oedd hi'n wallgof, yn ddrwg nac wedi colli'i phwyll bellach, ond yn wraig ofnus a chanddi hanes torcalonnus, gwraig a oedd yn ceisio goroesi mewn byd roedd hi prin yn ei ddeall. Dysgwyd gwers werthfawr. Wrth ofalu am bobl â dementia, ni allwch weithio mewn dulliau anhyblyg. Mae hanes pobl, eu harferion a'u harswyd yn rhy gymhleth i wneud hyn. Os yw gofal yn mynd i fod yn berson-ganolog o ddifri, rhaid mynd yn erbyn llif meddylfryd y presennol weithiau er mwyn helpu rhywun i fyw ei fywyd yn rhydd o artaith a rhagofnau. Go brin y byddai Mrs O yn anghytuno.

9

Roedd Mrs S wedi disgyn ymhell

Ysgrifennais am Mrs S gyntaf yn y *Journal of Dementia Care* oherwydd bod ei stori unigryw wedi helpu i gyflwyno dealltwriaeth person-ganolog o ymddygiad heriol. A hithau'n 75 oed, roedd hi wedi mynd i gartref gofal ac roedd dementia arni. Gartref, roedd ei sgiliau hunanofal wedi gwrthsefyll creulondeb clefyd Alzheimer yn rhyfeddol. Ond roedd hi wedi mynd yn fwyfwy dryslyd ei meddwl ac yn gwneud pethau hollol beryglus. Daeth pethau i'r pen pan roddodd sosban yn y popty microdon, ar ôl cael rhybudd i beidio â defnyddio'r ffwrn. Parodd y ffrwydrad i'r larwm mwg ganu, gan beri i Mrs S guro'n llawn cynnwrf ar ddrws ffrynt ei chymydog, gan weiddi bod ei thŷ ar dân.

Ni chawsai Mrs S lawer o addysg ond roedd golwg chwaethus a bonheddig arni gydol ei bywyd, yn 'ledi' gan bawb oedd yn ei hadnabod. Roedd hi'n gweithio mewn ystafell de a siop gacennau a bu'n ddigon ffodus i briodi mab y perchennog. I gynnal rhodres ei draig o fam yng nghyfraith lem ei thafod – nad oedd yn cytuno â dewis ei mab o wraig – dechreuodd Mrs S ar daith i fod mor soffistigedig a diwylliedig â mam ei gŵr. Nid stori *My Fair Lady* yn union, ond yn ddigon agos.

Tristwch mawr i'w merched hithau bellach oedd gwylio soffistigeiddrwydd a safonau personol eu mam yn dadfeilio. O'i gymharu â phreswylwyr eraill, roedd hi'n edrych yn iawn wrth gymdeithasu, ond roedd hi wedi disgyn ymhell. 'Mae'r hyn sydd wedi digwydd i'n mam ni'n anhygoel. Fyddai hi erioed wedi dymuno bod fel hyn. Rydym ni'n gweld ei heisiau gymaint – nid hon yw'n mam ni.' Roedd hi'n anodd i'r ddwy chwaer dderbyn y dirywiad eithriadol o gyflym yng nglanweithdra personol eu mam ar ôl iddi fynd i'r cartref preswyl.

Ers y diwrnod cyntaf yn y cartref, byddai Mrs S yn gwlychu'i hun wrth grwydro. Gyda'r nos, byddai hi weithiau'n baeddu'i hun yn llechwraidd ac yna'n creu parsel o'r ysgarthion yn ei dillad neu yn y dillad gwely, gan guddio'r dystiolaeth o dan y gwely neu mewn droriau. Esboniwyd dirywiad sydyn eu mam i'r merched gan natur gynyddol dementia a'r anhawster y bydd pobl â dementia'n ei gael i ymdopi â newid. Crybwyllwyd y gair 'anymataliaeth' (*incontinence*). Yn fuan, roedd ei hymddygiad yn anodd, oherwydd na ddangosai Mrs S unrhyw ddiddordeb mewn defnyddio'r tai bach ar gyfer preswylwyr. Yn aml, fe'i gwelid yn cerdded i mewn i'r tŷ bach ac yna'n dod allan eiliadau'n ddiweddarach, neu'n oedi, yn edrych drwy'r drws ac yna'n cerdded ymlaen. Pan fyddai'r staff yn cael hyd iddi'n ddiweddarach â'i dillad yn wlyb neu wedi baeddu, byddai'n gwadu bod hyn wedi digwydd.

Penderfynwyd yn y pen draw nad oedd hi'n gwlychu neu'n baeddu ei hun yn ddamweiniol ond yn dewis peidio â defnyddio'r tŷ bach yn fwriadol. Dywedwyd wrth ei merched, 'Bydd rhai'n mynd yn anodd eu trin.' Penderfynwyd sicrhau bod y staff yn annog Mrs S i ddefnyddio'r tŷ bach, a'i hebrwng yno, bob teirawr. Ei hymateb oedd peidio â chydweithredu. Gallai staff gael Mrs S i'r tŷ bach ond byddai'n gwrthod yn daer â'i ddefnyddio. O fewn tair wythnos roedd Mrs S yn isel ei hysbryd. A hithau'n ddifater a di-hid, prin y byddai'n yngan gair, nac yn ymuno â'r gweithgareddau a byddai'n gwlychu'i hun ble bynnag yr eisteddai. Roedd y canlyniad yr un peth ag o'r blaen ond bellach roedd ei symbyliad yn amlwg yn wahanol – ond beth oedd wedi symbylu Mrs S i ddechrau gwlychu'i hun, tybed?

Enw'r ymgais i ddarganfod y rheswm dros ymddygiad yw 'dadansoddi swyddogaethol'. Prin y bydd pobl yn gwneud rhywbeth yn ddireswm, pa un a oes dementia arnyn nhw ai peidio. Weithiau rhaid i ni ofyn 'Pam ddywedais i hynny, pam wnes i hynny?' ac er na fyddwn ni o reidrwydd yn hoffi'r hyn a ddysgwn amdanom ein hunain bob tro, bydd rheswm bob tro. Yn yr un modd, mae gan rywun sydd â dementia resymau dros ei weithredoedd. Felly er nad oedd Mrs S yn gallu esbonio'i gweithredoedd, nid oedd hynny'n golygu nad oedd rheswm i chwilio am esboniad.

Am naw wythnos, barn y staff oedd bod Mrs S yn dreisgar ac yn gwlychu ac yn baeddu. Ni ddigwyddodd fawr ddim i wella'i bywyd. Roedd ei merched, ac un yn arbennig, yn ymweld yn llai a llai aml. A hwythau'n amlwg yn anobeithio ac yn methu deall yr hyn a oedd yn digwydd o flaen eu llygaid, roedden nhw'n ceisio cysur yn eu hatgofion.

Un diwrnod, roeddwn i'n ymweld â'r cartref i drefnu cyfres o sesiynau hyfforddi ar ofal person-ganolog, ac fe'm cefais fy hun yn syllu ar wraig a oedd yn dal llaw Mrs S. Esboniodd fod ei mam bellach yn ddynwarediad tila o'r hyn a fu. Roedd yn methu deall beth oedd yn digwydd ac wedi gwylltio. Esboniodd ei bod wedi dysgu ymdopi pan oedd ei mam yn anghofio pethau ac yn gwneud pethau gwirion. Roedd yn rhwystredig, ac yn hynod o flinderus ambell waith, ond deuai'n haws wrth iddi ddeall yr hyn roedd ei mam yn ei wynebu. Nawr roedd pethau'n wahanol. Roedd y wraig hon y byddai'n ymweld â hi mor annhebyg i'w mam. Prin y byddai'n gofalu amdani ei hun, ac roedd popeth wedi dirywio mor gyflym, o fewn dyddiau iddi ddod i mewn i'r cartref.

Roedd Mrs S wedi bod yn falch, yn hunangyfiawn yn aml ac yn meddwl cryn dipyn ohoni'i hun – weithiau'n annioddefol felly. 'Roedd Mam yn ofni heneiddio bob amser, oherwydd bod ei golwg yn golygu popeth iddi.'

Cefais wybod sut y byddai'n bwydo'i balchder yn wythnosol gydag ymweliadau â'r siop trin gwallt, sut y byddai'n rhaid i'w cholur fod yn berffaith bob amser, a pheidied neb â sôn am fagiau ac esgidiau, 'Roedd cynifer ganddi, byddai ein tad yn gresynu, ond felly roedd Mam. Doedd e ddim yn malio go iawn, ond roedd ei phryder am lanweithdra personol yn wahanol. Roedd obsesiwn gyda hi. Byddai hynny'n ei gynhyrfu fe o ddifri, yn enwedig os oedd yn gwneud iddo fod yn hwyr. Welwch chi, doedd Mam byth yn gallu defnyddio tŷ bach heblaw am ein un ni gartref. Ac nid dim ond rhai cyhoeddus; allai hi ddim mynd i'r tŷ bach yn nhŷ ffrind, hyd yn oed.' A gyda hynny, agorwyd ffenestr ar fywyd Mrs S.

Beth oedd disgwyl i Mrs S ei wneud wrth fynd i'r tŷ bach? Defnyddio'r hyn oedd yn ei hanfod yn ddau dŷ bach cyhoeddus, iddi hi. Nid oedd ots bod y staff yn gwneud eu gorau glas i gadw'r lle'n lân: roedd ymddygiad Mrs S yn cyfleu atgasedd at drefniadau rhannu tŷ bach â phobl eraill. Nid oedd hi erioed wedi gallu derbyn hyn. Roedd yn anhoffter a gafodd ei feithrin a'i ddatblygu yn ystod ei thrawsnewidiad i fod yn wraig fonheddig, ond roedd gwreiddiau'r ymddygiad yn ei blynyddoedd cynharaf.

Mae ein blynyddoedd cynnar, nad ydym yn eu cofio o gwbl, neu prin yn eu cofio, yn gyfnod sy'n gyforiog o addewid. Ond mae hwn hefyd yn gyfnod o benderfyniadau, darganfyddiadau a dysg sy'n ein gwneud ni yr hyn ydym ni heddiw. Gwelodd Sigmund Freud a'r Jeswitiaid fel ei gilydd fod y plentyn yn rhiant i'r oedolyn. Serch hynny, mae'r gwersi a ddysgwyd gennym a'r anturiaethau y cychwynnwyd arnyn nhw fel arfer y tu hwnt i'n cof. Bydd y cerrynt sy'n esbonio pwy ydym yn llifo'n ddwfn, ac o'r golwg o dan ein geiriau a'n gweithredoedd pob dydd. Os ceisiwn olrhain eu tarddiad, down i gyfnod y tu hwnt i gofio. Bydd y rhan fwyaf o bobl yn dweud bod eu hatgof cyntaf o'r adeg pan oedden nhw tua phedair oed. Cyn hynny, faint allwn ni ei gofio? Dim byd, yn ôl y diffiniad: dyma'r cyfnod o brofiad 'cyn cof'. Ni allwn gofio cael ein dysgu i ddefnyddio'r tŷ bach, ein 'dwyflwydd dieflig' nac unrhyw brofiadau sy'n golygu ein bod ni heddiw yn bobl sy'n gallu ymddiried mewn eraill ac yn hyderus yn eu cwmni, neu fel arall.

Mae'r hyn sy'n digwydd cyn yr atgofion cyntaf hynny yn cael ei osod fel gwirionedd personol. Dyma'r hyn rydym ni'n ei wybod amdanom ni ei hunain, sut rydym ni, a dyna ni. Ond a allwn ni anghofio'r hyn na allwn mo'i gofio? Allwn ni golli'r hyn nad yw wedi'i osod mewn modd y gall y cof ei adfer? Yr ateb, mae'n fwy na thebyg, yw na. O ganlyniad, mae'r profiadau a'r gwersi cynnar hyn yn para i fod yn rhan o bwy ydym ni. Maen nhw'n dylanwadu arnom ond ni fyddwn ni byth yn gallu cyrraedd atyn nhw.

Byddai Mrs S wedi gallu defnyddio'r tŷ bach erbyn ei bod

hi'n dair oed. Byddai wedi'i hannog i fynd i'r tŷ bach ar ei phen ei hun, yn lân ac yn urddasol. Pan fyddai wedi meistroli'r sgìl hwn, ni fyddai byth eto'n dewis gwlychu na baeddu'i hun. Ac eto, ni fyddai'n cofio dysgu'r wers hon o gwbl, na'r pleser y byddai hi wedi'i roi i'w rhieni pan fyddai'n defnyddio'r tŷ bach, neu ei photi, yn iawn. Yr un mor arwyddocaol, ni fyddai'n cofio'i balchder wrth blesio'i rhieni. Mae'n amlwg ein bod yn gosod gwreiddiau hunan-barch yn ystod cyfnod nad ydym yn gwybod dim o gwbl amdano, nid wrth i ni aeddfedu'n oedolion ifanc.

Pan fyddwn yn oedolion, bydd gorfod gofyn mewn lle dieithr, 'Ble mae'r tŷ bach?', yn gwneud i gynifer ohonom deimlo'n lletchwith. Byddwn yn teimlo'n anghyfforddus yn defnyddio toiledau cyhoeddus ac yn gwybod yn ddiamau bod gwlychu ein hunain yn ein diraddio. Nid ydym yn cofio'r gwersi rydym wedi'u dysgu. 'Gwirionedd personol' ydy'r hyn a wyddom, a dyna ni.

I Mrs S, roedd ei hangen ynddi am lanweithdra wedi golygu bod toiledau cyhoeddus yn atgas ganddi. Ar ôl cerdded i mewn i'r tai bach ac allan eto, byddai'n dechrau ar daith seithug. Ni fyddai hi byth yn darganfod tŷ bach a oedd yn teimlo'n iawn. Nid oedd ots bod rhywun wedi dweud wrthi fod dau dŷ bach a oedd yn agored i bawb ar gael iddi hi eu defnyddio. Roedd ei hanallu i gofio dim am fwy nag ychydig funudau yn gwneud gwybodaeth o'r fath yn ddiwerth. A hithau'n methu dal ei dŵr, fe'i gorfodwyd i wlychu'i hun yn y fan a'r lle. Allwn ni ddechrau dychmygu gymaint o gywilydd fyddai hynny'n iddi ar yr eiliad honno? Byddai ei chywilydd wedi sbarduno'i harfer o 'wneud parsel' o'i dillad brwnt.

Does dim ots na fyddai Mrs S wedi gallu cofio'r hyn roedd

hi wedi'i wneud, oherwydd yn yr un modd ag y deallwyd problem Janet (Pennod 6), yr hyn sydd o'r pwys mwyaf i bobl â dementia yw moment eu profiad, yr 'eiliad hon'. Mae eu problemau cofio'n golygu nad yw'r atgof o'r hyn a ddigwyddodd yn y gorffennol nac ymdeimlad o'r hyn sydd i'w ddisgwyl nesaf (er enghraifft, y byddai'r gofalwyr bob amser yn garedig a thosturiol) yn llesteirio'r profiad. Pan fyddai'n dod wyneb yn wyneb yn ddiweddarach â thystiolaeth o'r hyn roedd hi wedi'i wneud, wrth gwrs y byddai'n gwadu ei bod wedi gwlychu'i hun, oherwydd nad oedd Mrs S yn gwybod ei bod hi wedi gwneud hynny. Pan fydd ei phledren yn llawn, bydd hi'n mynd i'r tŷ bach. Dyna'i gwirionedd personol hi. Nid yw hi'n gwybod am unrhyw ffordd arall, nac am unrhyw adeg arall.

Ar ôl deall hyn oll, yr her gyntaf oedd gweld beth oedd yn bosibl i godi Mrs S allan o'i hiselder. Cytunodd ei meddyg teulu a rhoddodd dabledi gwrthiselder iddi. Ar ôl tair wythnos, gwellodd ei hwyliau ryw gymaint ac roedd hi'n ymddangos yn fwy effro, ond sut oedd mynd i'r afael ag achos yr iselder? Yn gyntaf, trafododd y gofalwyr a minnau'r ffaith nad ydym ni'n hoffi toiledau cyhoeddus. Mae cynifer ohonom yn eu hosgoi gymaint ag y gallwn, yn amheus ohonyn nhw oherwydd bod dieithriaid yn eu defnyddio, ac yn gofidio am y germau sy'n llechu yno heb eu gweld. Rydym ni'n osgoi cyffwrdd â sedd y toiled, y ddolen wrth dynnu'r dŵr, dolen y drws a'r tapiau dŵr, a chawn gysur pan welwn fod gorchuddion sedd, chwistrellau neu gadachau diheintio ar gael.

Roedd y gofalwyr, a oedd i fod i ddefnyddio toiledau'r preswylwyr, yn defnyddio toiledau'r staff. Ystyriwyd tybed a oedd hyn yn dweud mwy am lendid (neu ddiffyg glendid) toiledau'r preswylwyr nag am ddymuniad y gofalwyr i gynnal preifatrwydd y preswylwyr ac i reoli haint. Os oedd y toiledau hyn yn brin o'r safon y byddem yn ei disgwyl i ni ein hunain, roedd hyn yn broblem roedd yn rhaid ei hwynebu. Roedd y neges yn glir. Os nad oedd y toiledau i bawb yn ddigon glân i'r bobl a oedd yn gweithio yn y cartref gofal, sut allen nhw fod yn dderbyniol i'r preswylwyr? A oedd y staff, yn ddifeddwl, yn condemnio pobl i'w gwlychu a'u baeddu'u hunain? Neu a oedden nhw'n cael eu hystyried yn bobl nad oedd ganddyn nhw unrhyw barch at eu glanweithdra'u hunain, er mai'r gwrthwyneb oedd yn ysgogi'u hymddygiad mewn gwirionedd? Newidiwyd barn y staff ond beth oedd yn bosibl ar lefel ymarferol?

Er gwaethaf dioddefaint Mrs S, roeddem oll yn gytûn nad symud i gartref gofal â chyfleusterau *en-suite* fyddai orau iddi hi. Roedd hi'n dda gweld hefyd y newid yn agweddau'r staff. Roedd penderfyniad go iawn i helpu Mrs S, gan fod cynifer o'r merched a oedd yn gofalu amdani yn cydymdeimlo â'i strach erbyn hyn. Nid oedd hi'n bosibl i'r cartref ddarparu toiled *en-suite* iddi, ac nid oedd modd neilltuo un o'r toiledau iddi hi yn unig. Fe wnaethon ni ystyried rhoi eitemau cyfarwydd, ac felly'n gysurlon, yn y tŷ bach i'w wneud yn debyg i'w hystafell ymolchi hi gartref. Barn ei merched oedd y byddai hynny'n annhebygol iawn o lwyddo, a beth bynnag, roedd gwir berygl y byddai preswylwyr eraill yn mynd â'r pethau gyda nhw. Roedd un gŵr yn enwedig yn mynd ati'n ddygn i gasglu eiddo pobl eraill a'u cadw. Roedd ein dewisiadau'n gyfyngedig, felly fe ganolbwyntiwyd ar yr hyn sy'n peri'r gofid mwyaf i'r nifer fwyaf o ferched, sef sedd y toiled.

Yn y ddau dŷ bach, fe roesom ni declyn lliwgar i rannu

gorchuddion sedd toiled. Er ein bod ni'n rhagweld y byddai'r teclyn yn tynnu sylw Mrs S, gwyddem hefyd na fyddai modd iddi ddysgu na rhesymu beth fyddai angen iddi hi ei wneud ag ef. Nid oedd dewis arall heblaw gofyn i staff ei gwylio. Oherwydd cynllun yr adeilad, roedd y tai bach mewn lle amlwg a gan fod arwyddion yn dangos sut i'w cyrraedd, byddai Mrs S yn ceisio dod o hyd i'r tŷ bach bob amser. O hyn ymlaen, pe bai'r staff yn ei gweld hi'n nesu at y tŷ bach neu'n cerdded oddi wrtho, bydden nhw'n tynnu'i sylw at y teclyn, yn rhoi gorchudd dros y sedd, ac yna'n rhoi llonydd iddi. Fe weithiodd tua 60 y cant o'r amser. Droeon eraill, roedd ei ffieidd-dod yn drech na'n hymdrech i wneud y tŷ bach yn dderbyniol. Nid oedd yr ateb yn berffaith o bell ffordd, ond nid oedd amheuaeth chwaith bod bywyd Mrs S yn y cartref wedi gwella ym mhob ffordd. Roedd y staff yn fwy caredig tuag ati a phan gododd ei hwyl yn ôl, ni ddychwelodd byth eto i bydew iselder.

Y gwir yw bod Mrs S wedi ein helpu ni lawer mwy nag y gallem ni ei helpu hi fyth, er na allai hi fyth wybod hynny. Drwy broblemau Mrs S, daeth cynifer ohonom i ddeall bod pobl â dementia'n ymddwyn yn union yr un peth â phob un ohonom. Maen nhw'n codi bob bore, yn bwrw ymlaen â'u bywyd ac yn gwneud eu gorau. Efallai ein bod ni, wedi ein drysu a'n syfrdanu gan eu camgymeriadau, yn credu ar gam ein bod ni'n ymgodymu â symptomau clefyd. Helpodd Mrs S ni i sylweddoli mor bell ohoni roeddem ni.

10

Dyn y cerrig

Deuthum i adnabod Mr D ar ôl i'w wraig ddod i chwilio amdanaf mewn canolfan adnoddau i deuluoedd oedd yn gofalu am berthnasau â dementia. Dywedodd wrthyf am y misoedd o bryder cynyddol wrth i'w gŵr fynd yn fwyfwy anghofus a checrus. 'Does neb yn y teulu'n deall beth sy'n digwydd erbyn hyn.' Roedd hi'n anodd deall y bylchau yn ei gof ac weithiau roedden nhw'n codi gwrychyn. Fodd bynnag, y peth a oedd yn achosi mwyaf o ofid oedd ei sylwadau rhyfedd a'i ymddygiad a oedd yn fwyfwy od. Un tro, cwynodd nad oedd hi'n bosibl iddo agor drws y ffrynt oherwydd bod ganddo bapur newydd yn un llaw a chês nodiadau yn y llaw arall. Roedd hi wedi sylwi y byddai'n petruso cyn croesi'r ffordd. Ond y peth a barodd iddi geisio cymorth oedd un digwyddiad penodol yn hytrach na'i gofidiau a oedd wedi cynyddu o ddydd i ddydd, fesul wythnos,.

Bedydd eu hŵyr cyntaf oedd yr achlysur. Roedd hi'n ddiwrnod braf o wanwyn. Daethai teulu a ffrindiau o bell ac agos. Ar ôl y seremoni, roedd pawb wedi dod ynghyd yng nghartref eu merch i gael cinio dathlu. Wrth i bobl fynd i'w seddau o gwmpas y bwrdd, clywodd Mrs D ei merch yn holi 'Ble mae Dad?' Sylweddolodd nad oedd hi wedi'i weld ers hydoedd. Yna clywodd rywun yn dweud, braidd yn syn, 'Dyna fe'n eistedd yn y car, ondife?' Dyna ble roedd Mr D. Wrth iddi gerdded tuag ato, cofiai Mrs D ei bod hi'n teimlo'n gandryll. Roedd ei gŵr yn ddyn preifat. Roedd e'n hoffi llonydd ac nid oedd erioed wedi mwynhau partïon. Dros y blynyddoedd roedd hi wedi sylwi arno'n llithro i ffwrdd yn fynych. Efallai y byddai'n dod o hyd i silff lyfrau i bori drwyddyn nhw, neu byddai'n mynd am dro bach tawel os oedd gardd yno. Rhan o'r broblem oedd nad oedd newid arno. Ac yntau'n or-hoff o drefn, teimlai'n ansicr pan oedd bywyd yn teimlo'n wahanol iddo ac o ganlyniad prin ac anaml fu gwyliau i'r ddau. Ond roedd hyn gam yn rhy bell.

Wrth iddi ddynesu at y car, roedd hi'n meddwl ei fod wedi gwneud yr un peth eto, 'Mae'n gwrando ar y radio. Sut all e fod mor anghymdeithasol ym medydd ei ŵyr ei hun?' Roedd Mrs D'n adnabod ei gŵr yn ddigon da i wybod na fyddai ef mor ddideimlad fel arfer, ond nid oedd gwybod hynny yn ei pharatoi ar gyfer yr hyn roedd hi ar fin ei glywed. Mynnodd Mr D fynd adref: 'Rwy'n mynd adref. Rwy'n mynd adref i ginio ac os nad wyt ti'n nôl dy bethau a dod i'r car, byddwn ni'n hwyr yn bwyta.'

A hithau wedi'i syfrdanu, yn anghrediniol, ac yna wedi digio, llediodd ag ef i fod yn gall. Ond yn ei fyd yntau o artaith, roedd ei gŵr eisoes yn gweithredu'n gall. Nid yn gymaint nad oedd yn gallu cofio pam roedden nhw yn nhŷ eu merch a pha mor bwysig roedd yr achlysur. Yn hytrach, roedd ei benderfyniad i fynd adre'n adlewyrchu angen taer i deimlo'n ddiogel – nid yn gorfforol, ond yn seicolegol. Nid oedd yn dymuno bod mewn tŷ anghyfarwydd nac eistedd gyferbyn â phobl y dylai wybod eu henwau, ond nad oedd e'n gallu'u cofio; nid oedd yn dymuno dioddef embaras peidio â gwybod beth i'w wneud nesaf. Ei ddymuniad oedd bod yn gyfforddus ymysg ei bethau cyfarwydd, yn gwneud pethau roedd yn gwybod sut i'w gwneud.

Mae'r cartref yn cynnig trefn a'r disgwyliedig. Dyna pam y mae cynifer o bobl ar dechrau eu dementia'n treulio cymaint o amser wedi ymgolli mewn cadw pethau a gwirio eu bod nhw ble ddylen nhw fod. Maen nhw'n dymuno i fywyd fod fel y bu erioed ond wrth i'w gallu i gofio ballu, maen nhw'n colli hyder ynddyn nhw'u hunain. Felly mae angen iddyn nhw wirio, ac yna gwirio eto, bod popeth ble y dylai fod. Roedd personoliaeth Mr D yn mynd i sicrhau na fyddai ei ddyfodol ronyn yn wahanol i hynny.

Dros y misoedd nesaf, wrth i'w gof ddirywio'n gyson, cafodd ddiagnosis o glefyd Alzheimer tebygol. Roedd y broses wedi bod yn llawn o gynllwyn, oherwydd ni fyddai Mr D byth yn cydnabod bod ganddo unrhyw broblemau. O'i ran yntau, nid oedd dim byd yn bod a bai pobl eraill oedd unrhyw anawsterau a allai fod ganddo. Llwyddwyd, serch hynny, i'w berswadio i ymddeol a gwerthu ei gadwyn fechan o archfarchnadoedd a oedd yn strydoedd cefn y ddinas.

Ac yntau'n ddryslyd ac yn ddibynnol, gwnaeth niwed mawr i les ei wraig. Ei disgrifiad hi ohono oedd 'gofidiwr o'r crud' ac felly nid oedd hi'n syndod ei weld yn cynhyrfu'n fwyfwy wrth i bryder ac ansicrwydd nodweddu ei fywyd beunyddiol. Cynigiwyd gofal yn y cartref, a gofal dyddiol, ond gwrthododd Mrs D. Teimlai hi na fyddai ei gŵr yn derbyn presenoldeb dieithriaid ac na fyddai'n cynhesu at ddirgelion gofal. Cadarnhawyd ei phryderon pan geisiodd Mr D, yn ystod yr unig ymgais i fynd ag ef i ganolfan gofal dydd, ddringo allan o ffenestr yn hytrach nag aros yng nghwmni pobl ddieithr, mewn lle dieithr, gymaint oedd ei orbryder.

Aeth amser yn ei flaen a rhaid i mi ddweud y daeth Mr D yn un o'r bobl fwyaf gofidus â dementia i mi weithio ag ef erioed. Wrth i'w wraig ei chael hi'n anodd ymdopi, dechreuodd pethau fynd o ddrwg i waeth a arweiniodd at alw Mr D yn 'ddyn y cerrig'. Datblygodd cyfres o ymddygiadau a fyddai bron â dinistrio iechyd ei wraig deyrngar.

Ddydd ar ôl dydd, gyrrwyd Mr D i gasglu cerrig mawr o'i ardd a'u storio'n bentyrrau taclus yn ei garej. O fore gwyn tan nos, byddai'n gweithio yn yr ardd. Byddai'n mynd i nôl ei ferfa a'i raw ac yn mynd at y gwely blodau. Mor daer y chwiliai am gerrig, dinistriodd y gwely yn drefnus. Tynnwyd blodau, llwyni a choed o'u gwreiddiau neu eu torri i'r byw. Yna byddai'n rhofio cymaint fyth ag y gallai o bridd i'r ferfa a'i rholio'n ddygn i'r lawnt, lle byddai'n gwagio'i chynnwys. Gan wahanu'r pridd a'r cerrig, byddai wedyn yn rholio'i gynhaeaf i'r garej. Wedyn byddai'n dychwelyd i'r ardd lle byddai'n crynhoi cymaint ag y gallai o bridd ag y byddai ei amynedd a'i ddoethineb yn ei ganiatáu, a'i roi'n ôl ar y gwely blodau.

Dinistriodd yr ardd. Llediodd ei wraig ag ef, ond yn ofer. Pe bai rhywun yn ceisio'i atal, byddai'n cael llond pen o ddicter a gwrthwynebiad. Weithiau roedd ei ddwylo'n gleisiog a gwaedlyd, ond ni fyddai'n stopio, neu ni allai. Ar ddiwedd y dydd, byddai'n cerdded yn ôl a blaen drwy'r tŷ, cyn disgyn i drwmgwsg, wedi ymlâdd.

Heb reswm amlwg, byddai Mr D weithiau'n amrywio'i ymddygiad. Yn hytrach na mynd â'i ferfa ar y lawnt, byddai'n ei rholio i mewn i'r tŷ ac yn gwagio'i chynnwys lle bynnag y barnai oedd yn addas. Aeth carpedi'r lolfa a'r cyntedd yn damp, yn fudr ac yn gartref i nifer fawr o drychfilod.

Yn y pen draw, gwaethygodd ei ymddygiad nes i Mrs D orfod wynebu braw a dicter cymdogion, cydnabod a hyd yn oed ddieithriaid a fyddai'n digwydd cerdded heibio'u tŷ, yn ogystal ag ymgodymu â'i chwerwedd a'i dicter ei hun – 'Pam fi, pam ni? Pam mae e'n gwneud hyn i mi?' Byddai Mr D yn rhuthro i'r stryd atyn nhw. Nid oedd neb yn gallu deall yr un gair a ddywedai, ond roedd ei wyneb a goslef ei lais yn datgelu ei arswyd yn glir. Weithiau byddai'n penderfynu mynd i erddi ei gymdogion gyda'i ferfa a'i raw a dinistrio'u blodau nhw gyda'r un gwylltineb.

Nid oedd hi'n bosibl disgrifio Mr D fel un 'dymunol o ddryslyd'. Roedd awgrymiadau defnyddiol yn dibynnu ar yr angen i gyfyngu ar ei ymddygiad. Yn aml, cynghorwyd rhoi sedatif iddo. Hefyd dywedwyd yn fynych wrth Mrs D mai digon oedd digon ac y byddai'n well i bawb pe bai Mr D yn mynd i fyw i uned i'r henoed bregus eu meddwl. Ond nid oedd ei wraig yn fodlon ei ollwng, er ei bod hi'n holi'n gyson ai ei gŵr hi oedd y dyn hwn roedd hi'n rhannu'i chartref ag ef. I Mrs D, dyma'r amser tywyllaf oll. Cafodd ei heffeithio'n ofnadwy gan ddiymadferthedd a digalondid mawr. Nid oedd cysur na gobaith am y dyfodol i'w gael o ddweud wrthi mai unig achos ymddygiad ei gŵr oedd ei ddementia.

Wrth wylio gweithredoedd aflonydd Mr D, astudio mynegiant ingol ei wyneb a gweld sut y byddai'n anwybyddu anghysur corfforol, roedd hi'n hawdd gweld ei wewyr. Ond nid oedd hyn yn dod â ni ronyn yn nes at ddeall pam roedd yn gorfod gwneud yr hyn roedd yn ei wneud bob dydd.

Nid wy'n meddwl bod Mrs D yn mwynhau ein sgyrsiau

ryw lawer. Iddi hi, nid oedd pwynt iddyn nhw, ond roedd hi'n gwrtais ac yn goddef fy nghwestiynau bob amser. Byddem yn chwilio'i orffennol wrth i mi geisio cysylltu'r presennol â'r cyfan a wyddai hi am ei gŵr. Pam oedd y cerrig mor arwyddocaol iddo fe? Pam oedd e'n teimlo'r angen i'w cuddio? Byddwn i'n dweud wrthi hi fy mod i'n grediniol bod ei ymddygiad yn cuddio'i seicoleg, yn hytrach na'n galluogi ni i fynd i'w fyd o anghenion a theimladau. Ond i Mrs D, dim ond siarad er lles siarad oedd y cyfan, ac mae'n bosibl ei bod yn gresynu wrth iddi orfod hel atgofion am y gŵr tal, cydnerth a arferai fod yn ŵr iddi.

Roedd hi fel pe bai Mr D wedi dod yn fwy ansicr wrth iddo heneiddio. Dywedodd Mrs D wrthyf mor galed fyddai ei gŵr yn gweithio. Byddai'n gweithio am oriau hir chwe diwrnod yr wythnos – yn codi gyda'r wawr ac yn dod adref yn hwyr y nos. Gofidiai'n barhaus nad oedd digon o oriau yn y dydd. Nid oedd yn malio'r un botwm corn am statws nac awdurdod. Deilliai ei lwyddiant o fod eisiau rhoi sicrwydd a thawelwch meddwl i'w deulu, sy'n ganlyniad peidio â bod yn brin o ddim. Er y gallai fod yn bell, roedd yn ŵr a thad cydwybodol. Dyma pam roedd Mrs D wedi ypsetio cymaint. Pe bai Mr D yn gwybod am y tor calon a'r gofid roedd yn eu hachosi iddi hi a'r plant, byddai'n cadarnhau'r hyn roedd hi wedi clywed eraill yn ei ddweud: nid ei gŵr hi mo hwn. Ac os nad oedd ef yn gwybod a'i fod yn byw mewn byd o artaith annisgrifiadwy na allem ni mo'i gyrraedd na'i ddatrys, onid oedd parhau ei ddioddefaint yn ddrwg?

Roedd Mr D wedi trysori'i gartref erioed. Roedd wedi gwario llawer iawn o arian i greu tŷ hardd â gerddi yr un mor ysblennydd. 'Pam fyddai eisiau dinistrio'r pethau oedd yn golygu cymaint iddo? Ac nid ein priodas sy gen i mewn golwg. Roedd e'n dwlu ar y tŷ yma. Gormod, weithiau. Dyma'i noddfa, y fan y gallai ddod yn ôl iddi bob amser pan fyddai pethau'n mynd yn drech nag ef. Ydych chi wedi sylwi ar y barrau ar y ffenestri? Maen nhw'n ddigon deniadol, ond barrau ydyn nhw. Cawson nhw'u gosod ar ôl i rywrai geisio lladrata o un o'n siopau ni. Roedd e'n methu goddef meddwl y byddai rhywun yn torri i mewn ac yn dwyn ein pethau ni. Hyd yn oed ddinistrio rhywbeth a drysorai. Nawr mae e'n gwneud hynny ei hun. Dyna i chi eironi, ynte?'

Cysegrodd Mr D ei fywyd i brynu archfarchnadoedd ac yna'u rheoli i'r safonau uchaf. Drwy gydol ei fywyd roedd wedi pryderu a gofidio am bethau dibwys ym marn llawer. Datblygodd bersonoliaeth obsesiynol, efallai fel dull o ddianc rhag ei hunanamheuaeth. Os yw rhywun yn rhoi ei holl fryd ar fanylion a phrydlondeb, nid oes fawr o gyfle wedyn i hel meddyliau am ansicrwydd, diffygion a methiannau tybiedig na gadael i'r rheiny effeithio arno. Er i'w ymroddiad, ei natur ddibynadwy a'i fanylder fod o fantais iddo ac yn ffordd sicr iddo lwyddo, dyma hefyd fyddai achos ei ddistryw.

Gallech osod eich cloc wrth arferion Mr D. Un nos Wener, 15 mlynedd ynghynt, roedd newydd gau un o'i siopau ac wrthi'n gadael yr archfarchnad gydag enillion y dydd. Byddai wedi gwneud hyn gannoedd o weithiau – yr un adeg bob dydd, ar ei ben ei hun bob amser. Heb yn wybod iddo, roedd eraill wedi bod yn ei wylio. Wrth iddo gau drws y siop, rhedodd tri llanc ar draws y ffordd i gipio'r arian roedd wedi'i roi mewn bag di-nod. Ond roedd Mr D wedi'u gweld yn dod. Ar amrantiad, aeth yn ôl i mewn i'r siop, rhoddodd glep i'r drws a llwyddodd i'w gloi wrth i'r llanciau daranu yn ei erbyn.

Wrth i'r llanciau golbio'r drws rhedodd Mr D drwy'r siop i swyddfa yn y cefn lle gallai ffonio'r heddlu. A hwythau'n amharod i ildio, rhedodd y llanciau i sgip adeiladwr y tu allan i dŷ cyfagos a oedd yn cael ei adnewyddu. Cydiodd un ohonyn nhw mewn carreg fawr a'i thaflu drwy ffenestr y siop. Gan ddringo i mewn drwy'r twll yn y gwydr, fe redon nhw drwy'r siop i gyfeiriad Mr D a oedd yn sownd mewn swyddfa, y tu ôl i ddrws roedd yn methu ei gloi. Allwn ni ddychmygu sut y teimlai Mr D, dyn gofidus ac ofnus, yn yr eiliadau hynny wrth i'r llanciau gythru amdano? Lladrad sydyn oedd hwn i fod, ond oherwydd ei weithredoedd, roedd ei ymosodwyr yn gandryll erbyn hynny. Beth fydden nhw'n ei wneud iddo? Er mawr ryddhad iddo, ni ddigwyddodd dim. Am resymau nad esboniwyd erioed, oedodd y llanciau, troi ar eu sodlau a dianc yn waglaw.

Bymtheng mlynedd yn ddiweddarach, daliai Mr D i ymgodymu â'i angen parhaus i fod yn ddiogel. Erbyn hyn roedd yr angen hwnnw wedi'i heintio gan hanes, oherwydd roedd ei orffennol yn ymyrryd â'r presennol fel pe bai'n wirionedd poenus unwaith yn rhagor. Roedd hen atgof ingol yn tra-arglwyddiaethu ar ei feddwl ac yn dylanwadu ar ei farn. Roedd profiad brawychus a oedd wedi digwydd 15 mlynedd yn ôl yn siapio'i angen am ddiogelwch. Ond fel yn achos Mrs O (Pennod 8), nid oedd treigl amser yn llesteirio bellach yr emosiwn a ddaeth yn sgil y profiad.

Wrth i mi esbonio hyn i Mrs D, dywedodd, 'Rydych chi'n dweud bod cof fy ngŵr yn chwarae triciau ag ef?' Nid yn union. Dywedais wrthi sut y bydd clefyd Alzheimer yn graddol ddinistrio meinwe'r ymennydd sy'n cynnwys olion ein hatgofion, yr atgofion y byddwn ni'n dibynnu arnyn nhw i'n helpu i ddehongli sut rydym ni'n teimlo a'r hyn y byddwn ni'n ei weld a'i glywed. Mewn dementia, mae atgofion diweddar yn fwy tebygol o gael eu colli cyn atgofion pellach yn y gorffennol (gelwir hyn yn ddeddf Ribot). O ganlyniad, roedd y ddealltwriaeth a ddygai ei gŵr i'w fyd ac a ysgogai ei ymddygiad yn ei dro, wedi'i gwreiddio'n gynyddol yn y gorffennol. Felly, roedd pethau a ddigwyddodd flynyddoedd yn ôl bellach yn darparu ffeithiau i Mr D a'i gyrrodd unwaith yn rhagor i'w warchod ei hun, ei wraig a'i eiddo. Roedd ei resymu gwallus yn ei atal rhag deall mai anaml iawn, os byth, y bydd pobl yn ymosod ar eich cartref gan ddefnyddio cerrig a ddygwyd o'ch gardd. Ond o fewn y cyfyngiadau a osodwyd gan ei anabledd deallusol, roedd Mr D yn ymddwyn mewn modd oedd yn gywir ac addas. Nid oedd yn dinistrio'r peth a garai ac a drysorai uwchlaw dim arall. Roedd yn gwneud yr hyn roedd wedi'i wneud o'r blaen: gwarchod ei wraig a'i gartref.

Ni fyddai datrysiad llwyddiannus ar gael i Mr D o ran rhoi iddo'r hyn na fu ganddo erioed, sef tawelwch meddwl. Serch hynny, mae deall nid yn unig yn ein gyrru'n nes at ddod o hyd i atebion – gall hefyd hybu goddefgarwch. Gyda goddefgarwch daw'r potensial i ymdopi, hyd yn oed â sefyllfaoedd sydd heb newid o gwbl yn eu hanfod.

Dyma fyddai'r canlyniad i Mr a Mrs D. Pan esboniwyd iddi hi mai tystiolaeth oedd ei ymddygiad mai'r un dyn roedd hi wedi'i adnabod ers blynyddoedd oedd yno, ond ei fod bellach yn cael ei boenydio gan drawma o'r gorffennol, roedd Mrs D yn gallu ymdopi'n well. Nid oedd hi mwyach wedi'i brawychu gan ymdeimlad ei fod yn gweithredu'n fwriadol i'w brifo neu ei digio. Nid oedd hi chwaith yn credu y gallai hi fod wedi'i thynghedu i fyw gyda rhywun nad oedd hi'n teimlo ei fod yn ŵr iddi, er gwaethaf y dystiolaeth gorfforol i'r gwrthwyneb.

Aeth Mrs D a'i gŵr i gartref ei deulu yn Iwerddon ar wyliau ac yn ystod y cyfnod hwnnw, trefnodd eu meibion i weithiwr ddod i dacluso'r gerddi a gosod giât â chlo arni ar ddiwedd y dreif. Gosodwyd carpedi newydd drwy lawr gwaelod y tŷ a chynghorais Mrs D ar ôl iddyn nhw ddychwelyd i sicrhau ei bod hi'n cloi drws y cefn a drws y ffrynt pan fyddai ei gŵr yn mynd i'r ardd. A chanlyniadau mwyaf niweidiol ei ymddygiad wedi'u hatal, felly, roedd modd i Mr D barhau â'r ymddygiad y gyrrwyd ef iddo heb i neb ymyrryd.

Deuthum i ddeall ein hymdrechion i helpu Mr D yn nhermau 'dadleoli swyddogaethol'. Mae dadansoddi swyddogaethol yn adnabod swyddogaeth ymddygiad, hynny yw, y rheswm drosto ac mae'n ei ddehongli fel rhywbeth ystyrlon. Mae dadleoli swyddogaethol yn darparu dull cyfatebol ond mwy derbyniol o ddiwallu anghenion y person, mewn dull nad yw'n ymwthiol (*invasive*) nac yn gwylltio gofalwyr gymaint. Er mwyn iddo weithio, rhaid i'r dewis a ddarperir olygu'r un peth i'r person yn hytrach na bod yn fwy derbyniol i eraill yn unig (mae stori Roger ym Mhennod 19 yn dangos sut all y dull fethu pan nad oes yr un ystyr i'r hyn a anogir), heb fod yn gofyn am ragor o ymdrech, a rhaid iddo fod ar gael yn rhwydd, oherwydd ei bod hi'n annhebygol y gellir dysgu'r patrwm arall o ymddygiad.

Yn achos Mr D, fe wnaethom ni'n siŵr mai ymddygiad tebyg oedd yr unig ddull oedd ar gael iddo. Cliriwyd cerrig mawr o welyau'r blodau a gosodwyd pentwr o gerrig bach wrth ochr llwybr yr ardd. Byddai'n mynd â'i ferfa, yn ei llwytho â'r cerrig ac yn ei rholio i'r garej a'u cadw fel o'r blaen. Ni fyddai neb yn gofyn iddo roi'r gorau iddi. Roedd ei leferydd a'i ddealltwriaeth ddiffygiol yn ein hatal rhag cydnabod ei ofnau ar lafar. Yn hytrach, byddai cyffyrddiad a gwên yn ei gysuro bod ei weithredoedd yn iawn ac weithiau byddai rhoi help llaw iddo gasglu'r cerrig ynghyd fel pe bai'n ei lonyddu. Wrth i'r pentwr leihau, byddai'r hyn a oedd yn y garej yn cyflenwi rhagor o gerrig ac aeth y patrwm yn ei flaen. Nid oedd llawer wedi newid. Daliodd Mr D i gael ei ysgogi i warchod ei eiddo, ond roedd canlyniadau ei ymddygiad yn haws i Mrs D eu dioddef bellach.

Câi Mrs D hefyd gysur o wybod na fyddai ei gŵr yn cofio'r ymgais i ladrata oddi arno, wrth i'w ddementia waethygu. Byddai'n atgof arall a ysgubwyd ymaith gan glefyd Alzheimer. Pan ddigwyddai hynny, ni fyddai ganddo'r un ysgogiad i guddio cerrig a byddai'r dioddefaint a rannai hi â'i gŵr drosodd. Nid at y straen corfforol o ofalu roedd hi'n cyfeirio wrth sôn am ddioddefaint: na, roedd hi'n cyfeirio at y boen emosiynol roedd hi'n ei dioddef bob dydd oherwydd ei bod yn gas ganddi weld ei gŵr mor drallodus. A dyma'n wir sut y datblygodd y stori.

Daliodd Mr D ati i grynhoi ei gynhaeaf o gerrig am fisoedd nes iddo, un diwrnod, ymddangos yn llai penderfynol. Cyn pen yr wythnos ffoniodd Mrs D i ddweud wrthyf nad oedd ei gŵr bellach yn dangos unrhyw ddiddordeb o gwbl yn y pentwr cerrig, a oedd bellach yn aros heb eu cyffwrdd. Dechreuodd hithau grio o ryddhad, ond hefyd oherwydd ei bod hi'n gwybod bod hyn yn golygu bod darn arall o'u bywyd gyda'i gilydd wedi syrthio i bydew'r atgofion a gollwyd am byth.

Aeth rhai blynyddoedd heibio a daliodd Mrs D ati i ofalu

am ei gŵr yn eu cartref, gyda help ei phlant (a oedd wedi'u cyffwrdd, mi gredaf, gan y modd roedd eu tad wedi taflu llen warchodol dros eu mam). Wrth i Mr D fynd yn gynyddol fregus, cafodd sawl haint ar ei frest. Roedd yr olaf yn amhosibl ei drin, a chafodd fynd i'r ysbyty. Ni fu i Mr D wella wedyn, a bu farw ddau ddiwrnod ar bymtheg yn ddiweddarach, yn 63 oed.

11

‘Doedden nhw byth yn agos’

Nid oedd Harold, dyn egnïol 72 oed, byth yn llonydd. Roedd yn methu setlo yn unlle. Yn hytrach, wrth grwydro o amgylch y tŷ, byddai’n hel papurau newydd, cylchgronau, llythyron, amlenni a phapur; papur, bob amser. Unwaith y byddai yn ei law, ymddangosai ychydig yn ddryslyd. Roedd y dasg yn amlwg nid yn golygu casglu’n unig, ond gwneud rhagor. Ac eto, roedd fel pe na bai ganddo fawr o syniad beth allai hynny fod. Yn y pen draw, byddai’n gwthio’r cyfan i ddroriau, i gypyrddau, o dan glustogau neu ble bynnag y gallai’u ‘ffeilio’. A dyna roedd Harold yn ei wneud, mae’n siŵr. Nid eu cuddio, oherwydd ar ôl eu cadw byddai’n aml yn estyn am y papurau eto ac yn eu harchwilio cyn dechrau unwaith yn rhagor ar y broses o dacluso a rhoi i gadw.

Roedd hyn oll yn gyrru’i wraig yn benwan. Roedd Eunice yn fenyw a ymfalchïai’n fawr yn ei chartref. Unwaith, roedd hi wedi ymfalchïo yn ei gŵr. Rheolwr banc, un o hoelion wyth y gymuned leol, cyfarwyddwr y clwb rygbi lleol. I’w ffrindiau, roedd yn frenin. I Eunice, roedd safonau wedi bod yn bwysig erioed ac felly roedd hi o hyd. Yn anffodus, roedd ei gŵr bellach yn siomi’r disgwyliadau’n enbyd ac nid oedd hi'n un oddefgar. Embaras oedd yn tra-arglwyddiaethu ar ei theimladau, am yn ail â dicter. Gwyddai beth oedd yn bod ar ei gŵr – clefyd Alzheimer – ond nid oedd hynny'n gwneud iawn am ddim. Bob dydd, rhoddwyd ei hamynedd ar brawf oherwydd nad oedd eu perthynas erioed wedi bod yn un agos. Mewn sawl ffordd, roedd serch a chariad yn absennol ohoni erioed ac nid yw priodas angharíadlon yn dod yn berthynas ofalgar oherwydd bod dementia ar un o'r ddau.

Roedd Harold wedi cael gyrfa lwyddiannus ac wedi ennill cyflog da a dalai am fywyd roedd yntau a'i wraig yn ei fwynhau. Roedd Eunice, menyw ddeallus, wedi magu eu tri phlentyn, wedi creu cartref hardd, ac roedd yn flaenllaw ym mhob digwyddiad lleol – i elusen neu i'r eglwys, neu gan Sefydliad y Merched. Roedd rhai yn ei gweld yn dra-awdurdodol a busneslyd ond nid oedd amheuaeth nad oedd Eunice yn wraig a haeddai ei pharchu yn ei henw'i hun. Roedd hi hefyd yn wych am groesawu pobl ac roedd eu partïon swper yn ddihareb. Byddai Eunice wrth ei bodd gyda nosweithiau o'r fath oherwydd eu bod yn rhoi cyfle iddi ddangos eu cartref a geriach eu llwyddiant. Ond nawr ni châi neb wahoddiad i'w chartref, gymaint oedd ei chywilydd o'i gŵr. Nid 'eu cartref' ydoedd mwyach oherwydd bod Harold, iddi hi, yn ei fyd bach ei hun erbyn hyn. Teimlai fel petai ei chartref, a fu unwaith mor ddilychwin a pherffaith, yn orlawn ac yn anhrefnus. Roedd hen farciau pyglyd, bwyd wedi'i adael, a drewdod annymunol yn ei greithio.

Nid oedd Eunice yn esgeuluso'i gŵr; roedd hi'n anodd iddi ddangos goddefgarwch a chydymdeimlad ato, dyna'r cwbl. Weithiau, cwynai wrth y nyrsys ei fod yn amhosibl ei drin. Meddai, 'Dwn i ddim a ydw i'n teimlo trueni drosto neu nad ydw i'n teimlo dim byd tuag ato.' Ond byddai'n gwneud yr hyn a allai. A Harold ar drot drwy'r amser, prin y neilltuai amser i fwyta nac i orffwys, felly byddai Eunice yn paratoi brechdanau a diodydd iddo a'u gadael yn y gegin. Wrth fynd o gwmpas y tŷ, byddai'n cerdded drwy'r gegin a phe bai chwant arno byddai'n cymryd diod, neu'n bwyta brechdan, wrth ddal i symud gan amlaf. Dyna achos y bwyd oedd wedi'i adael ar hyd y lle: briwsion drwy'r tŷ i gyd, brechdanau wedi hanner eu bwyta ar fyrddau a chadeiriau. Yn waeth na dim, roedd bara a'i gynnwys wedi dechrau llwydo'n cael ei ddarganfod ddyddiau'n ddiweddarach yn pydru yng nghanol papurach Harold, wedi'i 'ffeilio' yn ddiarwybod.

Y peth a wylltiai Eunice gymaint â chrwydro a mwydro ei gŵr oedd ei olwg ddi-raen – arwydd arall o'r safonau a gollwyd. Unwaith, roedd wedi bod fel pìn mewn papur, ond nid mwyach. Ers misoedd bellach, roedd Harold wedi gwisgo'r un siwt byglyd a chrychlyd bob dydd. Byddai'n aml yn cysgu ynddi, yn ogystal â'i gwisgo drwy'r dydd. Roedd hi wedi hen roi'r gorau i'r frwydr nosweithiol o geisio'i gael i wisgo'i byjamas. Ambell noson, am resymau na allai hi byth mo'u dirnad, byddai Harold yn tynnu'i ddillad o'i wirfodd ond prin oedd yr adegau hynny.

Roedd y boreau yr un mor rhwystredig ac od. Byddai Harold yn falch o help gan ei wraig. Byddai hi'n ei helpu i dynnu'i siwt a newid ei ddillad isaf, ei grys a'i dei. Byddai'n dweud dan ei anadl, 'Ie, gwna di hyn.' Ond cyn gynted ag y byddai hi'n rhoi siwt neu siaced a throwsus glân iddo, byddai'n cynhyrfu. Byddai'n taflu'r dillad a roddwyd iddo i'r naill ochr ac wrth gydio yn ei siwt, byddai'n datgan. 'Na, na, byth. Nid gallu. Dweud wrth ti.' Pe bai hi'n ceisio cuddio'r siwt byddai'n chwilio'n orffwyll amdani. Yn y pen draw, byddai Eunice yn cael ofn ac yn teimlo'n ddig, felly byddai'n ildio ac yn gadael iddo wneud fel y mynnai. 'Os yw e eisiau bod yn warth a drewi fel ffwlbart, beth arall alla i ei wneud?'

Unwaith eto clywyd y byrdwn cyfarwydd 'nid fy ngŵr i mo hwnna'. Roedd dyn a oedd wedi bod yn smart ac yn drwsiadus erioed wedi suddo i gyflwr gwarthus yng ngolwg ei wraig. Roedd Eunice wedi bod i siopa am ddillad newydd i'w gŵr sawl gwaith: siwtiau, siacedi a throwsusau y gobeithiai y byddai'n eu hoffi. Ond na. Roedd y cwpwrdd yn llawn o ddillad na chawson nhw erioed mo'u gwisgo a'r un mor ddilychwin ag yr arferai ei chartref fod.

Un bore, a'r tywydd mor dywyll â'i thymer, dechreuodd Eunice fel arfer ar y frwydr feunyddiol o geisio gwneud i'w gŵr edrych yn weddus. Pam ddigwyddodd hyn, ni all Eunice ddweud, ond ildiodd Harold siaced ei siwt. Mynnodd wisgo'r trowsus amdano eto, ond derbyniodd y siaced roedd Eunice wedi'i hestyn iddo o'r cwpwrdd dillad, un roedd hi wedi'i phrynu iddo'r diwrnod blaenorol. A hithau wedi'i syfrdanu, achubodd ar y cyfle i olchi'r hen siaced.

Am fisoedd roedd hi wedi anobeithio gweld ei gŵr mewn cyflwr taclus byth eto. Er nad oedd y siaced a'r trowsus yn gweddu i'w gilydd, o leiaf roedd ei gŵr yn ddigon trwsiadus uwchlaw ei ganol.

Awr yn ddiweddarach roedd Eunice yn gandryll. Roedd hi ar y ffôn gyda'r tîm iechyd meddwl cymunedol, yn arllwys ei theimladau a oedd wedi cronni am yn rhy hir. Nid oedd ganddi benderfyniad di-ildio i ofalu mwyach, er nad oedd hynny erioed wedi bod yn hawdd iddi. Bellach roedd hi'n dweud yn union sut y teimlai. Cefais holl ryferthwy ei dicter.

Byddai'n rhaid iddo fynd. Roedd hi'n amhosibl iddi barhau i ofalu amdano. Roedd hi'n methu dal ati. Beth oedd y pwynt, beth bynnag? Nid dyma'r dyn roedd hi wedi'i briodi. Gwyddai Harold gymaint roedd hi wedi bod eisiau'i weld yn newid o'r siwt afiach yna. A beth roedd e wedi'i wneud? Torri'r siaced newydd yn garpiau yn fwriadol. Yn bwrpasol, i'w gwylltio hi. Roedd y siaced wedi'i difetha'n llwyr. Pam ddylai hi falio amdano os nad oedd ganddo ddim ond dirmyg tuag ati hi?

Nid oedd cysuro arni. Roedd cymaint o'r hyn roedd hi'n ei ddweud yn afresymol, ond teimladau amrwd oedd y rhain, nid meddyliau ystyriol. Dywedais y byddem ni'n dod draw ar unwaith. Nid oeddwn yn edrych ymlaen at yr ymweliad, oherwydd nid oeddwn yn siŵr a oedd gennym ni unrhyw beth i'w gynnig i Eunice. Ar y llaw arall, roeddwn yn chwilfrydig. Pam oedd Harold wedi difetha'i siaced? Ers i ni ei adnabod, nid oedd wedi bod yn dreisgar nac yn ddinistriol ac roedd difrifoldeb ei ddementia'n golygu nad oedd sbeit maleisus yn ystyriaeth o gwbl.

Cyrhaeddais gyda nyrs seiciatrig gymunedol i weld bod Eunice wedi tawelu ychydig. Ar ôl gadael i'w mwgwd lithro unwaith, nid oedd hi'n barod i wneud hynny eto. Mewn modd digon difater, disgrifiodd yr hyn roedd ei gŵr wedi'i wneud. Sut welodd hi'r siaced wedi'i difetha ac wedi'i gadael yn y gegin, sut gafodd hi hyd i'r siswrn yn y sinc, ac ar fwrdd y gegin, ddarn o ddefnydd roedd Harold wedi'i dorri'n fwriadol. Roedd hi'n amau ei fod wedi'i rwygo oddi ar y dilledyn yn y diwedd. 'Sut allai e wneud hyn i mi? A yw e'n fy nghasáu i gymaint â hynny?' Er i ni ei sicrhau nad casineb oedd yn ei symbylu, ni wrandawai. Roedd ei theimladau'n drech na'r ymdrech i bwyso a mesur. Atseinio'n wag wnâi ein geiriau yng nghlustiau Eunice, heb ei chysuro. 'Felly pam wnaeth e hyn?' gofynnodd yn chwerw. Es i mewn i'r gegin lle roedd y siswrn a'r defnydd yn dal i fod. Roedd yr olygfa'n union fel y disgrifiwyd hi gan Eunice. Roedd Harold yn amlwg wedi rhwygo'r deunydd o'r siaced. Wrth godi'r darn o ddefnydd, gallech weld fod staen arno, yn ogystal â'i fod wedi'i dorri ac yn rhaflo. Llwybreiddiai marc tywyll gludiog ar hyd y defnydd. Ac eto, hon oedd ei siaced newydd.

Yn y cyntedd, roedd bwrdd bach. Rhwng ffiol o flodau a cherflun o wraig yn dal baban, roedd brechdan wedi hanner ei bwyta. Hoff frechdan Harold, caws a phicl. Wrth ddychwelyd i'r gegin, dyma ddeall ar amrantiad beth oedd wedi digwydd, drwy weld y staen. Picl ydoedd. Ni allwn fod yn ddigon trahaus i ddweud ein bod ni'n gwybod beth sy'n digwydd ym meddwl rhywun â dementia, ond mae dadansoddi swyddogaethol yn ein gyrru hyd yn oed yn nes at ddeall beth allai ei fwriad fod. Fel y dywedodd y seicolegydd Carl Rogers: 'Y llecyn mwyaf manteisiol i ddeall ymddygiad yw o'r tu mewn i ffrâm gyfeirio fewnol yr unigolyn ei hun.' Bydd rhywun â dementia'n ymddwyn mewn ffordd sy'n addas i'w ddehongliad o'r hyn sy'n digwydd o'i gwmpas ac iddo. Dyma'r byd y mae'n rhaid i ni fynd i mewn iddo.

Roedd Harold wedi dal ei afael yn dynn yn ei siwt ac wedi'i gwisgo ddydd ar ôl dydd, oherwydd ei fod yn teimlo mai dyma'r peth cywir i'w wneud. Roedd yn gyfarwydd â gwisgo siwt. Er gwaethaf popeth a oedd yn amlwg i bawb, roedd cynefindra'r siwt yn gwneud iddo deimlo'i fod wedi'i wisgo'n drwsiadus. Dyma ddyn oedd yn driw iddo'i hun, yn dal i boeni am yr olwg a oedd arno, er gwaethaf pob tystiolaeth i'r gwrthwyneb. Mewn dementia, pan fyddwn yn cydnabod ysgogiad person fel arfer oesol y mae clefyd yn yr ymennydd yn ei fygwth, byddwn ni'n sôn am 'ymddygiad cyfforddus'. Os yw'r ymddygiad yn nodweddu'r hyn a arferai fod yn addas ond a ddylai gael ei fwrw i ebargofiant, er enghraifft, ymddwyn fel pe bai yn y gwaith neu'n magu plant, yna fe'i gelwir yn 'olion cyfforddus'. Bydd parhad o'r hyn oedd y person erioed, neu dystiolaeth o'r hyn a arferai fod, bellach yn her i eraill. Roedd hyn yn disgrifio gweithredoedd Harold i'r dim.

Ac yntau'n gwisgo'r siaced newydd a roddodd Eunice iddo, byddai ei deimlad, ei olwg, ei ffresni, wedi rhoi ymdeimlad o falchder i Harold ac wedi bwydo'i angen i fod yn drwsiadus. Yna, aeth ati i fwyta'r frechdan roedd Eunice wedi'i gadael iddo. Daeth ei gwymp yn sgil brwdfrydedd, diffyg ar ei sgiliau bwyta, diffyg cydsymud, neu gyfuniad o'r tri, o bosibl. Gwasgodd y frechdan yn rhy galed, gan dasgu picl ar hyd ei siaced. Ac yntau ar dân i'w hadfer i'w chyflwr blaenorol, byddai dementia'n difetha'i ymdrechion. Pwy sydd heb glywed straeon (apocryffaidd, o bosibl) am bobl â dementia'n lladd gwair â siswrn, yn torri'r lawnt â'r hwfer, neu'n rhoi powlen blastig ar ben y stof yn hytrach na sosban? Prin iawn oedd lleferydd Harold, felly ni allai ddweud wrth ei wraig beth oedd wedi digwydd ar ddamwain, nac ymddiheuro, na gofyn am anfon y siaced i'w glanhau. Byddai wedi methu cofio ble fyddai'n gallu dod o hyd i sbwng. Efallai nad oedd wedi chwilio amdano. Roedd ei synnwyr cyffredin yn wael. Yn hytrach, gafaelodd yn y siswrn a dechrau torri'r staen o'r siaced. Ar ôl gweld ffrwyth ei lafur taflodd y siaced i'r naill ochr ac aeth oddi yno.

Esboniais beth oedd wedi digwydd, yn fy marn i. Er bod Eunice yn deall y cyfan a ddywedwn, dyma'i diwedd hi.

Roedd hi'n methu parhau. Roedd arni eisiau ei chartref yn ôl. Roedd hi'n dymuno ailgydio yn ei bywyd, bywyd nad oedd yn cynnwys gorfod meddwl beth allai hi ei wneud â Harold, dyn a oedd yn codi cywilydd arni ac yn faich nad oedd hi'n barod i'w gario rhagor. Y gwir amdani oedd nad Harold yn unig oedd yn ddigyfnewid: yn fwy na thrist iddyn nhw, roedd eu priodas hefyd wedi aros yn yr unfan. Nid oedden nhw erioed wedi bod yn agos.

12

Y lliw porffor

Mae'r stori hon yn ymwneud unwaith eto ag ymdrechu i gynnal hunaniaeth. Mae'n debyg nad oedd achos Mrs D yn unigryw o gwbl, ond pan adroddais ei stori hithau am y tro cyntaf, hi oedd y gyntaf i mi ddod ar ei thraws a'i hymddygiad wedi dangos dylanwad parhaus ofergoeliaeth. Yn achos Mrs D, roedd sail hwn mewn ffydd grefyddol.

Roedd Mrs D, gwraig weddw 74 oed a chlefyd Alzheimer tebygol arni, yn byw mewn uned gofal preswyl awdurdod lleol i bobl â dementia. Roedd wedi cael diagnosis bum mlynedd ynghynt ond parhaodd i fyw ar ei phen ei hun yn ei chartref nes i hynny beidio â bod yn ddewis realistig. Yna symudodd i'r cartref gofal ac roedd hi wedi bod yno am fis.

Yn ystod y dydd, prin y sylwai'r staff ar Mrs D. Byddai'n eistedd yn y lolfa, yn methu dweud na deall fawr ddim. Byddai'n cyfarch pobl â gwên dyner bob amser, er nad oedd hyn fyth yn arwydd o gydnabyddiaeth go iawn, oherwydd ei bod hi'n sobor o ffwndrus ac nad oedd hi'n adnabod neb. Disgrifiwyd hi gan y gofalwyr fel rhywun dibynnol iawn, ond a fyddai'n cydweithredu bob amser. Ond yn ystod y nos, roedd pethau'n wahanol oherwydd bod Mrs D yn gwrthod aros yn ei hystafell wely. Gallai'r staff broffwydo beth fyddai'n digwydd. Bydden nhw'n mynd â hi i'w hystafell ac ym mhreifatrwydd ei stafell, bydden nhw'n ei pharatoi i fynd i'r gwely. Nid oedd hyn byth yn her. Ar ôl ei helpu i fynd i mewn i'r gwely, bydden nhw'n gadael... ac yn aros. O fewn munudau, byddai Mrs D yn y coridor, ac yn cerdded. I ble, ni wyddai neb. I'r rhan fwyaf o ofalwyr, nid oedd hi'n mynd i unlle. Nid oedd rheswm yn yr hyn a wnâi. Roedden nhw'n gweld hyn yn weithredu diamcan, er efallai ei fod yn rhywbeth a wnâi i ddenu sylw. Ond pam ceisio sylw yn y nos yn unig? A sut allai hyn fod yn ymgais i ddenu sylw pan nad oedd Mrs D yn gallu cofio dim am ragor na dau funud? Mae clefyd Alzheimer yn anrheithio'r hipocampws (y rhan o'r ymennydd sy'n ymwneud â thrawsnewid profiadau'n gof neu'n addysg) ac felly nawr, â'i dementia'n ddifrifol, ni fyddai hi wedi gallu deall canlyniadau'i hymddygiad. Byddai ceisio sylw wedi bod y tu hwnt i'w gallu.

Byddai aelod o'r staff yn hebrwng Mrs D yn ôl i'w hystafell. Yn ei dull dymunol arferol, ni fyddai byth yn gwrthsefyll eu hymdrechion, ond ar ôl dychwelyd i'r ystafell wely byddai'r anawsterau'n dechrau o ddifri. Byddai'n cerdded allan unwaith eto o fewn eiliadau. O'i dychwelyd eilwaith, byddai Mrs D yn ceisio gadael ar unwaith eto fyth a phe bai rhywun yn ei hatal rhag gwneud, byddai ei hymddygiad yn gwaethygu. Byddai'n gwgu, yn sgrechian, ac ar frig ton o emosiwn, yn gweiddi bygythiadau. 'Fe wna i dy fwrw di'n galed.' 'Wna i dy golbio di.' Ambell waith, byddai'n pinsio neu'n taro. O ddal ati i'w chadw yn yr ystafell wely, byddai'n tynnu'r dillad gwely oddi ar y gwely, yn rhwygo'r llenni, yn dymchwel y bwrdd bach wrth ochr y gwely, ac yn taflu ornaments ar lawr. A dweud y gwir, byddai'n ceisio niweidio neu ddinistrio unrhyw beth roedd o fewn ei gallu corfforol i'w wneud. Wrth i'r wythnosau fynd heibio, roedd ei hystafell wely yn dechrau edrych yn llwm iawn.

Gofynnwyd i mi weld Mrs D oherwydd ei bod hi 'yn amhosibl ei thrin'. O ystyried nad oedd hi'n peri trafferth o fath yn y byd yn ystod y dydd a bod ei hymddygiad dioddefus yn digwydd yn ei hystafell, na fyddai ond yn mynd iddi gyda'r nos, y cam cyntaf rhesymegol oedd gofyn pam na ellid gadael i Mrs D adael ei hystafell a chysgu yn rhywle arall? Beth am wneud 'gwely' iddi yn y lolfa gyda gobennydd a blancedi a fyddai'n ei galluogi i gysgu yn ei chadair freichiau? Ond roedd y staff ymhell ar y blaen i mi. Nid oedd hi'n broblem gadael iddi gysgu yn y lolfa pe bai'n dymuno gwneud hynny ac ambell waith roedden nhw wedi rhoi Mrs D i gysgu mewn cadair freichiau. Ond mewn gwirionedd, roedd Mrs D yr un mor debygol o gerdded ar hyd y coridor a mynd i mewn i ystafelloedd y preswylwyr eraill, a mynd i mewn i'r gwely wrth eu hochr. Byddai'r mwstwr yn sgil hyn yn tarfu ar yr uned gyfan a'r ymyrraeth ddigroeso yn codi ofn ar y preswylwyr ac yn eu digio.

Fe drafodwyd tybed a oedd Mrs D yn chwilio am gwmni, ond nid felly roedd hi. Ambell waith, pan fyddai un o'r preswylwyr wedi mynd i'r ysbyty, neu'r uned yn disgwyl preswylydd newydd, ac y byddai Mrs D yn dod ar draws yr ystafell wely wag, byddai'n mynd i mewn i'r gwely ac yn ymdawelu. Felly nid bod ar ei phen ei hun oedd yn ei phoeni. Serch hynny, ni fyddai staff yn rhoi llonydd iddi yno, oherwydd eu bod yn ofni beth fyddai hi'n ei wneud. Un peth oedd dinistrio'i hystafell ei hun, ond nid oedden nhw'n fodlon mentro gadael iddi ddinistrio ystafell rhywun arall.

Dyna oedd y benbleth. Yn anffodus, nid oedd amser o'n

plaid oherwydd bod rheolwr y cartref yn ystyried bod Mrs D yn gymaint o fygythiad i les y preswylwyr eraill, roedd hi am weld gweithredu ar unwaith. Awgrymais yn chwithig y dylem roi golau egwan yn ystafell wely Mrs D, rhag ofn mai ofn tywyllwch oedd yn tarfu arni, ond dim ond rhyw esgus o weithred oedd hynny. Roeddwn eisoes yn gwybod y byddai'n fodlon setlo mewn ystafelloedd gwely eraill, hyd yn oed pan fyddai hi ar ei phen ei hun a'r ystafelloedd hynny'r un mor dywyll â'i hystafell hi. Nid oedd yr un ohonyn nhw'n arbennig o dywyll, beth bynnag, oherwydd roedd y goleuadau diogelwch y tu allan yn eu goleuo rywfaint. Yn wir, nid yn unig roedd y golau egwan yn fethiant, roedd gosod y golau hwnnw'n ei gwneud hi'n waeth. Bellach ni fyddai'n aros yn ei hystafell o gwbl – byddai'n crwydro'r coridor neu'n ceisio mynd i mewn i ystafelloedd preswylwyr eraill yn union ar ôl i'r gofalwyr ei gadael.

Daeth meddyg teulu i ymweld â Mrs D. Dywedwyd wrtho gymaint roedd hi'n tarfu ar bawb a chymaint roedd hyn yn tarfu ar y preswylwyr yn ogystal â blino'r staff yn lân. Nid oedd gan y meddyg fawr o ddewis ond rhagnodi sedatif iddi yn yr hwyr. Ond ni chafodd y sedatif ronyn o effaith. Cynyddwyd y ddos. Parodd hyn iddi fod ychydig yn fwy cysglyd ac felly'n fwy encilgar a dibynnol, ond ni welwyd lleihad yn ei 'haflonyddwch nosweithiol'. Oherwydd bod y staff yn dweud bod Mrs D bellach yn 'crwydro', 'yn un ddinistriol a threisgar', cafodd gweithiwr cymdeithasol Mrs D air â'r seiciatrydd a gofyn iddi gael ei throsglwyddo. A fyddai modd ei hanfon i'r ward asesu, tra oedd dyn a oedd yn disgwyl cael ei ryddhau i uned gofal dementia yn cymryd lle Mrs D? Cytunodd y seiciatrydd, a gwnaed y trefniadau.

Ddeuddydd cyn y dylai Mrs D fod wedi mynd i'r ysbyty, aeth y dyn yn sâl a haint ar ei frest. Gohiriwyd y cyfnewid hyd nes iddo fod yn ddigon iach i deithio. Yn ystod y cyfnod aros hwn, ymwelodd cyd-weithiwr ifanc i mi â'r cartref gofal i drafod preswylydd arall. Buan y trodd y sgwrs at Mrs D oherwydd ei bod hi'n dal i greu anhrefn llwyr. Edrychodd fy nghyd-weithiwr, nad oedd yn gwybod dim am Mrs D, ar y cynllun gofal, ymwelodd â'i hystafell wely, dychwelodd i ddarllen y cynllun gofal, ac yna ffoniodd fi. 'Rwy'n meddwl 'mod i'n gwybod beth sy'n digwydd. Ydych chi wedi gweld ei hystafell?' holodd y cyd-weithiwr. Oeddwn. Gwyddwn mai'r ystafell oedd gwreiddyn y broblem, mai rhywbeth roedd Mrs D yn ei weld oedd yn ei hachosi, a dyna pam roedd y golau'n gwneud pethau'n waeth, ond bu'n rhaid i mi gyfaddef fy mod i yn y niwl.

Digon prin oedd hanes personol Mrs D yn y cynllun gofal. Yn ei hanfod, amlinell lom o'i bywyd yn unig oedd ynddo. Roedd hi'n 74 oed, wedi'i geni yn Sligo, wedi byw yng Nghanolbarth Lloegr ers diwedd yr Ail Ryfel Byd, ac roedd hi'n weddw a chanddi bedwar o blant. Roedd hefyd yn wybyddus ei bod wedi gweithio mewn tŷ golchi. Yn yr adran ar 'Grefydd', roedd tic wedi'i roi yn y blwch gerllaw 'Catholig'. Fel y cawsom wybod yn ddiweddarach gan un o'i merched, roedd Mrs D wedi bod yn Babydd selog. Ond wrth i ddementia dynhau'i afael arni, roedd hi wedi ymgilio o'r eglwys. Tybiai ei merch fod hyn yn rhannol oherwydd bod Mrs D'n gwybod, hyd yn oed cyn iddi gael ei diagnosis, y byddai'n codi embaras arni hi'i hun o bryd i'w gilydd. Er nad oedd ei hoffeiriad wedi gweld Mrs D ers blynyddoedd, cadarnhaodd fod ganddi ffydd grefyddol rymus.

Lliwiau ystafell Mrs D oedd porffor a phiws. *Duvet*, llenni a charped porffor tywyll yn erbyn papur wal piws. Yn y ffydd Gatholig, cysylltir y lliw porffor â marwolaeth a galar. Adeg y Pasg, bydd lliciniau porffor yn gorchuddio'r cerfluniau a'r arteffactau crefyddol yn yr eglwys. Nid oedd ymddygiad Mrs D yn ddiystyr, ond roedd yn datgelu ofn marwol dwfn o'r lliw porffor a'i gysylltiad â marw a galaru. Mae'n fwy na thebyg bod y gred hon wedi'i ffurfio yn ystod ei phlentyndod. Pan oedd hi allan o'r ystafell roedd hi'n gyfforddus yn seicolegol, ond wrth ddod wyneb yn wyneb â'r ystafell wely a'i lliwiau, roedd teimlad drwg yn ei llethu a cheisiai loches mewn man arall. Felly, nid i ble roedd hi'n mynd oedd yn bwysig, ond ble roedd hi'n ei adael. Os oedd y dadansoddiad yn gywir, yr ateb oedd cyfnewid ystafelloedd. Roedd mor syml â hynny.

Cefais gyfarfod â rheolwr drwgdybus y cartref a gytunodd yn betrus â'n hawgrym y dylid rhoi ystafell arall i Mrs D, ond ddim ond ar ôl i mi geisio profi ein damcaniaeth. Rhois glustog ac arni batrwm blodau haul melyn ar arffed Mrs D. Gwenodd, ond ni wnaeth ddim byd heblaw rhoi ei dwylo ar y glustog. Chwarter awr yn ddiweddarach, rhoddais glustog arall iddi yn lle'r llall. Roedd hon yn lliw pinc tywyll ac arno batrwm porffor trawiadol. Unwaith eto, gwenodd, ac yna gwthiodd y glustog i'r llawr.

Y noson honno, symudwyd Mrs D i ystafell wely liw gwyrdd golau a thywyll a chysgodd yn braf drwy'r nos. Ni cheisiodd adael ei hystafell unwaith. Nid ar y noson gyntaf honno, na'r un noson wedyn. Roeddem wedi datrys ein problem. Roedd hi wedi dewis dull o warchod ei hunaniaeth a oedd yn benbleth i bawb arall, a arweiniodd at gael ei thawelu â chyffuriau gyda'r nos, ac yna'i chyfeirio at yr ysbyty. Fel yr ysgrifennodd

Oliver Sacks, efallai fod y dull a ddewisir yn rhyfedd, neu efallai mai camddeall yr ymatebion emosiynol 'anghymesur, anesboniadwy, annerbyniol' a wnawn pan mae hunaniaeth yr unigolyn dan fygythiad. Efallai fod y gweithredoedd y mae pobl yn eu dewis i warchod eu hunaniaeth yn rhyfedd, ond mae hi'n bosibl eu hesbonio. Ond ni fydd yr hyn a wna'r person yn synhwyrol i eraill os nad yw hanes ei fywyd yn wybyddus. Er enghraifft, rwyf wedi ysgrifennu mewn man arall am Emily; roedd dementia datblygedig arni ac roedd yn byw mewn cartref gofal. Byddai'n gwneud symudiadau rhyfedd – siâp cylch gyda'i dwylo, a gweithredoedd od a oedd weithiau'n codi braw. Yn ffodus, nid oedden nhw'n cael eu hystyried yn ddiystyr gan ei gofalwyr, ond fe'u dehonglwyd yn gywir fel 'olion cyfforddus' o'i gorffennol ym myd gwaith, pan oedd hi'n gweithio mewn melin wehyddu.

Daeth ôl-nodyn i stori Mrs D bedwar diwrnod ar ôl datrys ei hymddygiad heriol. Roedd y dyn a oedd i fod i ddod i'r cartref yn ei lle bellach yn ddigon iach i'w ryddhau o'r ysbyty. Galwyd cynhadledd achos frys a phenderfynwyd nad oedd angen i Mrs D adael y cartref. Roedd pawb a oedd yn ymwneud â hi, gan gynnwys rheolwr y cartref a fu mor ddrwgdybus ynghynt, yn hyderus ein bod ni wedi llwyddo i newid ymddygiad Mrs D yn barhaol.

Ond beth pe na bai'r dyn wedi mynd yn sâl? Erbyn y byddai fy nghyd-weithiwr wedi ymweld â'r cartref byddai Mrs D eisoes wedi cael mynd i ward asesu'r ysbyty. Ar ei noson gyntaf yno mae'n debygol y byddai wedi cael tawelydd cryf iawn i'w hatal rhag creu stŵr. Y dybiaeth fyddai fod y feddyginiaeth wedi gweithio, oherwydd byddai wedi cysgu'n drwm, ond gwyddom nad dyna fyddai'r esboniad cywir. Y rheswm y byddai wedi cysgu oedd oherwydd ei bod wedi'i symud oddi wrth wreiddyn y broblem ond, wrth gwrs, byddai hwnnw wedi parhau'n ddirgelwch i bawb. Neu efallai na fyddai Mrs D wedi cysgu'n dda o gwbl oherwydd byddai bellach yn gorfod byw ei bywyd ar ward agored yng nghwmni 25 o bobl â dementia, lle y byddai wedi clywed pob math o synau ac ymyriadau dryslyd gydol y nos. Efallai y byddai wedi'i deffro'n ddiseremoni o'i chwsg gan rywun, ar goll ac mewn dryswch yn syllu arni, neu efallai mai Mrs D fyddai'n deffro â braw nawr wrth i rywun ddringo i'r gwely wrth ei hochr. Dyna bris drud i'w dalu am geisio gwarchod ei hunaniaeth.

13

'Wnaeth Mam erioed alaru'

Cyfeiriwyd Sylvia ataf oherwydd ei bod hi'n berygl iddi hi'i hun ac yn niwsans i eraill. Gydol y dydd byddai'n cerdded a cherdded. Roedd hi mor ansad, byddai'n baglu ac yn cwympo'n gyson, ond ni fyddai hynny'n ei hatal o gwbl rhag codi o ba gadair bynnag y bu'n eistedd ynddi a dechrau crwydro eto.

'Sylvia, ydych chi'n gwybod pam rydych chi'n cwympo?' gofynnais iddi, a minnau'n eistedd wrth ei hochr.

'Na. Na, nid problem... ddim o gwbl... dwi'n iawn.' A dyma hi'n dechrau codi.

O ganlyniad, roedd Sylvia yn gleisiau drosti. Rhoddwyd cynnig ar roi sedatif iddi ond y cyfan wnaeth hynny oedd ei gwneud hi'n fwy bregus fyth, oherwydd ei bod hi hyd yn oed yn fwy penderfynol o gerdded. Roedd Sylvia mor benderfynol. Roedd yn rhaid iddi gerdded.

Byddai staff yn cadw llygad wyliadwrus arni, ond roedd hi 'fel llysywen'. Wrth weld bod 'Sylvia yn crwydro eto', bydden nhw'n rhuthro draw i'w dal hi ac yn mynd gyda hi i'r gadair agosaf. Yn anffodus, ar sawl achlysur, bydden nhw'n rhy hwyr. Byddai Sylvia yno un munud ac wedi mynd erbyn y nesaf. Yn aml byddai'r staff yn cael hyd iddi ar ei hyd ar lawr coridor neu ystafell wely rhywun.

Yr hyn a oedd yn ddiddorol am grwydro Sylvia oedd ei fod yn mynd ymhell y tu hwnt i'r angen dynol cyffredin i gerdded. Mae gallu cerdded yn angen dynol sylfaenol. Ac yntau ond ychydig fisoedd oed, mae plentyn yn dechrau symud. Yn ddiweddarach rydym ni'n rhannu ei lawenydd o allu sefyll, ac yna dangoswn bryder gwarchodol wrth iddo simsanu'n sigledig rhwng y celfi.

Yn anffodus, ac yn rhy aml, rydym ni'n tueddu i weld angen pobl â dementia i gerdded fel 'crwydro' sydd, yn ei dro, yn cael ei ystyried yn ganlyniad trafferthus eu cyflwr. Fodd bynnag, rhaid gwahaniaethu rhwng y ddau. Dywedwyd yn aml bod crwydro bron yn amhosibl ei ddiffinio oherwydd ei fod yn derm sy'n cwmpasu ystod mor eang o ymddygiadau cerdded. O ganlyniad, efallai mai dyma'r label a gamddefnyddir amlaf ym maes gofal dementia. Ond wrth i'r pendil symud, honnir heddiw y dylid peidio â defnyddio'r term oherwydd, fel y dywed Mary Marshall, fe all arwain at weithredu gofal sy'n methu trin pobl â dementia fel cyd-ddinasyddion.

Ac eto, mae digon o reswm i wahaniaethu rhwng 'cerdded' a 'chrwydro' oherwydd mae'r teulu a gofalwyr proffesiynol yn gwybod bod modd gwahaniaethu rhwng cerdded sy'n rhoi pleser, ac nad yw'n achos pryder i neb, ac ymddygiad sy'n aflonyddu ar eraill ac yn eu gyrru i ben eu tennyn. Yr her yw sicrhau defnyddio'r term 'crwydro' mewn modd ystyriol.

Fy niffiniad i o grwydro yw *penderfyniad unplyg i gerdded nad yw'n ymateb i berswâd, a heb iddo'r un o'r elfennau canlynol:*

a) ymwybyddiaeth o ddiogelwch personol (e.e. methu dychwelyd nac adnabod perygl)

b) diffyg ystyriaeth amlwg o eraill (e.e. o ran adeg y dydd, hyd y crwydro, ei amlder, neu o ran preifatrwydd)

c) gofal am les personol (gan darfu felly ar ymddygiadau hanfodol fel bwyta, cysgu, gorffwys).

Mae'r diffiniad hwn yn gwahaniaethu rhwng crwydro peryglus (a) a chrwydro niwsans (b), yn ogystal â dehongli cerdded fel crwydro os yw'r ymddygiad yn 'ormodol' (c), hyd yn oed os nad yw'n peri risg i eraill nac yn tarfu arnyn nhw. Mae elfen olaf y diffiniad yn cynnwys y canfyddiad y gellir gadael i rywun, ar ôl iddo fynd i gartref preswyl diogel i fyw ochr yn ochr â phobl nad ydyn nhw'n ymateb oherwydd eu bod mor ddifywyd a thawedog, gerdded ar hyd yr adeilad am oriau bwygilydd oherwydd nad yw'r ymddygiad bellach yn peri gofid. Serch hynny, ni ddylai diffyg risg neu niwsans arwain at agwedd hunanfodlon neu swrth at y gweithgaredd, i'r graddau bod ceisio esbonio'r ymddygiad yn cael ei ystyried yn ddiangen.

O beidio â defnyddio'r diffiniad hwn, gall cerdded ddenu label 'crwydro' cyn gynted ag y bydd rhywun â dementia'n cerdded. Ond roeddwn i'n fodlon â disgrifiad y staff o ymddygiad Sylvia fel crwydro oherwydd ei bod hi'n benderfynol, nad oedd hi'n bosibl ei darbwyllo i eistedd yn dawel nac ymuno mewn gweithgaredd, a'i bod hi'n rhoi ei hun mewn perygl. Yn wahanol i lawer y dywedir eu bod yn 'crwydro', ond sydd mewn gwirionedd yn treulio'r rhan fwyaf o'u dyddiau ar eu heistedd, ddim ond am funudau'n unig ar y tro roedd Sylvia yn fodlon eistedd. Ond pam oedd hi mor benderfynol o ymddwyn fel hyn?

Roedd Sylvia nid yn unig mewn perygl, ond roedd hi hefyd yn niwsans. Byddai'n cerdded draw at bobl, yn plygu drosodd ac yn dweud yn fwyn, 'Mae'n ddrwg calon gen i. Ofnadwy, ofnadwy,' ac yna byddai'n cerdded ymlaen. Byddai hyn yn digwydd drosodd a thro. Nid oedd hi o bwys pwy oedd y person. Gallai gerdded draw at unrhyw un, a oedd yn eistedd yn unrhyw le ar unrhyw adeg, a byddai'n dweud yr un peth bob tro. 'Mae'n ddrwg calon gen i. Ofnadwy, ofnadwy.' Nid oedd o wahaniaeth a fyddai'r person yn gwgu arni neu'n ymateb yn ymosodol: nid oedd dim a fyddai'n ei thaflu oddi ar ei nod o ailadrodd yr un ymadrodd. Ac nid ceisio dechrau sgwrs roedd hi, oherwydd pe bai'r person yn ateb, byddai'n ei anwybyddu ac yn cerdded oddi yno. Digon iddi hi oedd dweud yr hyn roedd yn rhaid iddi ei ddweud, a cherdded ymlaen. Wrth gwrs, yn aml ni allai gwblhau'i thaith oherwydd iddi faglu.

Nid oedd geiriau Sylvia yn perthyn o gwbl i'w hamgylchiadau chwaith, oherwydd nid oedd ganddi ddim i ymddiheuro amdano ac nid oedd dim byd ofnadwy wedi digwydd. Dyma wraig â dementia oedd yn byw mewn uned, ac nid oedd hi wedi niweidio na phechu neb. Daethpwyd i'r canlyniad bod ymddygiad Sylvia yn ddiystyr. Ond os oedd yn ddiystyr, pam oedd hi mor benderfynol o gerdded pan oedd gwneud hynny'n ei rhoi hi yn y fath sefyllfa beryglus? Nid mater o ddadlau â hi oedd hyn, oherwydd roedd hi'n methu cofio canlyniadau niweidiol yr hyn roedd hi'n ei wneud, na deall y peryglon. Roedd ei chorff yn boenus a thyner. Roedd y cleisiau a'r crafiadau, ynghyd ag ystumiau ei hwyneb, ei chorff yn gwingo a symudiadau ei dwylo i'w gwarchod ei hun, oll yn dyst i'r boen a deimlai Sylvia. Er gwaethaf hyn oll, roedd rhywbeth yn dal i'w gyrru i godi o'i chadair a chwilio am rywun y gallai ymddiheuro iddo.

Awgrymai hyn fod gweithredoedd Sylvia y tu hwnt i'w rheolaeth ymwybodol. Ymddangosai'r esboniad yn glir: gorbarhad (*perseveration*).

Gorbarhad, y cyfeirir ato weithiau fel 'syndrom nodwydd wedi sticio', yw'r rheswm pam y bydd rhywun â dementia'n gwneud yr un peth drosodd a thro, yn ailadrodd yr un geiriau, yn gofyn yr un cwestiwn, neu'n cerdded yr un llwybr dro ar ôl tro. Dyma ymddygiad anwirfoddol, o ganlyniad i niwed i labed flaen yr ymennydd. Yn aml nid oes cyd-destun i'r ymddygiad ac felly nid oes a wnelo braidd ddim â sefyllfa rhywun fel y mae mewn gwirionedd. Mae'r person hefyd yn methu manteisio ar brofiad, hyd yn oed os yw'r canlyniadau'n annymunol neu'n boenus. Gwelir gorbarhad yn aml mewn dementia blaenarleisiol, weithiau o ganlyniad i glefyd Pick (gweler stori Roger ym Mhennod 19).

Roedd ymddygiad Sylvia yn gweddu'n berffaith, ond nid oedd ganddi ddementia blaenarleisiol. Ei diagnosis oedd clefyd Alzheimer tebygol. Nid oedd hyn yn eithrio gorbarhad oherwydd ei bod hi'n debygol y gallai'r clefyd, wrth ymledu, fod wedi effeithio ar ei chortecs cyndalcennol (*pre-frontal cortex*). Ac eto, nid oedd ei hymddygiad yn dangos arwyddion eraill o newid yn llabedau blaen ei hymennydd. Nid oedd hi'n dangos arwyddion o ddadatal, nid oedd hi'n fyrbwyll, nid oedd hi'n ddi-hid nac yn ddifater, nid oedd yn ymddwyn yn blentynnaidd nac yn hurt, ac nid oedd unrhyw arwyddion eraill o orbarhad. Roedd ei chrwydro a'r angen i ymddiheuro yn heriau amlwg iawn yng nghanol dryswch deallusol, anghofrwydd a dibyniaeth.

Nid oedd y staff yn gwangalonni'n ormodol wrth glywed yr amheuaeth mai gorbarhad oedd achos ymddygiad Sylvia, oherwydd mae hi bron yn amhosibl datrys gorbarhad. Yn hytrach, rydych yn gwneud eich gorau i reoli'r ymddygiad orau allwch chi, gan ddefnyddio techneg tynnu sylw i dorri'r cylch. Ond os nad gorbarhad oedd yn gyrru ymddygiad Sylvia, beth arall allai fod yn gyfrifol? Cafwyd goleuni ar y mater mewn sgwrs â'i theulu a'n helpodd i ddeall yr her a'i datrys.

Saith mlynedd ar hugain ynghynt, roedd Sylvia wedi colli ei mab ieuengaf. Ef oedd cannwyll ei llygad. Roedd hi'n 36 pan anwyd ef, yr ieuengaf o wyth o blant. 'Doedd Mam a Dad ddim yn meddwl y bydden nhw'n cael mwy o blant, ac yna cafodd Keiron ei eni. Dywedodd Mam taw anrheg gan Arglwydd haelionus oedd Keiron,' meddai un o'i merched.

Ac yntau ond yn ddwy ar bymtheg oed, lladdwyd Keiron yn ystod yr Helyntion yng Ngogledd Iwerddon, crwt diniwed yn y lle anghywir ar yr adeg anghywir. Llethwyd Sylvia, ond ddim ond am ennyd. Er mawr ryfeddod i'w theulu, 'Wnaeth Mam erioed alaru'. Ymhen dyddiau ar ôl colli ei thrysor o fab, sychodd Sylvia ei dagrau a datblygodd agwedd ryfeddol o stoïcaidd, agwedd a oedd yn peri gofid i'r teulu. Yn yr angladd, roedd hi'n dawel ac o dan reolaeth, ac roedd fel petai hi'n pryderu mwy am bawb arall.

Wrth i'r wythnosau fynd heibio, roedd Sylvia yn ymddwyn fel pe na bai dim wedi newid yn ei bywyd. Roedd pawb a oedd yn ei hadnabod yn deall bod rhywbeth mawr iawn o'i le, ond ni fyddai Sylvia byth yn cyfaddef hynny. 'Dwi'n iawn. Rhaid i fywyd fynd yn ei flaen,' meddai. Nid methu amgyffred yr hyn a ddigwyddodd roedd hi; nid oedd hi'n dymuno siarad am farwolaeth ei mab, dyna'r cwbl. Ac ni fyddai'n siarad am Keiron o gwbl. Roedd wedi peidio â bod, yn llythrennol. Rhoddodd Sylvia luniau ohono i'w cadw, 'yn saff'. Rhoddwyd ei eiddo i'w gadw yn y seler ac nid aeth i mewn i'w ystafell wely fyth eto. Byddai'n cerdded o'r ystafell pe bai unrhyw un yn sôn am Keiron neu byddai'n ceisio troi'r sgwrs at rywun neu rywbeth arall. Pe bai'n methu, byddai'n ei hesgusodi ei hun ac yn ymadael. Gydag amser, daeth pawb i ddeall na ddylid sôn am Keiron yng ngŵydd Sylvia.

O'r adeg honno ymlaen, collodd Sylvia bob awch at fywyd. Roedd pawb wedi synnu oherwydd nad oedd hi wedi galaru ond y gwirionedd oedd nad oedd Sylvia, yn ei ffordd ei hun, erioed wedi peidio â galaru. Wrth wrando ar sgwrs ei phlant, fe sylweddolech fod Sylvia'r fam wedi bod mor agos at ei phlentyn ieuengaf, roedd hi yn ei drysori a'i anwylo'n fwy na'r holl blant eraill. Fe'i rhwygwyd yn ddarnau gan ei farwolaeth a dangosai ei gweithredoedd gymaint roedd colli Keiron wedi'i hysgwyd. Roedd y sioc mor enfawr, y loes mor llethol, yr unig ffordd y gallai hi ddygymod – goroesi, mae'n siŵr – oedd drwy fygu ei galar. Mygodd ei holl deimladau drwy ffrwyno'r artaith a ddarniai ei chalon a llwyddai i roi'r argraff i bawb arall nad oedd hi'n galaru o gwbl. A dyna sut y bu fyw drwy'r 25 mlynedd ar ôl hynny. Roedd cael yr holl blant at ei gilydd yn digwydd yn llai a llai mynych ac anaml y gwelid hi'n sgwrsio â'i ffrindiau a chymdogion. Daeth awyrgylch prudd i gartref y teulu. Gwnaeth Sylvia'r hyn y dywedodd y byddai'n ei wneud – aeth ymlaen â'i bywyd, daliodd ati i fod yn fam-gu faldodus ac roedd hi ar gael i'w phlant pryd bynnag y byddai ei hangen arnyn nhw, ond nid oedd hapusrwydd yn emosiwn y byddech chi yn ei gysylltu â Sylvia erbyn hyn.

Roedd Sylvia wedi goroesi drwy fygu'i theimladau, Nawr, roedd dementia arni. Yn ystod ei horiau effro, y gorffennol oedd ei chydymaith. Nid oedd ei hymennydd wedi cadw eiliadau'r presennol na'r cyfnod diweddar, neu os ydoedd, roedd wedi colli pob atgof amdanyn nhw. Dim ond y gorffennol oedd yn bodoli a thynged Sylvia oedd ei ail-fyw. Dim ond lleiafrif bach o bobl â dementia sy'n drysu fel hyn – yn byw mewn gwirionedd sy'n wahanol i'n un ni, neu'n sôn amdano – ac roedd Sylvia yn un ohonyn nhw. Dioddefai wewyr meddwl cyson, oherwydd mae pawb sy'n ail-fyw'r gorffennol yn grediniol bod yr hyn y maen nhw'n ei feddwl ac yn ei deimlo'n wir, yn real ac yn digwydd nawr. Dyma'u gwirionedd.

Roedd gwirionedd Sylvia yn wahanol i'n un ni, ond roedd yr un mor ystyrlon i ni ag yw ein gwirionedd ninnau i ni. Yn wahanol i Mrs O (Pennod 8) a Mr D (Pennod 10), nid dim ond rhoi cyd-destun seicolegol i'w gweithredoedd roedd atgofion am y gorffennol: ei hatgofion oedd ei bywyd. Roedd Keiron ar ei meddwl unwaith eto, felly hefyd y trawma emosiynol a oedd yn gysylltiedig â'i ladd ac unwaith yn rhagor, ni allai ymdopi. Flynyddoedd ynghynt, roedd Sylvia wedi galw ar yr amddiffyniad seicolegol a elwir yn atalnwyd (*repression*) i reoli ei galar, a nawr roedd ei meddwl yn defnyddio alldaflu (*projection*). Mae atalnwyd yn cau allan emosiynau eithafol ac ingol o ymwybyddiaeth ymwybodol, ond mae alldaflu yn caniatáu i rywun ymdopi drwy alldaflu ei deimladau a'i ofidiau ei hun ar bobl eraill. Felly, i Sylvia, nid hi oedd wedi'i llethu â galar, ond eraill. Nid oedd ots pwy – unrhyw un a phawb. Dyma pam y byddai hi'n cysuro pobl eraill. Roedd dwyster yr orfodaeth i wneud hynny'n adlewyrchu dyfnder y boen roedd hi'n dal i'w theimlo. A oedd hyn yn ymddygiad diystyr neu'n weithredoedd a oedd yn hynod ystyrlon?

Dangosai ymddygiad Sylvia mor ddwfn roedd ei theimladau tuag at ei phlentyn ieuengaf. A fyddai'n bosibl tynnu ar gariad

Sylvia at ei mab a'i denu i hel atgofion a gwneud gwaith stori bywyd? Efallai y byddai tynnu ar atgofion pell am Keiron pan oedd yn blentyn yn mynd â sylw Sylvia, yn rhoi pleser iddi ac yn bwysicaf oll, yn rhoi tawelwch meddwl iddi. Wrth i atgofion pleserus fynd â holl fryd Sylvia, efallai na fyddai mwyach yn ymgolli yn ei farwolaeth. Heb atgofion annioddefol, ni fyddai gofid annioddefol chwaith. Felly ni fyddai angen mwyach iddi alldaflu ei galar ar bobl eraill, ac ni fyddai'n rhaid iddi eu cysuro.

Byddai hyn yn dipyn o fenter, oherwydd gallai hel atgofion am Keiron beri i Sylvia ddod hyd yn oed yn fwy ymwybodol o'i cholled ac felly'n fwy cythryblus a thaer i'w hamddiffyn ei hun, ond nid yw rhesymeg yn nodwedd o ddryswch. Fe all rhywun ail-fyw thema o'i orffennol a dal i ymwneud yn addas ag agweddau ar y presennol (er enghraifft, gall dyn â dementia adnabod y wraig yn ei chanol oed hwyr yn gywir fel merch iddo, ac eto, bydd yn dal i grwydro'r cartref gofal i chwilio am ei fam). Bydd ffeithiau sydd benben â'i gilydd yn cyd-fyw, yn cyfuno ond heb fyth danseilio gwirionedd neu fodolaeth y pethau eraill. Ac felly er bod Sylvia yn gwybod bod ei mab wedi marw, nid oedd hyn yn golygu'n anorfod na allai hi hefyd ymgolli mewn meddyliau pleserus a chysurlon nad oedd ei farwolaeth wedi'u llygru.

Aeth y staff ati i wneud eu gwaith cartref. Dywedodd plant Sylvia wrthyn nhw bopeth roedden nhw'n gallu'i gofio am fywyd eu brawd. O'r hyn a ddysgwyd, fe aeth y staff ati i lunio llyfr stori bywyd. I ddod â'r cyfan yn fyw, gofynnwyd am ganiatâd i roi ffotograffau a phethau cofiadwy eraill yn y llyfr. Daeth un o chwiorydd Sylvia, Mary, â 'stwff Keiron' i mewn i'r cartref. Pan oedd Sylvia wedi symud i'r cartref gofal, gwerthwyd ei thŷ. Yn y seler, darganfuwyd y cyfan a gadwyd gan Sylvia dros yr wythnosau ar ôl i Keiron farw.

Er nad oedd neb wedi cyffwrdd ynddo na'i weld ers degawdau, gwyddai Mary na fyddai ei chwaer am weld dim ohono'n cael ei waredu. Felly roedd hi wedi mynd â'r bocseidiau o gylchgronau pêl-droed, modelau, recordiau, cwpanau a enillodd yn yr ysgol, ei ddarluniau, yn ogystal â'i watsh, a hyd yn oed rywfaint o'i ddillad, gan gynnwys ei sgarff dartan, i'w cadw'n ddiogel gan wybod y byddai'n rhaid taflu'r cyfan rywbryd yn y dyfodol. Yn hytrach, roedd y pethau ar fin dod yn ffordd gyfoethog a phersonol o ddod i adnabod Keiron. Dywedodd un o'i frodyr wrthym sut y llifodd yr atgofion amdano yn ôl pan welsai bethau Keiron, atgofion oedd mor real. 'dwi bron yn gallu'i weld e'n eistedd yn fanna'. Os mai dyma'i deimladau ef, beth fyddai'r effaith ar Sylvia?

Byddai gofalwyr a theulu Sylvia yn eistedd gyda hi ac yn sgwrsio am Keiron pan oedd yn blentyn, yn yr ysgol, gartref, ac yn chwarae; ei lwyddiannau, ei lawenydd a'r helbulon y byddai'n eu tynnu'n anorfod am ei ben. Cyfoethogwyd y cyfan gan ffotograffau, cerddoriaeth a'r trugareddau o fywyd Keiron a oedd wedi'u celu cyhyd. Ac fe weithiodd.

Nid yn gymaint pobl eraill yn hel atgofion a'i dyrchafodd, ond yr hyn y gallai ei weld, ei deimlo a'i anwylo. Roedd y cyfan wedi'i gadw'n ddiogel, ond gwyddom nad dyna oedd yr achos mewn gwirionedd. Roedd eiddo Keiron wedi'i roi o'r golwg oherwydd nad oedd hi'n gallu goddef cael ei hatgoffa ohono. Gwyddai y byddai ei weld yn deffro atgofion poenus, ac ofnai Sylvia na fyddai hi'n gallu ymdopi â'r galar.

Yn wir, llifodd yr atgofion yn ôl, ond nid oedd poen na thristwch, oherwydd nid oedd hiraeth enbyd wedi llygru'r atgofion am Keiron a'r amser hapus a gawson nhw gyda'i gilydd. Yn hytrach, daethon nhw â hapusrwydd. A hithau wedi ymgolli byth a hefyd, byddai'n gwenu ac ambell waith yn chwerthin. Nid oedd ots ei bod hi'n eistedd ar ei phen ei hun gan amlaf ac nad oedd neb yno i hel atgofion gyda hi. Dim ond gadael Sylvia gyda phetheuach Keiron a byddai'r diwrnod yn pasio'n ddiddigwyddiad.

Byddai'n ymgolli mewn ffotograffau ac ymhyfrydai'n arbennig mewn edrych ar un o frasluniau Keiron ('Beth yw hwnna, Sylvia?' – 'Dim ond ceffyl', dywedai a gwyddech o'r olwg ar ei hwyneb nad oedd yn 'ddim ond' dim byd). Deilliodd y cysur mwyaf o'i sgarff. Dyma'r peth y byddai hi'n ei anwylo. Sgarff hir, dartan a Sylvia yn ei gwisgo am ei chanol, yn debyg i holl gefnogwyr y Bay City Rollers.

I Sylvia, roedd ei phlentyn wedi dychwelyd ac unwaith yn rhagor roedd hi'n teimlo'n fodlon, emosiwn nad oedd hi wedi'i deimlo ers 27 o flynyddoedd. Am eironi. Yng nghanol dementia, roedd Sylvia wedi canfod yr hyn roedd hi'n ei dybio oedd wedi mynd ar goll am byth iddi, hapusrwydd. A byddai wedi'i golli am byth pe na bai hi wedi rhoi eiddo ei mab o'r golwg – i'w gadw'n ddiogel.

14

‘Mae hi’r un fath ag Iŵl Cesar’

Byddai Lucy yn gweiddi drwy’r dydd. Yn ddiddeall a heb esboniad, byddai’n gweiddi am oriau bwygilydd. Ni fyddai’n peidio tan iddi fynd i gysgu a hithau wedi llwyr ymlâdd. Weithiau roedd ei gweiddi’n debycach i ruo ac yn atseinio o gwmpas yr adeilad.

Roedd Lucy wedi bod yn byw yn y cartref ers llai nag wythnos ac eisoes y teimlad cyffredin oedd ‘Sut yn y byd ydym ni’n mynd i ymdopi?’ Roedd rheolwr y cartref yn pryderu y byddai sŵn di-baid Lucy yn gwthio preswylydd i’r pen ac y byddai rhywun yn ymosod arni. Roedd hefyd yn pryderu am les y preswylwyr a’r gweithwyr gofal a oedd yn gorfod gwrando ar ei sgrechian a’i gweiddi awr arteithiol ar ôl awr. Eisoes byddai rhai’n gweiddi mewn ymateb, ‘Dydyn ni ddim eisiau i hon fod yma’. Roedd ei hymddygiad yn cyd-fynd â’m diffiniad i o’r hyn sy’n gyfystyr ag ymddygiad heriol: *gweithred enbyd, o’i mesur wrth ei dwyster, ei hamlder neu ei hyd, sy’n bygwth diogelwch corfforol neu seicolegol yr unigolyn neu eraill.*

Roedd y rheolwr yn llygad ei lle i fod yn bryderus. Nid yn unig roedd dementia datblygedig ar Lucy, roedd hi hefyd yn eiddil iawn. Bob bore, byddai’r staff yn ei symud o gadair olwyn i eistedd yn y lolfa. A hithau'n methu gofalu amdani'i hun, câi ei rhoi mewn rhan olau ac agored o'r lolfa, gyferbyn â ffenestr fawr banoramig, gyda'r preswylwyr eraill a oedd â gofynion dwys. Roedd y cadeiriau mewn hanner cylch, i wynebu golygfa ddymunol yr ardd. Rhaid clodfori'r staff, oherwydd eu bod yn benderfynol o roi ansawdd bywyd da i bob preswylydd, hyd yn oed y rhai mwyaf dibynnol, er y byddai'r rhan fwyaf ohonyn nhw'n treulio'u dyddiau yn y lolfa ar eu heistedd heb wneud fawr ddim, oherwydd eu bod mor eiddil. Roedd rhoi golygfa bleserus iddyn nhw yn gam cyntaf.

Gan wybod bod y sefyllfa'n prysur fynd yn annioddefol, ffoniodd y rheolwr y meddyg teulu. Gofynnodd y meddyg a oedd Lucy yn un o'i phreswylwyr a oedd â dementia. O gofio mai dyma oedd ar bob un o breswylwyr y cartref, atebodd, 'ydy, wrth gwrs', gan holi'i hun pam roedd y meddyg wedi gofyn y fath gwestiwn yn y lle cyntaf. Ac yna daeth yr ateb yn amlwg. Dywedwyd wrthi pe gallai hi neu un o'i staff aros tan ddiwedd cyfnod y syrjeri, gallen nhw ddod i nôl presgripsiwn iddi. Unwaith yn rhagor roedd y dull patholeg-ganolog o ddeall dementia yn gorymestyn ei hun, ond nid oedd rheolwr y cartref wedi ffonio yn y gobaith y byddai'r meddyg yn fodlon rhoi sedatif i Lucy. Gwyddai fod ei phreswylwyr yn bobl ag anghenion ac arferion a oedd yn unigryw iddyn nhw, ond roedd hi hefyd yn deall bod ganddyn nhw anghenion sy'n gyffredin i bawb ohonom – ac un o'r rheiny yw bod yn ddi-boen. Dyma pam roedd hi wedi cysylltu â'r meddyg teulu.

Poen yw'r rheswm amlycaf pam y byddai rhywun â dementia'n gweiddi neu'n galw, yn aml yn hollol annealladwy. Mae colli iaith yn effeithio'n enbyd ar bawb sydd â dementia difrifol, felly un cwestiwn y dylid ei ofyn wrth ofalu am bobl ar y pwynt hwn ar sbectrwm dibyniaeth yw: sut allan nhw fynegi anghysur, poen neu deimladau clinigol annymunol mewn ffordd y gall y rheiny sy'n gofalu amdanyn nhw ei deall yn hawdd? Ai dyma efallai pam roedd Lucy yn bloeddio? Ond yr awgrym yng nghwestiwn y meddyg oedd bod clefyd Alzheimer rywsut yn cynnig gwarediad gwyrthiol rhag pob salwch a phoen. Roedd Lucy yn ei hwythdegau, oedran pan fydd poen ac anghysur cronig yn dod yn beth rheolaidd. Ac eto, nid ystyriodd y meddyg teulu efallai fod ei glaf mewn poen, ac y dylai Lucy, ei glaf bregus a dioddefus, fod yn brif ystyriaeth ganddo. Er ei fod yn dymuno helpu, wrth gwrs, nid prif gyfrifoldeb y meddyg oedd helpu'r cartref gofal i gael gwared ar ei anhawster.

Gobaith y rheolwr oedd y byddai'r meddyg yn ymweld i archwilio Lucy ac ystyried ei meddyginiaeth eto, o bosibl. Gan nad oedd hyn yn mynd i ddigwydd, roedd hi'n amlwg, diolchodd i'r meddyg am ei awgrym. Fodd bynnag, gwrthododd ei gynnig a dywedodd y bydden nhw'n gwneud eu gorau i ymdopi gystal ag y gallen nhw.

Wrth ystyried ymddygiad Lucy, sylweddolodd y rheolwr ei bod hi'n annhebygol mai poen oedd achos y gweiddi, oherwydd dim ond pan oedd hi yn y lolfa y byddai'n gweiddi. Fyddai hi byth yn gwneud smic yn ei hystafell wely, yn y tŷ bach, na phan fyddai'n mynd mewn cadair olwyn ar hyd y coridorau. Yn ystod ei deuddydd cyntaf yn y cartref, roedden nhw wedi helpu Lucy i gynefino â'i chartref newydd drwy adael iddi aros yn ei hystafell, ac ni fu hi'n sgrechian o gwbl bryd hynny. Dim ond pan ddechreuodd hi dreulio'i dyddiau yn y lolfa y dechreuodd y gweiddi.

Roedd yr esboniad yn glir. Roedd arni hi ofn y preswylwyr

eraill, neu roedden nhw'n ei gwylltio hi. Felly roedd hi i Janet (gweler Pennod 6), mae'n rhaid, wrth iddi wneud ei gorau i oroesi ar ward yr ysbyty yng nghanol pobl oedd nid yn unig yn fygythiol a dieithr, ond a oedd yn ymddwyn mewn ffordd nad oedd yn dilyn rheolau ymddygiad cymdeithasol arferol.

Ai ofn oedd yn ysgogi Lucy i weiddi, tybed? Dyma esboniad cyffredin arall ac un a oedd yn cyd-fynd â phatrwm ymddygiad Lucy. Os mai dyna'r gwir, roedd yr ateb yn amlwg. Roedd angen i Lucy eistedd ar wahân i'r preswylwyr eraill. Nid oedd neb o'r farn ei bod hi'n syniad da gadael iddi eistedd yn ei hystafell wely, oherwydd nid oedd yr ystafell yn fawr iawn ac roedd braidd yn llwm hefyd. Felly penderfynwyd ei rhoi i eistedd yn y coridor yn hollol ar ei phen ei hun. Nid wyf am roi'r argraff bod hyn yn gyfystyr â chosb. Rhoddwyd Lucy i eistedd mewn cilfach ger y grisiau a ffenestr wrth ei hochr lle tywynnai'r haul yn y boreau. Lle digon dymunol, a rhoddodd y staff gadair a bwrdd bach iddi, ac yno yr eisteddai Lucy, heb wneud smic. Ond yn anffodus, i ddatrys yr her, bu'n rhaid cadw Lucy allan o'r lolfa ac o unrhyw gyfleoedd cymdeithasol. Dyma pam y mae diffiniad llawn ymddygiad heriol yn cynnwys y gosodiad olaf canlynol:

> *... neu'n cyfyngu ar gyfleoedd i'r person fyw bywyd arferol, ac o ganlyniad yn ei eithrio'n gymdeithasol.*

Am naw wythnos gweithiodd y cynllun gofal ar ei newydd wedd yn hollol ddidrafferth. Ni chlywyd Lucy yn gweiddi unwaith. A hithau ar wahân i'r bobl â dementia, ymddangosai'n gyfforddus a heddychlon. Am naw wythnos, teyrnasai llonyddwch a heddwch cymharol, ac yna... Dwn i ddim bai pwy ydoedd. A oedd y rheolwr wedi anghofio dweud wrth y cynorthwyydd gofal newydd y dylai ddarllen cynllun gofal Lucy, neu a ddywedwyd wrthi, ond iddi hithau anghofio? Beth bynnag oedd yr esboniad, nid oedd Lucy yn mynd i gael eistedd yn y lle a oedd wedi dod yn hafan iddi. Cododd y cynorthwyydd gofal Lucy o'i gwely a'i helpu i ymolchi a gwisgo. Fel y byddech chi'n disgwyl, daethpwyd â brecwast Lucy ati i'r ystafell, lle cafodd help i'w fwyta gan y cynorthwyydd gofal. A hithau bellach yn barod i wynebu'r diwrnod, aeth y cynorthwyydd gofal â Lucy allan o'i hystafell ac oherwydd na wyddai hi ddim gwahanol, i ffwrdd â hi i gyfeiriad y lolfa.

Aethpwyd â Lucy draw i'r fan lle byddai'r preswylwyr dibynnol iawn yn eistedd a'i throsglwyddo i gadair freichiau. O fewn munudau, roedd Lucy yn sgrechian nerth esgyrn ei phen. Wrth gwrs ei bod hi. Roedd angen ei chadw hi ar wahân i'r preswylwyr eraill. Roedden nhw'n tarfu arni. Efallai eu bod nhw'n codi braw arni a dyna pam roedd y cynllun gofal yn nodi na ddylid ei rhoi hi i eistedd yn y lolfa. Yr unig broblem oedd hyn: nid oedd neb arall yn y lolfa ar y pryd. Gweiddi a hithau ar ei phen ei hun – pam?

Roedd Lucy yn methu cofio beth oedd yn digwydd yn ei bywyd o'r naill eiliad i'r llall ac felly allai hi fyth gofio'r hyn ddigwyddodd wythnosau ynghynt. Roedd hi'n methu meddwl, 'does neb gyda mi ar hyn o bryd, ond mae hynny ar fin newid', ac felly roedd hi'n dechrau protestio rhag blaen.

Er mawr syndod i bawb, roedd hi'n amlwg bod rheswm arall am ymddygiad Lucy. Roeddem wedi trafod llwyddiant y cynllun gofal ar ei newydd wedd, a ddangosai sut roedd hi wedi elwa ar beidio ag eistedd gyda'r preswylwyr eraill. Ond ai dyna oedd y gwir? A oedd Lucy wedi'i heithrio'n gymdeithasol yn ddiangen?

Wrth i stori Lucy ddatblygu, roeddwn i'n chwilfrydig i wybod pam nad oedd y faith mai dim ond yn y lolfa roedd hi'n gwneud sŵn heb danseilio esboniad y tîm gofal. Pam nad oedd Lucy erioed wedi gweiddi yn yr ystafell fwyta? Ar ôl y deuddydd cyntaf hynny pan oedd gofal wedi'i ganoli yn ei hystafell wely, roedd Lucy wedi mynd gyda'r preswylwyr eraill i gael ei chinio yn y ffreutur gymunedol. Byddai'n eistedd wrth fwrdd gyda thri o bobl eraill, a phob un ag anawsterau bwyta a llyncu, a châi hithau hefyd gymorth i fwyta'i phryd. Er ei bod hi'n eistedd wrth y bwrdd am yn agos at awr, fyddai hi byth yn dangos unrhyw arwydd o gwyno na bod mewn gwewyr.

Pam nad oedd yr wybodaeth hon wedi cyfrannu at y dadansoddiad? Mewn ffordd, roedd wedi gwneud: er nad oedd wedi bod yn rhan o'r cynllun gofal erioed, y farn oedd bod agosrwydd y gofalwyr a fyddai wedi bod yn ei helpu i fwyta wedi'i chysuro, yn ogystal â bod gweithgaredd y pryd bwyd wedi mynd â'i sylw. Er na ellid diystyru'r rhesymu hwn ar unwaith, roedd yn annhebygol. Byddai adegau wedi bod pan na fyddai'r gofalwyr wedi bod yn agos iawn ati ac y byddai'n treulio amser yn aros ar ei phen ei hun – wrth aros am ei bwyd, aros i gael help, neu wrth ddisgwyl i fynd yn ôl i'r lolfa. Cyfnodau o amser pan na fyddai gan Lucy fawr ddim arall i fynd â'i bryd na dwyn ei sylw – ond nid oedd hi wedi gweiddi unwaith.

Oherwydd y profiad yn yr ystafell fwyta a'r wybodaeth fod Lucy yn sgrechian yn y lolfa wag, roedd awgrym cryf nad y bobl oedd yn ei haflonyddu, ond y lolfa'i hun. Ni allai fod yn gweiddi oherwydd ei bod yn anghyfforddus, oherwydd roedd y gadair roedd hi wedi bod yn eistedd ynddi am oriau bwygilydd yn y gilfach ger y grisiau yr un fath â'r cadeiriau oedd yn y lolfa. Nid oedd dim byd am awyrgylch y lolfa a fyddai wedi tarfu arni hi. Nid oedd unrhyw arogleuon drwg, nid oedd y golau'n rhy lachar ac nid oedd unrhyw sŵn cefndir aflafar o gyfeiriad teledu neu chwaraewr CD.

Dim ond un llwybr oedd yn weddill i'w archwilio. Tybed a oedd Lucy yn gweld rhywbeth a oedd yn codi braw arni hi? Beth oedd hi'n ei weld pan eisteddai yn y lolfa? Roedd yr olygfa allan i'r ardd yn ddymunol, ond nid yn eithriadol: canghennau'r tresi aur yn cyhwfan yn yr awel, gwelyau blodau tebyg i rai gardd bwthyn a lawnt las hyfryd. Roedd Lucy yn ddifywyd a phrin y byddai'n troi i edrych i gyfeiriad arall. Eisteddais ym mhob un o'r cadeiriau oedd yn edrych allan dros yr ardd a dyna'r cyfan oedd i'w weld. Roeddwn i'n eistedd mewn cadair freichiau, gan syllu heibio i gath tsieni oedd yn diogi ar sil y ffenestr ac yn edmygu gardd a oedd yn un reiat o liw. A dyna fe, y rheswm dros wewyr Lucy.

Yr enw swyddogol am fod ag ofn afresymol a thaer o gathod yw ailuroffobia. Mae pobl ag ailuroffobia yn ofni 'hudoliaeth ddieflig' cathod, fel y maen nhw'n cael eu portreadu mewn chwedlau adeg Calan Gaeaf ac mewn mannau eraill, yn ogystal ag ofni cael eu crafu neu frathu gan gath. Rydym wedi clywed am bobl ag ofn cathod yn dechrau chwysu wrth weld un, yn cael anhawster anadlu, a hyd yn oed yn cael pwl o hysteria yn ogystal â bod yn orbryderus.

Er nad yw ofn cathod yn anarferol iawn, mae'r rhan fwyaf o bobl yn hoffi cathod ac ambell un yn dwlu arnyn nhw. Ni fydd y rheiny sy'n methu dioddef bod yn agos at gathod yn sôn am hynny'n aml iawn. Felly sut oedd y staff i fod i amau, heb sôn am wybod, nad oedd y gath ddu a gwyn tsieni yn ornament i Lucy ei edmygu neu ei anwybyddu, ond yn hytrach (a hithau'n ei gamddehongli fel cath go iawn) yn ffynhonnell braw ofnadwy? 'Mae hi'r un fath ag Iŵl Cesar a Napoleon,' dywedais. Gallwn fod wedi enwi Genghis Khan, Mussolini a Hitler, oherwydd honnir bod pob un o'r gormeswyr hanesyddol hyn yn ofni cathod.

Symudwyd y 'gath' a gwelwyd ymateb yn syth – tawelwch dedwydd, parhaol.

Bellach mae'r ornament yn harddu sil ffenestr rywle arall yn y cartref ac mae Lucy yn eistedd yn y lolfa, yn syllu ar yr ardd, heb na siw na miw. Weithiau, rhaid i ni geisio'r pethau annelwig yn hytrach na chael ein cyfyngu gan ganolbwyntio ar y pethau amlwg. Os ydym ni'n wyliadwrus a chreadigol wrth feddwl, gallwn fwrw ein pennau ynghyd a chanfod esboniadau posibl am unrhyw ymddygiad sy'n ein herio ni. Efallai fod y broses yn brin o drylwyredd gwyddonol, ond mae'n rhoi elfen ddynamig i'r ymchwilio. Nid ydym yn gwybod a oedd ein hesboniad yn gywir, oherwydd nad oedd neb ar ôl ym mywyd Lucy allai ddweud wrthym, ond gweithiodd symud yr ornament, ac yn y dadansoddiad terfynol, dyna sy'n bwysig. Wrth gwrs, efallai mai ofn cathod tsieni oedd arni hi, ond rwy'n amau hynny...

RHAN III

Y da, y drwg a'r diddrwg-didda

'Mae gennym, bob un ohonom, stori bywyd...
a'i pharhad, a'i synnwyr, yw ein bywyd.'

Oliver Sacks

15

Diffyg urddas llwyr

Cyfeiriwyd Patrick ataf oherwydd ei fod yn 'fwriadol anymataliol'. Roedd hyn yn amlwg yn groesddywediad: ni all neb fod yn fwriadol anymataliol. Nid disgrifiad o rywun sy'n gwlychu a baeddu'i hun mo anymataliaeth (*incontinence*); rheswm posibl pam y maen nhw'n gwneud hynny ydyw. Mae dweud bod rhywun yn anymataliol yn gyfystyr â gwybod ei fod wedi colli rheolaeth dros ei bledren neu ei goluddion, neu mae wedi'i niweidio rywsut. Ac eithrio pobl â dementia datblygedig, mae'r rhan fwyaf o bobl sydd â dementia yr un mor ymataliol â'r bobl sy'n gofalu amdanyn nhw (heblaw yn achos dementia blaenarleisiol pan fydd anymataliaeth yn gallu bod yn symptom cynnar ohono). Mae'n sefyll i reswm y gallan nhw fod yn gwlychu neu'n baeddu eu hunain, ond y rheswm mwyaf tebygol am hyn yw eu bod yn methu dod o hyd i'r tŷ bach, yn methu agor drysau, yn methu datod eu dillad, maen nhw'n isel eu hysbryd a 'does ganddyn nhw ddim amynedd', neu liaws o esboniadau eraill nad oes ganddyn nhw ddim oll i'w wneud â bod yn anymataliol.

Roedd staff yn defnyddio'r term 'anymataliol' i labelu Patrick ar gam. Roedden nhw'n gwybod ei fod yn gallu rheoli ei bledren o hyd, oherwydd roedden nhw'n meddwl bod ei weithredoedd yn rhai bwriadol ystrywgar. 'Eisiau sylw mae e,' meddai un. Gwelai un arall ef fel 'hen ddyn budr' oherwydd credai ei fod yn mwynhau cael gofal personol gan y gofalwyr benywaidd. Roedd ei feibion, a fyddai'n ymweld ag ef yn aml, yn benwan. Roedd cymysgedd o dristwch, atgasedd a ffieidd-dod yn crynhoi eu teimladau. Bydden nhw'n dweud, 'Roedd ein tad ni'n ddyn mor falch ac urddasol. Fyddai ef erioed wedi'i iselhau'i hun fel hyn... Weithiau mae'n anodd meddwl mai ein tad ni yw hwn.'

Oherwydd bod y gofalwyr yn gwybod rhywbeth am Patrick, roedden nhw'n credu eu bod nhw'n gweithio mewn dull 'person-ganolog'. Yn enedigol o Omagh yng Ngogledd Iwerddon, roedd wedi byw yn Lerpwl am ran helaethaf ei fywyd fel oedolyn, lle bu'n gweithio fel postmon. Roedd ganddo chwech o blant, yn cynnwys pedwar mab, ac roedd yn weddw ers wyth mlynedd. Dyna ni. Gwnaed ymdrech, ond prin roedden nhw wedi crafu'r wyneb bywgraffyddol heb sôn am ddangos unrhyw ddiddordeb gwirioneddol yn Patrick y dyn. Ni wnaed dim ymdrech i ddod o hyd i'r pethau roedd e'n eu hoffi ac yn eu casáu, ei ddiddordebau a'r gweithgareddau roedd fwyaf hoff ohonyn nhw, ei drefn a'i arferion, heb sôn am ei ofnau, ei ofergoelion a'r pethau a barai iddo deimlo'n ansicr. Ychwanegwyd at eu methiant gan iddyn nhw fethu ystyried o gwbl sut brofiad oedd bod â dementia. Nid oedd neb wedi ystyried am eiliad sut roedd hi ar Patrick mewn byd anodd ei ddeall.

Roedd popeth a ddywedodd y staff wrthyf am ymddygiad Patrick yn wir ac yn gywir. Bydden nhw'n mynd ag ef i'r tŷ bach a byddai'n gwrthod ei ddefnyddio. Bydden nhw'n amyneddgar ac yn rhoi amser iddo, ond nid oedd dim yn tycio. Yn y diwedd, byddai'r staff yn ei hebrwng yn ôl i'r lolfa, ac yna bydden nhw'n gweld ei fod yn wlyb, wedi gwlychu'i hun yn fwriadol er iddo gael pob cyfle i ddefnyddio'r tŷ bach funudau ynghynt. 'Mae e'n gallu bod yn ddiawl. Byth yn gas, ond...'

Er mai dyma'r sefyllfa mewn gwirionedd, rhaid ei bod hi'n teimlo'n wahanol iawn i Patrick. Yn ddiweddar, roedd wedi'i asesu gan ddefnyddio'r Archwiliad Cyflwr Meddyliol Cryno (MMSE: *Mini Mental State Examination*) – cyfres o gwestiynau ac ymarferion a ddefnyddir yn aml i brofi'r cof a'r deall – a'i sgôr oedd 11/30. Yn y cynllun gofal, roedd 'dementia cymedrol i ddifrifol' wedi'i nodi. Roedd Patrick yn simsan ar ei draed hefyd. Nid oedd hi'n fawr o ryfedd y byddai'n treulio'r rhan fwyaf o'i amser ar ei eistedd yn y lolfa. Ambell dro byddai'n mentro allan o'i gadair a byddai'r staff yn ei weld yn cerdded o gwmpas yr adeilad, gan oedi'n aml i gydio mewn canllaw, weithiau i gael ei wynt ato. Wedyn byddai Patrick yn cael ei hebrwng yn ôl i'w gadair.

Os oedd y cerdded hwn yn awgrymu ei fod efallai'n chwilio am y tŷ bach, mae'n debygol y byddai'n aflwyddiannus. Nid oedd y cartref gofal yn ddealladwy iddo: hynny yw, roedd yn ei ddrysu ac nid oedd yn ei ddeall yn iawn. Mae ystyried dementia yn anabledd yn gallu ein helpu i sylweddoli bod modd i'r amgylchedd gofal – o ran adeiladau a pherthynas ag eraill – naill ai gefnogi person sydd â dementia ac efallai wneud iawn am wendid, neu beri anabledd go iawn iddo.

Ni ddylai adeiladau ddibynnu ar yr un sydd â dementia i gofio ble mae ef neu hi, sut y daeth i'r fan honno a ble i fynd iddo. Ond yn y cartref gofal hwn, dyna'n union sut roedd hi. Mae mynediad gweledol yn helpu i wneud iawn am anallu i gofio ond yn y cartref gofal hwn, roedd mynediad gweledol yn wael. Os yw'r nod o fewn golwg person, gellir cynnal syniad, fel 'Rydw i eisiau mynd i'r tŷ bach' neu awgrym 'Ydych chi'n meddwl ei bod hi'n amser da i chi fynd i'r tŷ bach?', nid oherwydd ei fod yn cael ei gofio, ond oherwydd nad yw'r nod byth allan o'r golwg. Mae'n gweithredu fel arwydd dro ar ôl tro i dynnu'r person at ben ei daith. Fel hyn mae'r amgylchedd yn ddealladwy ond nid felly roedd hi yn y cartref lle roedd Patrick yn byw. Roedd y toiledau o'r golwg, yn llechu mewn coridorau ac i wneud pethau'n waeth, nid oedd yr un arwydd yn yr adeilad. Roedd bron pob drws yn union yr un fath. Nid oedd arwyddion i wneud iawn am anallu'r preswylwyr i ddod o hyd i'w ffordd ar hyd y lle, felly does ryfedd fod y staff yn dweud bod cynifer o'r preswylwyr yn 'anymataliol'!

Ac yntau'n methu dod o hyd i'w ffordd ar hyd y lle ac yn simsan ar ei draed, roedd angen mynd â Patrick i'r tŷ bach bob tro. Bob teirawr, byddai dau ofalwr yn ei dywys, dwy wraig fel arfer. Bydden nhw'n mynd ag ef i mewn i'r tŷ bach, yn tynnu ei ddillad i lawr ac, ar ôl ei roi i eistedd ar sedd y tŷ bach, bydden nhw'n camu'n ôl, ac yn hofran rhyw ddwy droedfedd oddi wrtho, gan sgwrsio, fynychaf. Rhaid bod y cywilydd mwyaf ar y dyn balch ac urddasol hwnnw a ddisgrifiodd ei feibion. Ac yntau'n llawn embaras, naill ai nid oedd yn gallu defnyddio'r tŷ bach, neu ni fynnai.

Yn aml, mae gweld dementia fel rhwystr yn ffordd hwylus o'i ddeall, yn fy marn i. Mae'r un sy'n anabl oherwydd colledion gwybyddol ar y naill ochr iddo a ninnau ar yr ochr arall. Nid yw'r naill yn gallu deall y llall, na gweld ei safbwynt. Efallai, yn ein hachos ni, ei bod hi'n fwy tebygol bod sawl un yn ormod ohonom yn amharod i ddeall y llall neu weld ei safbwynt, yn hytrach nag yn methu ei ddeall.

Ni allai Patrick siarad fawr ddim ac o ganlyniad ni allai

fynegi ei deimladau: 'Beth ydych chi'n ei wneud? Allech chi gamu allan a rhoi ychydig o breifatrwydd i mi os gwelwch yn dda?' Ac ni allai chwaith gofio bod hyn yn digwydd bob teirawr ac os na fyddai'n defnyddio'r tŷ bach, y byddai problemau'n sicr o ddilyn. Ac ni allai chwaith resymu 'mae'n rhaid eu bod wedi gwneud asesiad risg ac maen nhw'n credu y bydda i'n disgyn oddi ar y toiled yma i'r llawr, felly maen nhw yma i fy nal i'. Roedd dementia wedi chwalu'i iaith, ei gof a'i resymu, ond nid oedd wedi'i ddinistrio ef. Ac yntau'n eistedd yno, yn methu symud, heb wneud dim, anobeithiai ei ofalwyr amdano. Weithiau bydden nhw'n ceisio'i gymell, ond fynychaf, ar ôl rhoi rhai munudau iddo, bydden nhw'n ei godi oddi ar y tŷ bach, yn rhoi trefn ar ei ddillad ac yn mynd ag ef oddi yno.

Ond beth roedden nhw wedi'i wneud? Roedden nhw wedi awgrymu bod eisiau mynd i'r tŷ bach arno. Funudau ar ôl ei adael yn y lolfa, roedd Patrick yn gorfod ei wlychu'i hun a byddai'r camddealltwriaeth yn mynd o ddrwg i waeth. Roedd y staff yn ystyried ei fod anymataliol yn fwriadol; nid oedd neb yn deall ei bicil. Wrth edrych ar y profiad drwy lygaid Patrick, roedd wedi ymateb yn ddealladwy, os nad yn briodol. Ac fel y dywedwyd, 'mae ymddygiad annormal mewn sefyllfa annormal yn ymddygiad normal'. Roedd wedi gwneud ei orau, ond ni allai hynny atal trasiedi bersonol rhag datblygu, oherwydd bod ei ymdrechion i gadw'i urddas yn arwain yn ddi-ffael at ddiffyg urddas wrth iddo'i faeddu'i hun ac yna orfod cael newid ei ddillad.

Wrth siarad â'r staff, roedd hi'n ddigon hawdd datgelu nad oedden nhw wedi bod yn gweithio mewn dull person-ganolog mewn gwirionedd. Roedd pryder y staff am ddementia ac am y tasgau sydd ynghlwm â gofalu wedi bod gymaint ar flaen eu meddyliau nes peri bod Patrick, y dyn, mor bell yn ôl nad oedd wir o bwys. Roedd y staff yn pryderu'n anghymesur am risg hefyd. Roedd cyfyngu ar symudiadau preswylwyr a tharfu ar breifatrwydd yn digwydd yn gyson yn enw rheoli risg. Dywedais i wrthyn nhw, 'Does dim angen siarad â mi am ddementia Patrick. Mae dementia ar bawb sydd yma, felly does dim angen oedi gyda'r hyn rydym ni'n ei wybod eisoes. Dewch i ni roi dementia i'r naill ochr a dod â Patrick fel person i'r amlwg. Allwch chi ddychmygu gymaint o gywilydd yw hi iddo fe eich gweld chi'n sefyll fanna'n disgwyl iddo fe berfformio? Dydych chi ddim yn gwneud hynny i neb.'

O ran risg, efallai fod angen presenoldeb cynnil, ond ar ôl gwneud asesiad risg yn unig. Anwiredd yw meddwl bod pobl â dementia'n taflu'u hunain oddi ar seddi toiledau o'u gadael ar eu pen eu hunain. Drwy'r dydd bydd pobl â dementia'n eistedd mewn cadeiriau heb gymorth, heb gefnogaeth, heb neb yn eu gwylio a heb fod gan neb o'r bobl sy'n gofalu amdanyn nhw'r un gronyn o ofid am eu sefyllfa. Ond cyn gynted ag y rhoddir nhw i eistedd ar dŷ bach, gwelwn fod drysau'n cael eu cadw ar agor a gofalwyr yn hofran gerllaw 'rhag ofn'. Yn rhy fynych mae'r rhain yn weithredoedd anghymesur, sy'n diraddio.

Nid oedd gallu Patrick i fynd i'r tŷ bach erioed wedi cael asesiad risg. Dangosodd yr asesiad ei fod yn gallu eistedd heb oruchwyliaeth ar sedd toiled yn ddiogel, er na allai gerdded ymhell heb golli'i gydbwysedd. Bellach, â Patrick y dyn yn amlwg, heb ei ddiagnosis o ddementia yn ei guddio a'r gofalwyr bellach yn deall risg yn well, aethpwyd â Patrick i'r tŷ bach, cafodd help gyda'i ddillad ac i eistedd ac yna... cafodd lonydd. Gan sefyll y tu allan, gallai staff gofal gau'r drws ac aros. Ar ôl ychydig funudau bydden nhw'n curo ar y drws ac yn mynd i mewn. 80 y cant o weithiau, roedd Patrick wedi defnyddio'r tŷ bach yn briodol ac o hynny ymlaen, prin oedd yr achlysuron pan fyddai'n gwlychu neu'n baeddu ei hun.

A oedd ei ddementia wedi gwella'n wyrthiol? Nac oedd, wrth gwrs. A oedd awyrgylch difeddwl, anghefnogol ac ansensitif wedi'i ddatgelu a'i ddatrys? Oedd, ac nid ei ddementia oedd yn gyfrifol am godi cywilydd ar Patrick, ond y driniaeth annynol nad oedd y staff gofal wedi sylwi arni. Serch hynny, nid y gofalwyr yn unig oedd yn ddall i'r hyn a oedd yn digwydd. Yn ystod ymweliad diwethaf y meddyg teulu, roedd y staff yn cwyno gymaint, dywedodd pe na bai Patrick yn rheoli ei anymataliaeth, byddai'n dod eto a'r nyrs ymataliaeth gydag ef i osod cathetr ynddo.

16

Tad ffyddlon

Roedd David a'i deulu'n wynebu trasiedi eithriadol. Ac yntau ddim ond yn 49 oed, roedd hi'n debygol bod clefyd Alzheimer arno. Ddeunaw mis ynghynt, roedd wedi bod yn werthwr ceir cymharol lwyddiannus. 'Ceir bron yn newydd,' byddai'n dweud, gan gywiro fy nisgrifiad i o'i fywoliaeth fel 'gwerthwr ceir ail-law'. Cymharol lwyddiannus, dywedaf, oherwydd yn ddiweddar nid oedd y busnes wedi bod yn gwneud yn arbennig o dda. Gostyngodd y gwerthiant, collwyd cyfle gyda bargeinion, gwnaed penderfyniadau gwael. Roedd y rheswm bellach yn glir, ond ar y pryd nid oedd ei wraig yn gallu deall o gwbl.

Ar ôl i'w feddyg teulu ei gyfeirio, dangosodd sgan ymennydd David fod crebachu'n amlwg ynddo (colli celloedd yr ymennydd a'r cysylltiadau rhyngddyn nhw). Roedd ei holl symptomau, a'r cynnydd yn ei ddirywiad deallusol a'r modd roedd yn ymddwyn mewn cyfweliad yn dweud 'clefyd Alzheimer'. Penderfynwyd rhoi David mewn cynllun cyffuriau ar brawf a oedd yn profi manteision donepezil, un o'r 'cyffuriau gwrth-ddementia' newydd. Fe wnaethon ni esbonio y gallai arafu dementia David, ond oherwydd ei fod yn gynllun prawf, roedd hi'n bosibl mai plasebo fyddai David yn ei gael, er mai am ran o'r prawf yn unig. Cytunodd David, ond oherwydd diffyg yn ei allu i benderfynu, ymgynghorwyd â'i wraig a chytunodd hithau hefyd.

Dechreuodd David ar y cynllun prawf, ac aeth bywyd yn ei flaen. Ffordd ei wraig o ddygymod â dirywiad ei gŵr oedd mynd i weithio bob bore. Roedd hyn yn gymorth oherwydd ei fod yn rhoi cyfle iddi roi pellter emosiynol a chorfforol rhyngddi hi a'i gofidiau am y dyfodol, onid ei gŵr: 'Weithiau, rwy'n meddwl 'mod i'n hunanol, ond yn y gwaith dwi'n canolbwyntio ar weithio ac am oriau bwygilydd dwi'n anghofio beth sy'n digwydd i ni. Mae angen hynny arna i. Faswn i ddim yn gallu ymdopi pe na bawn i'n gallu anghofio.' Roedd hi'n ddadansoddydd cyfrifiaduron llwyddiannus ac roedd ganddi swydd fel uwch-reolwr bellach. Bob bore byddai'n teithio i'w gwaith yng nghanol y ddinas gan wybod y byddai popeth yn iawn gartref.

Cyn iddi adael, byddai hi'n paratoi brechdanau a salad i David ac yn gwneud fflasg o goffi ar ei gyfer. Byddai'n sicrhau bod y teledu ymlaen ('Mae e'n dal i allu defnyddio'r teclyn rheoli o bell, ond alla i ddim ymddiried ynddo fe i wneud paned o goffi. Dynion!') ac i ffwrdd yr âi, gan wybod y byddai'n aros yn y tŷ drwy'r dydd yn gwylio'r teledu. Newid o'r naill sianel i'r llall, yn hytrach, oherwydd bod gallu David i ganolbwyntio yn rhy dila i ddilyn rhaglen ar ei hyd. Ond roedd yn mwynhau newid sianeli ac roedd yn fodlon ei fyd. Hefyd, roedd angen gosod y larwm. Gosod y larwm i ganu am 3.25pm, a rhoi'r cloc ar y silff ben tân.

Ni fyddai David yn gwneud prin ddim drwy'r dydd. Roedd wedi dod i arfer yn rhyfeddol o hawdd â bywyd eisteddog, ond am 3.25 roedd yn gorfod gwneud rhywbeth ac ni fyddai byth yn anghofio. Oedd, roedd angen i'r larwm ei ysgogi, ond ar ôl hynny gallech osod eich cloc wrtho.

Roedd gan David ac Amanda ddau blentyn bach. Roedd Amanda wedi dymuno cael gyrfa, felly roedd hi braidd yn hwyr arnyn nhw'n dechrau magu teulu. Dywedodd hi wrthym fod David wedi dwlu ar fod yn dad o'r eiliad y ganwyd Alex. Ac yntau mor ymroddedig a gofalgar, byddai'n fodlon gwneud unrhyw beth dros ei blant. Weithiau teimlai Amanda mai David oedd y rhiant mwy greddfol ac roedd hi'n ddiolchgar am hyn, oherwydd roedd hi wedi ymrwymo i'w gyrfa. I David, ffordd o ennill arian yn unig oedd ei swydd.

Roedd Alex bellach yn 11 oed a newydd ddechrau yn yr ysgol uwchradd. Roedd Alice, a oedd ddim ond yn wyth oed, yn dal i fod yn yr ysgol gynradd ac roedd angen ei nôl ar ddiwedd y dydd. Yn ddi-ffael, dyna a wnâi David. Byddai'r larwm yn canu a byddai David yn gadael y tŷ. Byddai'n cerdded i lawr y ffordd, yn troi i'r chwith wrth y gyffordd ac yn cerdded i ben y *cul-de-sac* lle byddai ei ferch fach ymhen dim yn rhedeg drwy iard yr ysgol at y giât. Gyda'i gilydd, bydden nhw'n dychwelyd law yn llaw. Roedd yn beth hyfryd i'w weld ac ni fyddai byth yn ei siomi. Ni fyddai dementia yn ei rwystro rhag bod yn dad cydwybodol.

Dyna'u bywyd yn ystod y flwyddyn y deuthum i adnabod David. Roeddwn i'n cadw golwg ar ei ymateb i'w driniaeth bob pedair wythnos. Ar ôl blwyddyn roedd yn rhaid penderfynu. A ddylai David barhau i gael y driniaeth, ynteu a oedd rhesymau dros adael y prawf? Fe wnes i gamgymeriad wrth benderfynu.

Roeddwn i wedi bod yn cadw golwg ar ba mor gyflym roedd David yn dirywio. Roedd hyn yn cynnwys rhoi'r Archwiliad

Cyflwr Meddyliol Cryno (MMSE) iddo eto. Er bod cyflymder dirywiad gwybyddol yn amrywio'n fawr ymhlith pobl â chlefyd Alzheimer, gallwch amcangyfrif y bydd esblygiad naturiol dementia ysgafn yn arwain at golli 3–5 pwynt ar yr MMSE bob blwyddyn. Dangosodd canlyniadau David ddau beth: nid oedd unrhyw dystiolaeth ei fod yn sefydlogi ac roedd ei sgôr wedi dirywio o 23/30 i 17/30. Oherwydd bod hyn yn awgrymu ymgynnydd arferol, deuthum i'r canlyniad fod David wedi bod ar gyffur plasebo a dyna pam nad oeddem wedi gweld unrhyw effeithiau cadarnhaol. Yn ei fywyd beunyddiol, yn ôl Amanda, nid oedd David fel y bu flwyddyn ynghynt. Roedd yn llai siaradus, roedd hi'n haws tynnu ei sylw oddi ar ei dasg ac roedd yn sicr yn fwy anghofus. Weithiau, roedd hi wedi meddwl tybed a ddylai hi ddechrau gwneud trefniadau eraill i sicrhau y byddai eu merch yn dod adref o'r ysgol yn ddiogel. Ond bob prynhawn, dyna ble roedd David, wrth giât yr ysgol yn disgwyl am Alice. Penderfynodd Amanda adael llonydd i bethau.

Beth ddylid ei wneud? Pan ddechreuodd ei gŵr ar y prawf cyffuriau, roedd Amanda wedi dweud wrthyf ei bod hi'n bosibl na fyddai David yn aros gyda'r peth am yn hir, oherwydd nad oedd erioed wedi bod yn hoff o feddygon ac felly efallai na fyddai'n mwynhau fy ymweliadau i. Yn fwy arwyddocaol, nid oedd erioed wedi bod yn hoff o lyncu tabledi, felly roedd hi'n bosibl na fyddai'n fodlon cydymffurfio â threfn y driniaeth. Fel y bu pethau, ni chafwyd llawer o broblemau er bod angen darbwyllo David i gymryd y feddyginiaeth a ragnodwyd iddo ambell waith. Er bod David yn cymryd rhan ac, yn amlach na pheidio, yn gwneud hynny'n ddigon parod, ystyriais nawr yr hyn a ddywedwyd wrthyf. Os oedd David yn cymryd plasebo a'i fod yn ddyn a oedd yn anghysurus o gwmpas meddygon a chymryd tabledi, beth oedd i'w ennill o ddal ati gyda'r prawf cyffuriau? Trafodais y penderfyniad oedd yn ein hwynebu gyda fy nghyd-weithwyr a'r argymhelliad i Amanda oedd y gallai David adael y cynllun prawf nawr. Cytunodd hi ac ar ddiwedd yr wythnos, llyncodd David ei dabled plasebo olaf – ond nid dyna ydoedd. O fewn pythefnos roedd sgôr MMSE David wedi gostwng yn gyflym i 7/30. Cadarnhaodd yr Uned Dreialu Cyffuriau fod David wedi bod yn cymryd cyffur drwy gydol y cyfnod treialu. Roedd y donepezil wedi creu argae rhag math arbennig o ffyrnig o ddementia. Roedd cyflymder y dirywiad a welais i yn 'normal', ond nid oedd dementia David yn 'normal'. Trefnwyd iddo gymryd donepezil eto ac aeth ei sgôr MMSE i fyny i 14/30, ond roedd y niwed wedi digwydd. Ni lwyddwyd i adfer David i'w hen ffyrdd. Roedd yn fwy dryslyd, yn fwy tebygol o wneud pethau hurt, diofal, ac yn fwy dibynnol.

Ceisiodd Amanda lywio bywyd y teulu'n llyfn ac mor normal ag y gallai. Wel, mor normal ag y byddai dementia'n ei ganiatáu. Byddai hi'n mynd i'r gwaith, byddai'r plant yn paratoi i fynd i'r ysgol, a byddai David yn eistedd yn y gadair drwy'r dydd, â'r teledu ymlaen, er bod y teclyn newid sianeli yn drech nag ef erbyn hyn. Erbyn hyn, byddai Alice yn aros 20 munud ychwanegol yn yr ysgol, er mwyn iddi allu cerdded adref gyda'i brawd. Roedd hyn yn rhannol oherwydd na allai Amanda ddibynnu ar David erbyn hyn, yn rhannol oherwydd bod eu merch yn teimlo embaras, ac i ryw raddau oherwydd nad oedd hynny'n rhy anghyfleus.

Un diwrnod, rai wythnosau'n ddiweddarach, dymchwelodd bywyd Amanda. Roedd Alice ar y ffôn yn ei dagrau, yn ceisio esbonio beth oedd yn digwydd. Roedd y plant wedi dod adref o'r ysgol ac wedi dod o hyd i'w tad yn y tŷ bach, yn eistedd wysg ei ochr ar y sedd gyda'i drowsus a'i drôns am ei fferau, a'i bengliniau'n sownd yn erbyn y wal. Roedd papur tŷ bach ym mhobman ac roedd wedi creu tipyn o lanast. Er bod Alex wedi ceisio helpu ei dad, cafwyd tipyn o drafferth. Wedi'u dal yn y dryswch roedd Alex, yn lletchwith ac mewn dyfroedd dyfnion, a David, yn cywilyddio'n fawr ac yn methu deall yn iawn beth oedd yn digwydd. Gwaeddodd Alex yn wyllt ar ei chwaer, 'Ffonia Mam!'

Digon oedd digon. Ceisiodd Amanda ddal ati, ond ni allai mwyach. Nid dim ond oherwydd ei bod hi'n methu gadael yn y bore bellach ac ymgolli yn ei gwaith gan wybod bod popeth yn iawn gartref. Roedd hi'n gofidio hefyd beth oedd effaith hyn ar Alex ac Alice. Hyd yn hyn, roedd y ddau wedi bod yn rhagorol. Roedden nhw'n gallu gweld eu tad yn newid, ond roedden nhw fel petaen nhw'n derbyn y sefyllfa fel y deuai. Roedden nhw'n deall ei fod yn sâl ac y byddai weithiau'n anghofio, yn gwneud pethau dwl ac ambell ddiwrnod y byddai angen tipyn o gymorth arno i wneud beth bynnag roedd e'n ceisio'i wneud, ond eu tad nhw, a oedd yn eu caru'n fawr, ydoedd ef o hyd. Gyda'r nos, byddai Alice yn aml yn eistedd ar y soffa gyda David, yn gwylio'r teledu gydag ef ac yntau'n mwytho'i gwallt. Roedd David wedi gwneud hyn er pan oedd hi'n ddim o beth. Roedden nhw wastad wedi bod yn agos. Gallech weld bod perthynas arbennig iawn rhyngddyn nhw. Iddyn nhw'u dau, roedd pob dydd yn dal i ddechrau fel y gwnaethai erioed, wrth gael brecwast gyda'i gilydd a sgwrsio wrth fwyta, a dadlau pwy fyddai'n golchi'r llestri a phwy fyddai'n eu cadw. I'r ddau ohonyn nhw, nid oedd bywyd fawr gwahanol i'r hyn a fu.

Erbyn hyn roedd popeth wedi newid. Roedd Alice yn methu cysgu, roedd Alex wedi dechrau gwylltio â'i dad ac roedd Amanda wedi cael caniatâd tosturiol o'r gwaith i ofalu am David tra oedd y staff a minnau'n trefnu cynllun gofal brys. O fewn dyddiau, roedd y gweithiwr cymdeithasol wedi trefnu lle i David mewn cartref nyrsio iddo gael cyfnod o ofal seibiant. Aeth i mewn i'r cartref ar brynhawn Sul, yn methu'i fynegi'i hun ac wedi drysu. Ar y ddau fore cyntaf, fe drawodd y nyrsys oedd yn ei helpu i godi o'i wely. Yn ddiweddarach, fin nos y trydydd dydd, ar ôl dechrau ymddwyn yn 'anodd', trawodd David y meddyg teulu ar alw. Ar unwaith, gwnaethpwyd cais i'w gymryd i'r ysbyty ar frys. Ddwyawr yn ddiweddarach, roedd David ar y ward mynediad acíwt 'i asesu ac i reoli ei dreisgarwch direswm'. Ni fu byth yn dreisgar eto.

Roedd nyrsys y ward yn ffynnu mewn diwylliant a elwir yn 'ofal tyner'. Roedd gofal person-ganolog cefnogol, goddefgar a chydymdeimladol yn flaenllaw yn eu holl waith. Byddai cyn lleied â phosibl o ffwdan yno – yn wahanol iawn i'r cartref lle roedd David newydd dreulio bron iawn dridiau. Roeddem ni'n gwybod bod gofal yn y cartref nyrsio hwnnw'n rhoi lle blaenllaw i 'rhaid' a 'gorfod' ('gormes y rhaid' yw'r enw ar hyn, gyda threfn yn cuddio y tu ôl i reolau y mae'n rhaid eu dilyn yn slafaidd), ond oherwydd nad oedd Amanda a'r plant yn gallu ymdopi mwyach, nid oedd gennym amser i ddisgwyl nes y deuai lle iddo mewn cartref gofal mwy addas. Dangosai'r cartref ddull gofalu y cyfeiriwyd ato gan Tom Kitwood fel 'byd bywyd hŷn pan fydd popeth wedi'i gymryd yn ganiataol' pan gyflwynodd yntau'r term 'seicoleg gymdeithasol falaen' i'n dealltwriaeth o ofal dementia (gweler Pennod 2).

Ac yntau heb syniad ble roedd na phwy oedd y bobl o'i gwmpas, pa synnwyr i David oedd mewn gweld pobl yn dod i mewn i'w ystafell wely, yn tynnu'r cynfasau oddi arno ac yn dweud wrtho ei bod hi'n amser codi? A pham oedd y staff yn credu bod angen iddyn nhw ymddwyn fel hyn? A oedd ganddo apwyntiad i'w gadw; bws i'w ddal; ymwelydd i'w gyfarch? Nac oedd. A oedd rhywbeth ar fin digwydd yn y lolfa, ac a fyddai'n siomi pe bai'n cyrraedd yn hwyr a deall ei fod wedi'i golli? Nac oedd. Roedd yn rhaid iddo godi nawr, oherwydd nawr oedd amser codi! Byddai brecwast yn barod o fewn yr awr a byddai'n rhaid cael pawb yn ei le wrth fyrddau'r ystafell fwyta i aros amdano. Ond pam oedd David yn gorfod codi o'i wely yr eiliad honno? Pam nad ymhen deng munud, ugain munud, neu pam na allai ef aros yn ei wely, treulio bore diog, a chael grawnfwyd, ychydig o dost neu far grawnfwyd yn ddiweddarach yn y bore? Na, roedd trefn gaeth yn y cartref er mwyn i'r lle redeg yn esmwyth (yr hyn y mae Koch a Webb yn cyfeirio ato fel 'gofal *conveyor belt*').

Roeddem wedi cael ceisiadau mynych yn y gorffennol i gynghori ynghylch 'preswylwyr anghydweithredol' yno, ond pan fydd cais o'r fath yn digwydd yn ddi-ben-draw o reolaidd, gwyddoch fod hyn oherwydd cartref a threfn anhyblyg a gormesol yn hytrach nag oherwydd y preswylwyr. Oherwydd beth yw ystyr anghydweithredol? Mae'n golygu nad yw'r person yn fodlon gwneud yr hyn y dywedir wrtho am ei wneud ar yr union eiliad y dywedir wrtho am ei wneud! Ac os yw'n dal ati â'i ffyrdd lletchwith, mae'n debygol o gael ei labelu fel rhywun ymosodol. Yn achos David, ymhen dim o dro cawsai ei ystyried nid yn unig yn 'ymosodol' ond yn 'dreisgar'. Ac yntau wedi cael braw a heb ddeall beth oedd yn digwydd, wedi'i sarhau gan ymddygiad ansensitif y nyrsys, roedd wedi troi tu min atyn nhw – ac wrth gwrs, nid oedd erioed wedi hoffi meddygon. Yn yr achos hwn, roedd y meddyg wedi bod yn ceisio'i dawelu drwy roi chwistrelliad o'r tawelydd diazepam iddo.

Ar ward yr ysbyty, roedd bywyd yn hollol wahanol. Ar ôl curo ar ddrws ei ystafell wely, byddai'r nyrs yn lled-agor y llenni ac yn deffro David yn dyner. Byddai'n dweud wrtho ble roedd e, pwy oedd hi a pham roedd hi yn ei ystafell. 'Hoffech chi godi nawr, neu beth am i mi ddod yn ôl ymhen pum munud? Fe gewch chi bendwmpian ac fe ddo i'n ôl yn y man. Hoffech chi gael y radio ymlaen?' Ac i ffwrdd â hi. Pan ddôi'n ôl rai munudau'n ddiweddarach, byddai'n agor y llenni led y pen, ac yn ailadrodd yr wybodaeth roedd hi wedi'i rhoi eisoes. 'Hoffech chi godi nawr, neu, wn i, beth am i mi nôl paned o de i chi gyntaf?' Byddai David yn cael llonydd am ryw ddeng munud gyda'i de. Ac yntau bellach yn effro, heb ei frysio na'i fygwth, roedd David yn fwy na pharod i godi o'i wely – ond os nad oedd e'n dymuno gwneud, roedd hynny'n iawn. Ceisiwyd cadw gyn lleied â phosibl at drefn gaeth. Wrth i'w holl fywyd ddatblygu yn yr un modd, ni welwyd David yn ymddwyn yn ymosodol nac anhydrin yr un waith, heb sôn am fod yn dreisgar.

Fodd bynnag, ward asesu oedd hon a phrin oedd y gwelyau ar yr uned arbenigol hon, â'i staff o nyrsys arbenigol o'r safon uchaf. Nid lle y dôi pobl i fyw iddo oedd hwn. Wrth i bythefnos droi'n dair wythnos, roedd yn rhaid i ni feddwl am y dyfodol. Ble oedd David yn mynd i fyw? Yn ystod yr adolygiad ar y ward, dywedodd Amanda na allai hi gael David gartref eto. Er mai eithriad oedd ei ymddygiad treisgar, roedd yn ddibynnol iawn. Pwy fyddai'n gofalu amdano pan fyddai hi yn y gwaith, a beth fyddai effaith cael eu tad yn ôl gartref ar Alex ac Alice? Na, roedd hi'n amhosibl ystyried hynny, hyd yn oed.

Ymunodd David â'r cyfarfod, ac wrth esbonio iddo'r penderfyniad roedd yn rhaid ei wneud, dechreuodd Amanda grio. Gwyddai y byddai David eisiau dod adref. Nid oedd ganddo ddim syniad gymaint roedd yn dibynnu ar eraill. Byddai ef eisiau bod gyda'i deulu, ac ni allai hi anghofio'r ddelwedd ohono ef ac Alice yn eistedd gyda'i gilydd wrth eu brecwast, yn sgwrsio a thynnu coes am y dydd oedd o'u blaenau. Yn reddfol, estynnodd David ei fraich i gysuro Amanda. Parodd hyn i'r dagrau lifo hyd yn oed yn fwy. Edrychai David wedi drysu. Dywedwyd wrtho ei bod hi'n amser iddo adael yr ysbyty.

'Na. Ddim. Na,' meddai, bron yn ymddiheuro.

'David, alli di ddim byw fan hyn,' dywedodd rhywun.

Edrychodd ef ar Amanda. Ni ddywedodd hithau air.

'… a dyw hi ddim yn syniad da i ti fynd 'nôl adref. Bydden ni'n hoffi i ti feddwl am fyw yn rhywle arall?'

'Peidiwch!' ebychodd Amanda. 'Allwch chi ddim gweld nad yw David ddim yn gwybod beth i'w wneud? All e ddim gwybod. Does ganddo fe ddim syniad beth sy'n digwydd.'

Wrth i bawb yn yr ystafell edrych yn lletchwith, dechreuodd David ailadrodd, 'Nid adre, na fanna eto, lle arall. Na fanna eto, lle arall.'

Fawr ddim dirnadaeth, anallu i resymu – â'i sgôr MMSE yn dal i fod tua 14, roedd hi'n ddealladwy y byddem ni wedi tybio mai fel hyn roedd hi. Ond dyma David yn ymgodymu â'i eiriau, ac yn cyfleu hunanymwybyddiaeth a meddwl rhesymegol. Cawsom oll ein synnu, oherwydd bod o'n blaen ni ddyn â dementia difrifol yn dweud wrthym ei fod yn deall na allai fynd adref. Gwyddai fod ei deulu'n dioddef, ond yn yr un modd, nid oedd yn dymuno mynd yn ôl i'r cartref gofal a oedd wedi gwneud ei fywyd yn annioddefol rai wythnosau ynghynt. Byddai rhywle arall, lle arall, yn gwneud y tro. Oherwydd bod ganddo olion cof o hyd, elfen o ddealltwriaeth a rhithyn o resymeg, roedd yn gallu dal ati i fod yn ddyn a oedd yn ein helpu ni i ddod i'r penderfyniad cywir.

Wrth i'r cyfarfod fynd rhagddo a'r munudau'n pasio, cynyddodd anghysur David yn fawr. Roedd y niferoedd yn yr ystafell, y cwestiynau, y drafodaeth, oll yn ormod iddo. Cyn bo hir, roedd yn ddigon bodlon gadael yr ystafell a mynd i eistedd yn y lolfa gyfagos. Pan ddaeth y nyrs a oedd wedi'i hebrwng yn ei hôl i'r cyfarfod, dywedodd wrthym fod David wedi bod yn ailadrodd dan ei anadl, wrth gerdded ar hyd y coridor, 'Gwybod gallen i wneud. Gwybod gallen i wneud.' Hyd yn oed ac yntau ar fin cychwyn ar gam nesaf ei daith, a'i ddirywiad yn fwy nag erioed, nid oedd yn mynd i siomi ei ferch fach.

Y tro hwn, ni fyddem yn gorfod penderfynu ar frys. Roedd David wedi dweud wrthym beth roedd yn fodlon ei dderbyn ac ni fyddai neb yn ei siomi eto. Gwnaed darpariaeth arbennig iddo a chafodd aros ar y ward am ymron i naw wythnos nes iddo gael lle mewn cartref nyrsio ag enw da iawn am ofal ystyrlon a sensitif. Roedd y gofal hwn wedi'i ymgorffori mewn rheolwr tosturiol a'i frwdfrydedd yn tywynnu ohono'n ddisglair. Yn y cartref, estynnwyd croeso mawr iawn i Amanda a'r plant ac yn ystod eu hymweliadau rheolaidd, adferwyd eu bywyd teuluol. A dyma sut y bu gweddill bywyd David. Hyd y dydd heddiw, rwy'n sicr bod geiriau David yn yr adolygiad achos wedi dwysáu'r cariad a deimlai Amanda at ei gŵr. Wrth i'r blynyddoedd fynd heibio a'r plant yn deall yn well beth ddigwyddodd i'w tad, rwy'n gredinïol bod eu cariad at eu tad wedi dwysáu hefyd. Pe bai David yn gwybod, byddai'r tad ymroddedig hwn wedi bod wrth ei fodd.

17

'Mae'n drueni na allwch chi fod yma'n amlach'

Roedd Peter yn byw mewn cartref nyrsio ac roedd yr un mor dreisgar ag yr oedd y diwrnod cyntaf y cyrhaeddodd yno. A hithau wedi bod yn briod ag ef am 18 mlynedd, y trais oedd y rheswm na allai Mary ymdopi mwyach. 'Rwy'n gwybod 'mod i wedi'i siomi, ond allwn i byth ddal ati.' Roedd hi wedi derbyn ei feddwl ffwndrus, yr ailadrodd cwestiynau a'r ffaith na ellid mo'i adael ar ei ben ei hun, ond mater arall oedd yr ymosodiadau diatal. Ar y diwrnod y daeth ei wraig ag ef i'r cartref gofal, dangosodd i'r nyrsys y cleisiau ar ei breichiau a'i hysgwyddau. Dywedodd Mary wrthyn nhw iddi weiddi arno dro ar ôl tro, 'Rwyt ti'n fy mrifo i. Rho'r gorau iddi, plis.' Ond ni fyddai byth yn gwneud. Nid oedd gweld ei wraig mewn poen hyd yn oed yn gallu rhoi terfyn ar y trais. Byddai'n plygu ei bysedd am yn ôl, yn ei phwnio, ei phinsio ac yn tynnu'i gwallt. 'Wyddoch chi, roedd ambell dro pan allwn i weld yn ei lygaid ei fod ef eisiau fy mrifo.'

Roedd hi'n bosibl rhagweld trais Peter erioed ac felly roedd hi yn y cartref nyrsio hefyd. Byddai'n troi tu min ar bobl yn ystod unrhyw fath o ofal personol. Byddai ymolchi, cael bath, gwisgo, dadwisgo a'i helpu yn y tŷ bach yn denu'i lid bob tro, a natur anochel hyn oedd wedi'i gwneud hi'n anodd i Mary ofalu am ei gŵr. Byddai hi'n gwybod bob amser beth oedd o'i blaen ac oni bai ei bod hi'n esgeuluso'i gŵr, gwyddai'n llythrennol mor boenus y byddai'r dydd. Nawr, roedd yr un rhagargoel yn cydio yn llawer o'r nyrsys oedd yn gofalu amdano.

Nid oedd modd rhesymu gyda Peter. Roedd Carol, yr uwch-nyrs, ac un o'r nyrsys mwyaf ymroddedig a chreadigol y bu i mi erioed weithio gyda hi, wedi cydnabod o'i hanfodd mai'r unig ffordd o ddofi Peter fyddai defnyddio cyffur tawelu cryf iawn, quetiapine. Yn anffodus, roedd wedi ymateb yn ddrwg i'r feddyginiaeth a bu'n rhaid peidio â'i rhoi iddo. Unwaith yn rhagor byddai'n rhaid i'r nyrsys wynebu rhyferthwy tymer Peter.

Pam oedd y cyn-gyfreithiwr llwyddiannus hwn, na feddai ar ronyn o falais yn ôl ei wraig, yn ymddwyn mor dreisgar pan oedd galw am roi gofal personol iddo? Wrth i mi ddod i adnabod y ddau, dysgais fod Peter, dyn golygus ac urddasol, yn un cystadleuol erioed ym mhopeth a wnâi ond ar yr un pryd (ac ychydig yn baradocsaidd) roedd hefyd yn un tawel a mwyn. Roedd hi'n debyg bod hwn yn ddyn haearnaidd o benderfynol i'r bôn. Byddai hyn yn syndod i lawer, oherwydd yr hyn y bydden nhw wedi'i weld, heb os, fyddai'r 'faneg felfed' ddeniadol a choeth.

Cyfaddefodd Mary fod llawer o hanes ei gŵr yn anhysbys iddi. Dyma ail briodas y ddau ohonyn nhw. Roedden nhw wedi cwrdd mewn parti, ar ôl i ffrind i'r ddau ohonyn nhw eu cyflwyno i'w gilydd. Wyth mis yn ddiweddarach, priodon nhw. Roedd y ddau yn eu pedwardegau hwyr. Dysgodd Mary yn o fuan y byddai'n rhaid iddi addasu i ffyrdd Peter o wneud pethau. Dywedodd wrthyf ei fod yn ddyn eithriadol o breifat a bod agosatrwydd yn ei wneud yn anghyfforddus iawn. Datgelodd Mary nad oedd hi erioed wedi'i weld heb ei ddillad ac mai yn y tywyllwch y bydden nhw'n caru bob tro. Roedd Peter wrth ei fodd gyda chwaraeon a chwaraeai gryn dipyn o dennis a chriced, ond ni fyddai byth yn mynd i'r gawod gyda phawb arall. Byddai'n aros nes iddo ddod adref bob tro. Rwy'n amau a holodd unrhyw un erioed pam, oherwydd nid oedd Peter yn un y byddech chi'n ei holi. Byddai ei ymarweddiad cyfareddol, bonheddig, wedi sicrhau bod pawb yn ei dderbyn am yr hyn ydoedd.

Roedd Mary yn ymwybodol y byddai Peter bob amser, petai rhywun yn sôn am ei blentyndod, yn dweud ei bod yn rhaid iddo fod yn rhywle arall neu byddai'n diflannu'n ddywedwst y tu ôl i bapur newydd. Yn ystod eu blynyddoedd cynnar gyda'i gilydd, roedd hi wedi gofyn iddo sawl tro pam roedd agosatrwydd mor anodd iddo. Roedd ei anghysur mor amlwg, byddai pob sgwrs yn mynd yn ddim yn y pen draw ac ni fyddai hithau ddim callach.

Un tro, edrychai'n debyg bod Peter am agor ei galon ac am ychydig eiliadau roedd fel pe bai'n fwy diamddiffyn nag arfer. Ni allai fod yn sicr, ond o'r diwrnod hwnnw, cred daer Mary oedd bod rhywbeth wedi digwydd iddo pan aeth yn faciwî yn ystod yr Ail Ryfel Byd. Y tebygrwydd oedd ei fod wedi'i gam-drin. Ni allai Mary ond dyfalu, ond roedd yn ddigon iddi deimlo nad oedd angen iddi byth ofyn eto.

Pe bai rhywun wedi cam-drin Peter pan oedd yn blentyn, dyma esbonio'i amharodrwydd i ddangos ei gorff i eraill, yr osgoi agosatrwydd corfforol, a nawr, â dementia arno, ei wrthwynebiad i gael gofal personol. Yn rhyfedd ddigon, er ei fod yn dal i wrthwynebu'n ffyrnig unrhyw ofal a roddai'r nyrsys iddo, nid felly roedd hi gyda Mary mwyach. Os oedd Mary yn bresennol, byddai Peter i'w weld yn tawelu a byddai'n llawer mwy tebygol hefyd o adael iddi hi wneud pethau nad oedd e'n fodlon i'r nyrsys eu gwneud. A hynny er mai'r rheswm y daeth i'r cartref gofal yn y lle cyntaf oedd iddo wrthod gofal Mary mewn ffordd dreisgar. Ni lwyddom ni erioed i ddeall pam roedd Peter yn fwy parod i dderbyn cymorth Mary nawr – ond roeddem ni'n ddiolchgar ei fod ef felly. Yn anffodus, un diwrnod ar ôl i Peter dawelu unwaith eto wrth i Mary gyrraedd, dywedodd nyrs yn llawn bwriadau da wrthi, 'Mae'n drueni na allwch chi fod yma'n amlach'. Oedd, roedd ei phresenoldeb hi'n gwneud gwyrthiau, ond nid dyma'r sylw mwyaf ystyriol.

Credai Mary fod geiriau'r nyrs yn ei beirniadu. Siaradodd â Carol, yr uwch-nyrs, ac esbonio na allai hi ymweld yn amlach. Roedd hi eisoes yn dod dair neu bedair gwaith yr wythnos. Roedd ganddi swydd ran-amser erbyn hyn ac roedd yn gofalu hefyd am ddau blentyn ei merch bob dydd ar ôl ysgol. Roedd hi'n amhosibl iddi wneud mwy. Rhoddodd Carol sicrwydd i Mary nad oedd y nyrs wedi bwriadu ei beirniadu o gwbl. Yn wir, dylid ystyried yr hyn a ddywedodd y nyrs yn ganmoliaeth.

Pan glywais i am yr hyn a oedd wedi digwydd, dechreuodd hedyn o syniad dyfu yn fy meddwl. Roedd ymweliadau Mary nid yn unig o fudd mawr i'r staff oedd o dan bwysau, ond yn bwysicach, roedden nhw'n helpu Peter. Nid oes neb yn dymuno cael eu curo, ond nid oedd neb chwaith yn dymuno gweld Peter wedi'i gynhyrfu a'i ddigio i'r fath raddau fel ei fod yn troi at drais. O'r hyn a welem, roedd hi'n eithaf tebygol y byddai cael Mary o gwmpas y lle'n amlach yn cysuro'i gŵr.

Er bod hyn yn anymarferol, a fyddai'n bosibl esgus ei bod hi yno?'

Disgrifiwyd therapi presenoldeb efelychiadol (*simulated presence therapy*) am y tro cyntaf mewn papur gan Woods ac Ashley. Soniwyd ynddo sut mae chware tâp sain o lais gŵr neu wraig yn efelychu ei bresenoldeb neu ei phresenoldeb, a thrwy wneud i'r person deimlo'n fwy diogel, mae'n tawelu ac yn cysuro. Fe all hyd yn oed leihau trais a chynnwrf mewn dementia. Yn yr ychydig astudiaethau a gyhoeddwyd, roedd hi'n glir nad yw therapi presenoldeb efelychiadol yn gweithio i bawb – ond tybed a allai helpu Peter?

Cefais gyfarfod â Mary a dywedais wrthi unwaith eto mai canmoliaeth oedd wrth wraidd sylw'r nyrs. Lletchwith, oedd, ond canmoliaeth yn ddi-os ac mewn sawl ffordd roedd y nyrs yn llygad ei lle. Roedd Peter yn dawelach ac yn hapusach yn ystod ymweliadau Mary. Yn ei thro, pwysleisiodd Mary eto ei bod hi'n amhosibl iddi ymweld yn amlach. Wrth iddi ddechrau dweud y byddai'n ceisio aros am ragor o amser pan fyddai hi'n ymweld, fe wnes ei hatal a dweud, 'Beth pe baem ni'n esgus eich bod chi yma?'

'Beth, fel cael llun mawr ohonof i ar gardbord yn sefyll yn y cornel?'

'Wel, yn rhyfedd ddigon, dydy'r hyn rydw i ar fin ei awgrymu ddim mor bell â hynny o'r syniad hwnnw.'

Ac felly y dechreuodd ein prosiect therapi presenoldeb efelychiadol. Gofynnais i Mary a fyddai modd iddi hi ddewis dau neu dri ffotograff ohoni hi a Peter – os nad oedd ots ganddi am yr her i'w balchder, roedd lluniau hŷn yn well. Byddem ni'n eu chwyddo i faint poster. Dyna oedd y rhan hawdd. Yna roedd yn rhaid i ni oresgyn ei swildod. Oherwydd pan ofynnais iddi a fyddai hi'n gallu recordio tâp sain i ni, gwrthododd. Dywedodd y byddai'n teimlo'n rhy hunanymwybodol. Esboniais nad monolog oedd ei angen arnom, ond y byddai'n dda pe gallai hi eistedd yn dawel am chwarter awr, ymlacio a gadael i'r tâp redeg. Pan fyddai pethau'n teimlo'n iawn iddi, gallai ddechrau hel atgofion am yr amserau da roedd hi a Peter wedi'u rhannu, yr achlysuron arbennig, hyd yn oed y troeon trwstan, doniol. Dywedais wrthi pe bai modd iddi hi wneud, y byddai o fudd mawr pe gallai hi blethu drwy'r hel atgofion ddatganiadau fel 'fe fydda i'n dod i dy weld di'n fuan', neu 'gad i'r nyrsys dy helpu di'. Wrth i ni siarad, daeth cysgod o dristwch dros ei hwyneb. 'Mae arna i gymaint i Peter. Mae'r hyn sydd wedi digwydd iddo'n ofnadwy,' meddai mewn llais fflat a phrudd. 'Rhown ni gynnig arni.'

Gwnaeth Mary bopeth a ofynnwyd gennym. Cawsom dri ffotograff i'w harddangos, un o ddydd eu priodas, un o Mary yn edrych yn ysblennydd yn rasys ceffylau Ascot, ac un o'r ddau ohonyn nhw yn eistedd yn eu gardd o dan y wisteria. Roedd y tâp yn dyst i'w priodas gariadus ac yn deimladwy iawn.

Roedd trais Peter yn benodol gysylltiedig â'i ofal personol a gellid ei ragweld bob amser. O hyn ymlaen, pryd bynnag y byddai staff yn paratoi Peter ar gyfer y dydd neu'n ei helpu i fynd i'r gwely gyda'r nos, byddai'r posteri'n cael eu harddangos yn ei ystafell. Cyn ceisio mynd i'r afael ag unrhyw dasg ofal, byddai'r nyrsys yn dweud wrth Peter bod Mary wedi anfon neges, a'u bod nhw'n mynd i'w chwarae iddo. Roedd hi'n anodd gwybod faint roedd Peter yn ei ddeall, ond nid oeddem am gael llais di-gorff yn ymddangos yn yr ystafell. Gallai hyn fod wedi'i aflonyddu ac achosi iddo fod hyd yn oed yn fwy treisgar. Byddai nyrs yn dechrau chwarae'r tâp a thrwy gydol yr amser y bydden nhw'n ei dreulio gyda Peter, bydden nhw'n cyfeirio at yr hyn roedd Mary yn ei ddweud ac yn siarad ag ef am Mary, gan ddefnyddio'r ffotograffau i'w atgoffa ac i fachu sgwrs arnyn nhw.

Cafodd y therapi presenoldeb efelychiadol effaith ar unwaith. Er gwaethaf natur bersonol iawn y tasgau gofal oedd yn digwydd iddo, roedd Peter yn amlwg yn fwy llonydd. Nid oedd byth yn hollol gyfforddus, ond roedd yn llai aflonydd, yn fwy parod i gydweithredu, ac ambell dro, byddai hyd yn oed yn gwenu. Wrth i'r wythnosau a'r misoedd fynd heibio, nid oedd unrhyw amheuaeth bod y therapi'n gweithio. Weithiau, y tâp fyddai'n cael y lle blaenaf, dro arall byddai'r nyrsys yn siarad mwy. Ar hyd yr amser, y nod oedd cyflwyno a chynnal ymdeimlad bod Mary yn yr ystafell. Ambell waith byddai Peter yn gwylltio ond gwelwyd lleihad dramatig yn yr achosion o drais.

Beth oedd y cynhwysion therapiwtig? Dydw i ddim yn credu bod Peter yn deall fawr ddim a ddywedwyd wrtho, felly mae'n amheus gen i ai atgofion Mary oedd yn ei dawelu, ond rhaid bod clywed llais Mary, ynghyd â gweld ffotograffau cyfarwydd ac annwyl wedi cyfleu rhyw ymdeimlad o'i phresenoldeb. Dyna yw bwriad therapi presenoldeb efelychiadol, ond tybed a oedd y nyrsys yn siarad â Peter yn dwyn ei sylw ac nad oedd angen efelychu presenoldeb Mary er mwyn iddo weithio? Tybed a oedd clywed llais cyfarwydd Mary yn ei gysuro, ac felly y byddai unrhyw synau naturiol neu gerddoriaeth dawel wedi gweithio cystal? Ni allwn wybod, oherwydd nid astudiaeth wyddonol a gynlluniwyd i brofi effeithiau ymyriad therapiwtig oedd hyn.

Fe all efelychu, tynnu sylw neu ymlacio oll chwarae rhan ac mae'n werth meddwl am y cwestiwn, oherwydd os ydym ni'n gwybod beth sy'n helpu, byddwn yn fwy abl i allu osgoi defnyddio cyffuriau tawelu pan fydd pobl yn aflonydd neu wedi'u cynhyrfu. Ond am y tro, digon yw dweud bod therapi presenoldeb efelychiadol wedi dod â chysur i Peter, dyn cythryblus iawn, ac i'r nyrsys a oedd yn cael anhawster mawr i ddiwallu'i anghenion. Roedd Mary wrth ei bodd, nid yn unig o wybod bod trais Peter dan reolaeth bellach, ond hefyd oherwydd ei fod wedi adfer rhyw wedd ar urddas. Rwyf innau'n credu hefyd bod ein llwyddiant wedi'i hysgogi hi i geisio darganfod a oedd sail i'w hamheuon.

Un diwrnod, cafodd Carol alwad ffôn gan un o gefndryd Peter. Roedd Mary wedi chwilio amdano ac roedd yntau wedi cadarnhau ei hamheuon. Adroddwyd stori wrth Carol nad oedd neb wedi sôn amdani ers dros 60 mlynedd. Roedd Peter a'i gefnder yn faciwîs gyda'i gilydd – dau fachgen ifanc o'r ddinas yng nghefn gwlad ac yn byw mewn dwy fferm gyfagos. Bob wythnos, bydden nhw'n cyfarfod â'i gilydd yn y farchnad leol, a byddai Peter yn adrodd ei hanesion. Byddai'n sôn am bobl yn ei geryddu, yn gweiddi arno ac yn ei gosbi am y camgymeriadau neu'r troseddau lleiaf. Weithiau byddai'n sôn am gael ei guro. Un tro dywedodd eu bod nhw, sef y ffermwr a'i frawd, yn ei orfodi i wneud pethau nad oedd yn dymuno'u gwneud. Nid oedd yn fodlon dweud mwy, oherwydd eu bod nhw wedi dweud wrtho am beidio. Roedd y ddau blentyn ansicr ac unig hyn a oedd mor bell o gartref yn ufuddhau i oedolion, hyd yn oed pan oedd yr hyn a oedd yn digwydd yn teimlo'n ddrwg iawn. Am bron flwyddyn, bu Peter yn byw ar y fferm ac ni allwn ond dychmygu'r hyn y bu'n rhaid iddo'i ddioddef. Beth bynnag ydoedd, gadawodd greithiau arno a barodd weddill ei fywyd.

Roedd therapi presenoldeb efelychiadol yn gweithio'n dda. Roedd llawer o'r nyrsys yn sôn yn agored am roi cynnig ar wneud rhywbeth tebyg gyda phreswylwyr eraill, nad oedden nhw o reidrwydd yn dreisgar, ond a oedd yn orbryderus ac anhapus. Tybed allen nhw ddefnyddio ffilm neu fideos teuluol, nid dim ond i dynnu sylw pobl, ond i'w cysuro a'u helpu i deimlo'n fwy diogel? Roedden nhw'n eu gweld eu hunain yn weithwyr gofal ac yn weithwyr therapiwtig. Cytunodd Carol i gael golwg ar y cynlluniau gofal i weld a allai gwaith presenoldeb efelychiadol helpu preswylwyr eraill. Ond oherwydd ei bod hi bellach yn gwybod bod Peter wedi'i gam-drin pan oedd yn blentyn, roedd hi am wneud un peth arall drosto. Roedd yntau'n fwyaf tebygol o ddechrau gwylltio wrth ei olchi'n noeth neu pan oedd y nyrsys yn ei ddadwisgo. Roedd hi'n amlwg mai trawma roedd yn dymuno'i osgoi oedd cael ei weld yn noethlymun. Meddyliodd Carol am y golygfeydd hynny o'r oes o'r blaen pan fyddai pobl yn mynd i ymdrochi, a chafodd syniad. Cymerodd gynfas gwely, torrodd dwll ynddi ar gyfer pen Peter, dwy hollt yn yr ochrau i adael i'w freichiau symud, a dau bâr o holltau cyfochrog yn y blaen a'r cefn. Drwy'r rhain, byddai'r nyrsys yn gallu golchi ei gorff heb iddo orfod sefyll yn noeth o'u blaenau.

Ac yntau'n gwisgo'r 'lliain diweirdeb' hwn, gallen nhw hefyd roi rhywfaint o ddillad amdano. Ar ôl iddo wisgo'i ddillad isaf a'i drowsus, gellid tynnu'r gynfas i ffwrdd a chadw'i urddas. Dyma'r weithred therapiwtig olaf a ddangosodd nad oedd mynd â Peter i'r cartref nyrsio'n fethiant, fel y soniodd Mary.

Mae mwy nag un o bob tri o bobl sydd â dementia yn byw

mewn cartrefi gofal, nid oherwydd bod eu teuluoedd wedi diffygio ond oherwydd bod eu hanghenion mor gymhleth ac eang. Dim ond gofalwyr medrus sy'n gallu rhoi'r cymorth sydd ei angen arnyn nhw ar adegau a all fod yn aml ac yn anodd eu rhagweld. Ni ellir disgwyl i bartner gofalgar, sy'n gwneud ei orau glas yn ei gartref ei hun, wneud popeth sy'n ofynnol wrth i ddementia ddatblygu yn ei gymar. Mae hi hefyd yn afresymol bod eraill yn gwneud i ofalwyr o fewn teuluoedd gredu mai dyma sut y dylai fod. Fel y gallech amau, mae Carol yn cytuno, ond lawn cyn bwysiced, mae Mary yn cytuno – a phe bai Peter yn gallu siarad â ni, rwy'n hollol ffyddiog y byddai yntau'n cytuno yn ogystal.

18

Nid Newyddion Naw

'Wnei di byth ddyfalu beth sy'n digwydd yma,' ebychodd Mike. 'Mae gen i gleient sy'n sefyll ar ben y toiled, ac mae e'n ceisio dringo allan drwy'r ffenestr. Wyt ti'n meddwl y gallet ti ffonio'n ôl?' A dyna sut y deuthum yn rhan o fywyd Mr a Mrs N.

Roedd dementia Mr N wedi datblygu'n ddisylw dros nifer o flynyddoedd. Roedd ei wraig, menyw lon a bywiog yn ei 70au hwyr, wedi gofalu'n ddi-gŵyn am ei gŵr, hyd nes iddo ddechrau ei dilyn hi o gwmpas neu, os oedd heb ei gweld yn gadael yr ystafell, fynd i chwilio amdani. Mae gorbryder gwahanu yn un o'r rhesymau mwyaf cyffredin dros grwydro. Roedd Mrs N yn ffynhonnell cysur i'w gŵr. Dim ond iddi fod yno, roedd hi'n creu ymdeimlad bod popeth yn iawn yn y byd a oedd, iddo ef, yn troi'n lle mwyfwy anesboniadwy.

'Dydw i ddim yn deall pam mae'n methu rhoi llonydd i mi. Fy nilyn i drwy'r amser, yn syllu arna i. Mae'n amhosibl. Dydw i ddim hyd yn oed yn gallu mynd i'r gegin heb iddo gerdded y tu ôl i mi. Dwi'n dweud wrtho am eistedd, ac mae'n sefyll yno fel lembo. Mae dementia arno ers talwm iawn, ond doedd o ddim yn arfer bod fel hyn. Byddai'n eistedd yn ei gadair am oriau lawer, yn ei fyd bach ei hun. Alla i ddim coelio 'mod i'n arfer cwyno nad oedd o'n gwneud dim byd. Fe fyddwn i'n eistedd yn yr un ystafell ag o, a… dim byd. O, am ychydig o lonydd rŵan. Dydw i ddim yn deall pam y mae o wedi newid gymaint. Ydych chi'n deall?'

Ro'n i'n syn. Roedd hi fel petai neb wedi esbonio i Mrs N sut y gallai dementia'i gŵr ddatblygu. Nid yn unig sut y byddai, ryw ddiwrnod, yn hollol ddibynnol arni ond hefyd sut y gallai yntau ddod i delerau â'i ddementia'i hun.

Pan fydd clefyd Alzheimer yn dechrau, un broblem sydd gan bobl yw storio manylion bywyd. Dyma pam y dangosir lluniau neu eiriau iddyn nhw eu cofio yn ystod asesiad. Funudau'n ddiweddarach, efallai y byddan nhw'n cofio rhai, ond y mae'r lleill yn angof. Weithiau bydd rhywun yn methu cofio'r un, ond mae'n gwybod beth oedd y dasg a oedd yn ddisgwyliedig ganddo. Y manylion sy'n peri anhawster. Mewn bywyd bob dydd, byddai'n anghofio'r hyn roedd wedi bwriadu'i wneud neu ble roedd wedi gadael rhywbeth. Gallai'r rhain fod yn arwyddion cynnar a ddangosai efallai fod rhywbeth o'i le.

Ddeunaw mis yn ddiweddarach, efallai y bydd yn cael cais i wneud yr un profion asesu. Ar ôl cael geiriau neu luniau i'w cofio, a chael ei holi yn eu cylch, yr ateb, bron yn ddieithriad yw 'Pa luniau? Rydych chi heb ddangos unrhyw luniau i mi.' Erbyn hyn, mae'r person yn methu storio profiad cyfan, nid dim ond manylion profiad. I hwnnw, ni fu'r digwyddiad erioed.

Mae'r cynnydd hwn mewn anghofrwydd yn esbonio'r newid yn ymddygiad Mr N roedd ei wraig yn cael cymaint o anhawster ei ddeall. Yn y dechrau, byddai ei wraig wedi dweud wrth ei gŵr, 'Dwi'n mynd i'r llofft i gyweirio'r gwely. Fe fydda i'n ôl ymhen ychydig funudau,' ac i ffwrdd â hi, gan adael i Mr N eistedd yn ddibryder yn y lolfa. Wrth i'r munudau fynd heibio, pe baem ni'n bry ar y wal, efallai y byddai Mr N yn ymddangos mewn ychydig o benbleth. 'Beth ddywedodd hi roedd hi'n mynd i'w wneud? Ble ddywedodd hi roedd hi'n mynd? Pryd ddywedodd hi y byddai hi'n dod yn ôl?' Wrth iddo eistedd yn ei gadair ac ystyried y manylion, mae ei allu i gofio bod ei wraig wedi dweud ei bod hi'n gwneud rhywbeth gerllaw ac yn fwyaf cysurlon, ei bod hi wedi dweud y byddai'n dychwelyd, yn ei gysuro yn ei benbleth. Yr unig beth nad yw'n gallu ei gofio yw'r 'beth a'r pryd'. Ar yr eiliad honno, mae'i wraig yn dod yn ôl i'r lolfa ac i Mr N mae popeth yn iawn yn ei fyd unwaith eto. I Mrs N, mae hi newydd dreulio'r chwarter awr olaf yn ddibryder, gan fwrw ymlaen â'i gorchwylion.

Ddeunaw mis yn ddiweddarach, wrth i ni ddychwelyd i'r tŷ, dyma fynd i fyd llawer mwy gofidus a thywyll. Unwaith eto, mae Mrs N yn dweud, 'Dwi'n mynd i'r llofft i gyweirio'r gwely. Fe fydda i'n ôl ymhen ychydig funudau,' ac i ffwrdd â hi. Ond wrth i ni barhau i wylio Mr N, mae pethau'n dechrau teimlo'n wahanol iawn. Nid yw fel petai mewn penbleth ac yn meddwl. Wrth i'r eiliadau fynd heibio, mae'n ymddangos yn ffwndrus ac yn gynyddol aflonydd. Mae'r fenyw y mae arno angen ei gweld er mwyn teimlo'n ddiogel wedi diflannu, fe ymddengys. Mae ei gof wedi dirywio. Bellach nid dim ond manylion yr hyn sy'n digwydd mae'n methu eu cofio: mae'n anghofio profiadau cyfan erbyn hyn. Nawr, ni fu unrhyw eiriau cysurlon; ni fu'r digwyddiad erioed. Nid yw'n cofio i ble roedd hi wedi mynd, beth roedd hi'n ei wneud, ers faint y bu hi oddi yma, a'r hyn sy'n peri fwyaf o ofid, pryd y bydd hi'n dychwelyd neu a fydd hi'n dychwelyd. I Mr N, mae ei wraig yn absennol, a dyna ni. Ni ddaw meddwl rhesymegol i'w achub, oherwydd nid yw gallu Mr N i resymu, ynghyd â sawl maes gwybyddol arall, fel y bu.

Pe baem ni mewn sefyllfa debyg ac anwylyn i ni fel pe bai wedi diflannu, beth fyddem ni'n ei wneud? Does gen i fawr o amheuaeth y byddem ni'n mynd i chwilio amdano. Pe baem ni'n dymuno peidio â theimlo ein bod wedi ein gadael yn y lle cyntaf, byddem ni'n ei ddilyn o gwmpas ble bynnag yr âi. A dyna'n union y mae Mr N yn ei wneud. Mae'n glynu ac yn chwilio. Mae'n glynu wrth ei wraig, nid oherwydd ei fod yn gwybod ei fod yn anghofio, oherwydd nid yw hynny ynddo'i hunan yn fwy nag argraff a gaiff dros eiliadau'n unig. Yn hytrach, yn ei fyd llawn o amheuon dwys, mae teimladau gorbryderus gerllaw drwy'r amser ac mae ei angen am gysur yn galw'n gyson. Mae'n dilyn ei wraig ac yn chwilio amdani nid oherwydd ei bod hi'n rhywun sydd wrth law, ond oherwydd nad yw hi'n hawdd dileu atgofion emosiynol. O ganlyniad, mae degawdau o ymddiried, caru a hoffi'n parhau'n annileadwy yn ei ymennydd, i sicrhau bod Mr N, fel yr ysgrifennodd Oliver Sacks, 'a'i phresenoldeb yn angor, ar goll hebddi'.

Mae'r hyn sy'n ateb problem Mr N yn mygu'i wraig. Nid yw hi'n cael lle nac amser iddi hi'i hun. Rhaid iddi fod yn effro bob amser rhag iddo sleifio allan wrth geisio chwilio amdani ac un bore, dyma a wnaeth. Pe bai ef wedi mynd i'r llofft, byddai wedi dod o hyd iddi. Ond yn hytrach, cerddodd ar hyd y cyntedd, allan drwy ddrws y ffrynt ac i lawr llwybr yr ardd.

Gofynnwyd i mi sawl tro pam nad yw person yn aros yn stond mewn achosion fel hyn, ar ôl anghofio pam mae ar fynd. Fel y gwyddom, mae pobl â dementia'n anghofio o fewn munudau, os nad eiliadau, yr hyn y maen nhw'n ei feddwl, nid dim ond yr hyn y maen nhw'n ei glywed a'i weld. Felly oni fyddai Mr N yn anghofio ei fod yn chwilio am ei wraig ac yn sefyll yn stond?

Wel, mae'n anghofio'i feddyliau, yn fwyaf tebygol, ond rhaid i ni gofio'r hyn a'i hysgogodd i fynd i chwilio am ei wraig yn y lle cyntaf – gorbryder gwahanu. Er bod y rhan o orbryder sy'n ymwneud â'r meddwl – pryder, rhagargoel, ofn – yn gallu pylu, rhaid hefyd ystyried y symptomau ffisiolegol – y stumog yn troi, curiad y galon yn cyflymu, teimlo pwys, crynu a'r croen yn chwyslyd – ac mae'r rhain yn debygol o bara'n hwy. Yn wir, mae'n debygol mewn dementia bod arwyddion ffisiolegol gorbryder yn para'n hwy bob amser na chofio pam roedd yr unigolyn yn teimlo'n bryderus yn y lle cyntaf.

Felly mewn lolfa mewn cartref gofal, os oes un preswylydd yn taro un arall, bydd yr ymateb ffisiolegol yn para ymhell ar ôl i'r cof am gael ei daro bylu. O ganlyniad bydd y preswylydd yn eistedd yno, wedi'i gyffroi ac yn bryderus, er nad yw'n gwybod pam y byddai'n teimlo felly. I Mr N, wrth gerdded i lawr llwybr ei ardd, er nad yw'n cofio erbyn hyn pam y mae'n gadael ei dŷ, mae'n dal i fod yn orbryderus ac mae'r ysgogiad greddfol i oroesi'n mynd i lywio'i weithredoedd. Os ydych chi'n symud i un cyfeiriad a'ch calon chi'n curo fel gordd, a'ch stumog yn troi, mae'r reddf i'ch amddiffyn eich hun yn dweud wrthych fod y peth a barodd i chi deimlo felly'n gorfod bod y tu ôl i chi. Dyma pam roedd Mr N yn parhau i gerdded i lawr y stryd a rownd y gornel ac allan o'r golwg, er nad oedd ganddo unrhyw gof o fath yn y byd pam roedd yn gwneud hynny.

Daw Mrs N i lawr y grisiau, mae drws y ffrynt yn agored led y pen ac mae mewn gwewyr. Oes ryfedd ei bod hi'n methu ymdopi? Cyn bo hir, mae hi'n eistedd gyda'i meddyg teulu gan ddweud: 'Rhaid i chi fy helpu. Alla i ddim dal ati. Dydw i byth yn cael seibiant. Os nad yw'n hofran o 'nghwmpas i, yn fy nilyn i bob man, mae'n chwilio amdana i. Weithiau mae angen i mi fynd i'r siop neu i'r swyddfa bost a dydw i ddim am iddo fo ddod gyda mi bob tro. Rhaid i mi gadw llygad arno fo drwy'r amser. Ac mae o'n gallu codi cywilydd arna i. Mae'n gweiddi, weithiau mae'n mynd at bobl ddieithr, ac mae wedi'i wlychu'i hun ddwywaith pan oeddan ni allan yn siopa. Beth ddylwn i'i wneud? Os ydw i'n ei adael gartref, bydd o allan yn y stryd yn chwilio amdana i, a pheidiwch â dweud wrtha i am ei gloi o yn y tŷ. Dyna chi'r tân y tapiau, y ffwrn, y grisiau – pwy a ŵyr beth allai o'i wneud?'

Cytunai'r meddyg â'i phryderon, ond nid oedd yn gallu cynnig gwyrthiau iddi. Roedd hi'n amharod i ragnodi sedatif i Mr N, oherwydd ei bod hi'n meddwl y byddai Mrs N yn methu ymdopi â'i gŵr yn mynd hyd yn oed yn fwy dibynnol arni, dyna'r cwbl. Ond roedd gan y meddyg awgrym: 'Gadewch i mi gael gair â'r gwasanaethau cymdeithasol, rydw i'n siŵr y gallan nhw helpu.' Felly daeth gweithiwr cymdeithasol i mewn i fyd Mr a Mrs N. Gwyddai beth i'w ddisgwyl oherwydd roedd llythyr cyfeirio'r meddyg teulu'n disgrifio sut roedd hi'n amhosibl i Mrs N ddygymod â chrwydro'i gŵr.

Roedd hi'n hawdd cydymdeimlo â Mrs N wrth iddi ddisgrifio'i phryderon a'r straen a wynebai'n feunyddiol. Dyma'r mater i'r gweithiwr cymdeithasol ei ddatrys. Fe wnaeth hyn drwy drefnu i Mr N fynychu canolfan ddydd gyfagos ddwywaith yr wythnos. Ar y naill ddiwrnod, byddai Mrs N yn cael cyfle i wneud ei gorchwylion, ac ar y llall byddai'n rhydd i ymlacio.

Dyma ateb dealladwy, ond rhyfedd, serch hynny. Yr ateb i analluMr N i fod ar wahân i'w wraig, hyd yn oed am ychydig eiliadau, oedd ei wahanu oddi wrthi am oriau bwygilydd a disgwyl iddo ymdopi. I ddeall sut y byddai canlyniadau trychinebus i'r ateb hwn, rhaid i ni ystyried unwaith eto pam y codai Mr N o'i gadair.

Pan fu gan Mr N gof am brofiadau, er na allai gofio manylion ei fywyd mwyach, nid oedd yn glynu wrth ei wraig nac yn chwilio amdani, oherwydd roedd yr hyn a oedd yn weddill o'i allu i gofio'n dal i adael iddo deimlo'n ddiogel yn ei habsenoldeb. Dim ond pan na allai gofio amlinelliad ei fywyd y teimlai angen i gadw'i wraig yn ei olwg – dim ond bryd hynny roedd y teimlad ei fod yn agored i niwed yn ei lethu. Nid dementia oedd wedi peri iddo godi o'i gadair erioed, ond ansicrwydd; oherwydd pan oedd yn teimlo'n ddiogel, byddai'n aros yn ei unfan, a phe bai rhyw adeg yn dod eto yn y dyfodol pan allai deimlo'n ddiogel, byddai'n eistedd yn ei gadair unwaith yn rhagor, heb fynd ar ofyn ei wraig. Er mai crwydro yw'r her, yr esboniad yw ansicrwydd; yr angen y mae angen darparu ar ei gyfer yw peri iddo deimlo'n ddiogel pan nad yw ei wraig o gwmpas. Efallai fod mynd â Mr N i ganolfan ddydd yn ateb gofynion Mrs N i gael seibiant a hoe fach, ond sut allai ateb gofynion Mr N i deimlo'n ddiogel? Dyma pam roedd e'n sefyll ar ben sedd toiled, yn ceisio dianc drwy ffenestr.

Yn ôl Mike, rheolwr y ganolfan ddydd, nid oedd unrhyw fodd y gallai Mr N barhau i fynd yno. Nid oherwydd bod y peryglon yn rhy fawr i'w rheoli, oherwydd nid dyna ffordd Mike. Y rheswm oedd ei bod hi'n amlwg i bawb bod y profiad wedi rhoi braw mawr i Mr N ac mai fel hyn y byddai. Serch hynny, byddai hyn yn golygu rhoi'r baich o ofalu'n ôl i Mrs N, heb unrhyw obaith am seibiant. Roedd pawb ohonom yn gytûn na fyddai Mrs N, wrth iddi fynd yn fwy a mwy lluddedig, yn gallu dal ati. O fewn misoedd, byddai angen mynd â Mr N i gartref gofal ac nid oedd angen bod yn athrylith i ddeall beth fyddai goblygiadau penderfyniad o'r fath i Mr N.

Fe fuom yn trafod gwneud tŷ Mrs N yn fwy diogel, i roi tawelwch meddwl iddi. Gosodwyd torrwr cylched trydan a gysylltwyd â chloch y drws, felly byddai'r gloch yn canu bob tro y byddai drws y ffrynt yn agor. Byddai Mrs N yn gallu clywed ei gŵr yn gadael y tŷ a chyrraedd drws y ffrynt cyn iddo fod wedi crwydro'n rhy bell. Hefyd byddai'r follt a osodwyd ar ochr allan y glwyd yn ei arafu – lleoliad anarferol, annisgwyl, na fyddai Mr N yn gallu cofio amdano.

Er bod y mesurau diogelwch hyn yn rhywfaint o gysur, roedd yn dal i olygu ei bod yn rhaid i Mrs N fod ar ei gwyliadwriaeth bob amser ac roedd ei hamynedd yn dechrau pallu erbyn hyn. Yn fwy arwyddocaol, nid oedd ein hymyriad yn cyffwrdd o gwbl â dau ddyhead arall Mrs N: ei dymuniad i fynd i siopa heb ei gŵr ambell waith, a chael bod yn rhydd o'i bresenoldeb llethol a oedd yn ei mygu drwy'r dydd, bob dydd. I gyflawni hyn, byddai'n rhaid i ni fynd i'r afael ag angen Mr N i deimlo'n ddiogel a chytunodd pawb fod hyn yn uchelgais amhosibl ei chyflawni.

Dywedodd Mrs N wrthyf eu bod yn briod ers 53 o flynyddoedd a'u bod wedi byw bywyd tawel erioed. Roedd ei gŵr wedi bod yn gweithio i'r cyngor, 'rhywbeth i wneud â thenantiaid y cyngor a'u rhent'. Fel sawl dyn o'i genhedlaeth, roedd ei gŵr yn ddyn deallus, ond ni chafodd gyfle, meddai. Roedd ganddo awch am wybodaeth ac roedd yn ddarllenydd brwd. 'Byth nofelau; llyfrau trwm bob amser. Bywgraffiadau, gwleidyddiaeth, hanes – llyfrau felly.'

Dysgais hefyd eu bod yn gaeth i'w harferion fel cwpl, yn

enwedig wrth iddyn nhw heneiddio. Gyda'r hwyr, bydden nhw'n cael eu swper tua hanner awr wedi chwech, yn golchi'r llestri ar unwaith ac yna'n gwylio'r teledu. Am naw o'r gloch, byddai Mr N yn gwylio newyddion y BBC tra oedd Mrs N yn tacluso'r tŷ. Ar ôl cwblhau ei gwaith, byddai Mrs N yn eistedd yn y gegin, yn bodio trwy gylchgrawn ac yn cael diod cyn noswylio – cwpanaid o goco, fel arfer.

'Pam na fyddech chi'n eistedd gyda'ch gŵr ac yn gwylio'r newyddion?' holais.

'Fe oedd yr un deallus,' chwarddodd hi. 'Pan oedd y newyddion ar y teledu, wel, dyna ni. Rwy'n meddwl ei fod yn cofio adeg y rhyfel pan fyddai pawb yn eistedd o gwmpas y radio ac yn gwrando'n astud ar y newyddion. Tawelwch llwyr a chanolbwyntio. Fydde fe ddim wedi bod yn rhy hapus pe bawn i wedi dechrau clebran. Felly byddwn i'n gwneud ychydig o waith cyn mynd i'r gwely.'

'Ond pam aros yn y gegin?'

'Ers i'w chwarren brostad ddechrau peri anhawster iddo fe, dim ond paned o de gyda'i swper fydde fe'n ei gymryd a fydde fe ddim yn cael diod arall wedyn,' esboniodd. 'Doedd e ddim eisiau bod ar ei draed drwy'r nos i fynd i'r tŷ bach. Ro'n i'n teimlo braidd yn euog yn yfed o'i flaen e, felly ar ôl i mi orffen tacluso, fe ddatblygodd yr amser hwnnw'n rhyw adeg fach i mi fy hun. Bydde fe'n gwylio'r newyddion, a minne'n darllen fy nghylchgrawn. Chwarter awr ar ddiwedd y dydd i ymlacio.'

Erbyn hyn roedd hi hyd yn oed yn fwy pwysig iddi gael y cyfnod hwnnw iddi hi'i hun, ac roedd hi'n dal i wneud. Er nad oedd Mr N yn gallu cofio dim o'r hyn a welai ac a glywai, byddai'n dal i wylio'r newyddion yn awchus. Roedd yn dal i geisio cadw rhywfaint o normalrwydd oherwydd dyna'r peth naturiol i'w wneud.

Rhoddodd y sgwrs hon allwedd bosibl i ni ddatrys ansicrwydd enbyd Mr N. Ac yntau wedi colli'i gof, ni allai Mr N gynnal gwir ymdeimlad o fod yn ddiogel, ond o'r hyn a ddysgais, efallai y byddai'n bosibl creu byd ffug normal a thawelwch meddwl. Yn wyneb llawer o ddrwgdybiaeth – 'Nid Newyddion Naw!' – fe es i ati i recordio 11 darllediad o newyddion naw y BBC ar dâp fideo. Mae'r rhain yn dechrau, fel y gŵyr pawb, ag anthem drawiadol a hollol adnabyddus. 11 darllediad gefn wrth gefn, gyda bwlch o dri munud rhwng pob un. Dyna ni – uniongyrchol, person-ganolog, a hawdd ei weithredu – ond a fyddai'n gweithio? Er gwaethaf anghredinedd fy nghyd-weithwyr, roedd Mrs N a minnau'n credu y gallai weithio. Felly aeth y ddau ohonom, gan deimlo fel cynllwynwyr cudd, ati i'w roi ar brawf.

Es i i'w gweld un prynhawn. Agorodd Mrs N ddrws y ffrynt ac fel y disgwyliech, yr eiliad honno ymddangosodd Mr N yn y cyntedd. Ychydig eiliadau oedd wedi bod ers iddi ddianc! Aethom i mewn i'r lolfa a rhoddais y tâp fideo i Mrs N. Ni ddywedwyd gair ac fe eisteddodd y tri ohonom i gael paned gyda'n gilydd. Eisteddai Mr N mewn cadair freichiau, gan syllu arna i â gwên ddymunol ar ei wyneb. Sylwais ei fod yn hollol gwrtais ac yn wir, o rewi amser ar yr eiliad hon, prin y gellid dychmygu'r holl ddigofaint roedd Mr N yn ei achosi.

Ymhen tipyn, fe esgusodais i fy hun ac es allan i'r cyntedd. Rai munudau wedyn, clywais anthem nodweddiadol newyddion y BBC ac ymhen dim roedd Mrs N a minnau'n eistedd wrth fwrdd y gegin, gan ddisgwyl â'n gwynt yn ein dwrn. A oedd Mr N ar fin ymuno â ni? Am 25 munud, arhosodd y ddau ohonom, ac ni chlywyd na siw na miw gan ei gŵr. Aeth Mrs N i mewn i'r lolfa, a dyna ble roedd ei gŵr, a'i holl fryd ar wylio'r newyddion. Nid hynny'n unig, prin y cododd ei lygaid i edrych arni!

A ninnau'n rhyw led hyderus, dyma ddechrau ar yr ail gam. Beth fyddai'n digwydd pan ddôi'r newyddion i ben? Rai dyddiau'n ddiweddarach, dychwelais ac fe aethom drwy'r un broses eto, ond y tro hwn nid aeth Mrs N i mewn i weld beth roedd ei gŵr yn ei wneud. Daeth y rhaglen i ben, ac ymhen munud, clywsom Mr N yn dod allan o'r lolfa. I ble byddai'n mynd? I fyny'r grisiau? At ddrws y ffrynt? A fyddai'n dod i'r gegin? Chawson ni byth wybod oherwydd eiliadau'n ddiweddarach, seiniodd anthem newyddion y BBC eto ac mae'n rhaid ei fod wedi troi ar ei sawdl a dychwelyd i'r lolfa, oherwydd peidiodd â symud. Dim ond am funud neu ddau y llwyddodd Mrs N i ffrwyno'i llawenydd, cyn iddi orfod mynd i'r lolfa i weld beth roedd ei gŵr yn ei wneud. Aethom gyda'n gilydd. Dydw i ddim yn siŵr a oedd e'n dymuno cael ei gofleidio mor dynn. Yn sicr, nid oedd yn disgwyl hyn, ond ni allai Mrs N reoli ei theimladau. Gwelai ei gŵr yn eistedd yn y gadair freichiau, yn gwylio'r newyddion gyda'r un awch ag a ddangosai yn ystod yr hanner awr flaenorol, mae'n rhaid.

Dyma'n union beth roeddwn i wedi gobeithio a fyddai'n digwydd. Oherwydd bod ei allu i gofio wedi'i ddinistrio, ni allai Mr N gofio'i fod wedi gwylio'r newyddion brin funudau ar ôl i'r rhaglen orffen. Felly, pan glywai'r gerddoriaeth agoriadol, yn ôl yr âi i'w gwylio.

Trawsnewidiwyd bywyd Mrs N. Gallai wneud ei gwaith tŷ, garddio, a chael amser iddi hi'i hun gan wybod y byddai Mr N yn ddedwydd o flaen y newyddion. Ac mae hyn yr un mor bwysig. Roedd bywyd Mr N wedi'i drawsnewid hefyd. Roedd yn ddedwydd. Roedd yn mwynhau bywyd unwaith yn rhagor. Prin y deallai ddim o'r hyn roedd yn ei wylio ac ni chofiai ddim ohono, ond nid oedd fawr o ots am hynny. Roedd yr hyn a wnâi mor gyfarwydd iddo, roedd yn teimlo bod bywyd yn iawn eto. Ac yntau wedi ymgolli yn normalrwydd cyffredin ei fywyd, nid oedd pryder gwahanu yn sigo'i fodolaeth. O ganlyniad, nid oedd angen iddo ddilyn ei wraig fel cynffon, ac nid oedd angen mynd i chwilio amdani. Roedd gennym dystiolaeth weladwy o lwyddiant.

Wrth i Mrs N fagu hyder bod yr ymyriad yn gweithio, dechreuodd fynd allan gan wybod y byddai ei gŵr yn dal i eistedd yn ei gadair, wedi ymgolli yn y newyddion, pan ddôi'n ôl. Os cofiaf yn iawn, y cyfnod hiraf y gadawodd hi Mr N – yn anfwriadol, rhaid pwysleisio – oedd pan aeth hi i ymweld â chymydog ar draws y ffordd ac aeth dwy awr heibio ar amrantiad. A hithau wedi'i llethu gan euogrwydd, ffoniodd fi i gyfaddef! Fe'i cysurais hi nad oedd ganddi ddim i deimlo'n euog amdano ac erbyn diwedd ein sgwrs, roedd hi'n cytuno bod ei gweithredoedd yn adlewyrchu gymaint roedd hi wedi ymlacio. Nid arhosodd allan gyhyd byth eto, ond nid oedd hynny o bwys chwaith. A hithau bellach yn teimlo bod ganddi fwy o reolaeth dros ei bywyd a bod ganddi fywyd eto mewn gwirionedd, roedd Mrs N yn dal i ofalu am ei gŵr 18 mis yn ddiweddarach.

Efallai y dywedai rhai fod fy ngwaith gyda Mr N yn seiliedig ar dwyll, ac mae hynny'n wir – ond beth oedd y dewis arall? Cyffuriau tawelu? Ei anfon i gartref nyrsio? Hyd y dydd heddiw, rwy'n grediniol nad rheoli ymddygiad Mr N gyda newyddion naw y BBC yr oeddem – yn hytrach, roedd ei gynllun gofal yn gweddu i'r dim i Mr N. O ganlyniad rhoddodd iddo oriau o fodlonrwydd, hyd yn oed os oedd hwn yn fodlonrwydd a oedd yn seiliedig ar ei analllu i resymu a chofio.

19

'Sut allai wneud hyn i mi?'

Deuthum ar draws Roger bedair gwaith. Y tro cyntaf oedd pan nad oedd neb yn siŵr pam nad oedd ei iselder yn ymateb i driniaeth. Yr ail dro oedd pan oedd ei ymddygiad nid yn unig yn eithafol, ond ambell waith yn hollol od. Yna, flynyddoedd yn ddiweddarach, roedd rheolwr y cartref gofal lle roedd Roger yn byw yn dweud y byddai'n rhaid gofyn iddo adael oni bai ei fod yn newid ei ymddygiad. Y tro olaf oedd pan fynnodd ei wraig drallodus fy mod yn cyfarfod â hi ar fyrder.

Athro oedd Roger, ac ar ôl ymddeol yn gynnar, parhaodd i gadw cysylltiad â'r ysgol drwy drefnu gwyliau antur i fechgyn yn y Chweched Dosbarth a'u goruchwylio. Nofio, dringo, canŵio, ymdeithio, gwersylla, barcuta – byddai Roger yn gwneud hyn oll. Roedd wrth ei fodd yn yr awyr agored, ac er ei fod yn agosáu at ei ben-blwydd yn 60, roedd ymarfer corff yn dal i'w gyffroi. Dyna pam roedd gyda grŵp o fyfyrwyr yn dringo ym mynyddoedd y Pyreneau, pan gwympodd a thorri ei ddwy ffêr.

Ni fu treulio misoedd mewn plastr yn lles i'w dymer. Nid oedd eistedd o gwmpas y tŷ byth yn mynd i fod at ddant Roger, ac nid oedd hi'n syndod mawr i'w wraig ei weld yn mynd yn fwy a mwy pigog. Yr hyn a'i synnodd, serch hynny, oedd nad oedd ei dymer wedi gwella ar ôl tynnu'r plastr. Pan ddywedodd y ffisiotherapydd wrtho fod ei fferau wedi gwella'n dda a'r llawfeddyg orthopedig yn dweud ei fod gystal ag erioed, heblaw am ambell wayw, credai hi mai buan y byddai ei gŵr yn adfer ei hen hwyliau – ond na.

Roedd Roger yn gwadu bod iselder arno, ond roedd hyn yn amlwg i bawb. Efallai fod y gwymp wedi rhoi cnoc i'w hyder a pheri iddo sylweddoli na allai ddal ati i fod yn anturiwr brwd fel y bu. Wrth iddo golli diddordeb fwyfwy yn yr hyn a oedd yn digwydd o'i gwmpas, dywedodd ei wraig wrtho am fynd i weld y meddyg teulu. Rhoddodd hwnnw gwrs o dabledi gwrthiselder iddo, ac yna un arall, ac un arall, nes cyfaddef yn y pen draw bod angen 'dull newydd o fynd ati'. Fi oedd y dull newydd. Roedd llythyr y meddyg teulu'n cynnwys y sylw treiddgar, 'mae rhywbeth rhyfedd ynghylch Roger sy'n peri i mi feddwl bod rhywbeth sinistr yn datblygu. A oes dementia arno yn eich barn chi? A wnewch chi asesu a chynghori, os gwelwch yn dda?' Ac felly bu. Roedd dementia blaenarleisiol ar Roger.

Yn ein cyfarfod cyntaf, yr hyn a'm trawodd oedd ei ddull amhriodol o orgyfeillgar, yn ogystal â'i ymddygiad di-liw a di-hid. Gofynnodd i mi i ba ysgol yr es i, a throsodd a throsodd, 'Ydych chi'n cefnogi Manchester United? Mi rydw i.' Datgelodd yr archwiliad niwroseicolegol gamweithredu goruchwyliol (*executive dysfunction*) amlwg (niwed i'r galluoedd ymenyddol uchaf sy'n galluogi rhywun i fyw bywyd annibynnol ac addas yn gymdeithasol) a diffyg rhuglder geiriol (newidiadau yng nghyflymder a rhuglder rhywun wrth gynhyrchu geiriau). Mae'r ddau beth yn dynodi niwed i'r ymennydd blaenarleisiol.

Roedd y sgan MRI yn dangos crebachu mwy sylweddol yn y llabedau blaen. Nid oedd amseru'r ddamwain yn ddim ond cyd-ddigwyddiad.

Aeth misoedd heibio, ac ni chefais ddim i'w wneud â Roger nes i nyrs seiciatrig gymunedol holi tybed a allwn i gwrdd â gwraig Roger, oherwydd bod ganddi nifer o gwestiynau i'w gofyn am ddementia'i gŵr.

Roedd Helen yn hollol wahanol i'w gŵr. A hithau'n dawel a diantur, roedd hi'n pwysleisio mor allblyg roedd yntau. Tra oedd Roger yn bodloni ei chwant am antur, hi fyddai'n sicrhau bod bywyd y cartref yn llifo'n esmwyth. Yr hyn roedd hi am ei wybod gen i oedd pam roedd Roger yn ceisio'i hypsetio hi'n fwriadol a chodi arswyd arni ambell waith. Roedd wedi taflu ei dillad i'r ardd, ei bygwth â morthwyl ac roedd bob amser yn gecrus. Ond yr hyn a'i blinai fwyaf oedd y cyhuddiadau. 'Mae e'n grediniol 'mod i'n cael carwriaethau, gyda dynion o Blackburn, bob amser. Nid un garwriaeth, ond nifer. Mae'n sôn am y peth yn ddi-baid. Sawl carwriaeth mae'n bosibl i un fenyw ei chael gyda dynion o Blackburn, Swydd Gaerhirfryn?' gofynnodd â gwên gam. 'A pham Blackburn? Dwi erioed wedi bod i'r lle.' Roeddwn i'n methu ateb y cwestiynau hyn, ond roeddwn i'n gallu dweud wrth Helen am y cysylltiad rhwng niwed i'r llabedau blaen ac ymddygiad mympwyol a diatal, diffyg synnwyr cyffredin a nam ar y gallu i resymu, ynghyd â gorbarhad. Roedd hyn oll yn golygu y byddai Roger yn ailadrodd yr un frawddeg, cwestiwn neu weithred dro ar ôl tro, nid oherwydd ei fod yn dymuno gwneud, ond oherwydd nad oedd pob agwedd ar ei ymddygiad o dan ei reolaeth (gweler hefyd stori Sylvia ym Mhennod 13).

Soniodd Helen hefyd fod pobl eraill yn aml yn credu'r hyn

a ddywedai ei gŵr, sefyllfa a oedd yn ei gwylltio ond hefyd yn ei synnu'n fawr ambell waith. Amheuais ein bod ni unwaith yn rhagor yn sôn am ddynion o Blackburn. Esboniais fy mod i'n deall sut y gallai Roger greu argraff gyntaf ddymunol iawn ac o ganlyniad byddai'n eich argyhoeddi pe baech chi yn ei gwmni am gyfnodau byr. Hyd yn hyn, ei ddeallusrwydd uwch a'i sgiliau iaith yn unig oedd wedi'u niweidio. Roedd ei sgiliau gwybyddol a'i sgiliau cymdeithasu hanfodol yn dal i fod yn ddigon da i wneud i sgwrs fer â ffrindiau a chymdogion ymddangos yn normal, i bob pwrpas.

Nid wyf yn siŵr a fu ein cyfarfod o fudd, ond o leiaf roedd yn paratoi Helen am yr hyn a ddatblygodd dros y misoedd nesaf. Gwyddai mai gorbarhad oedd yn gyfrifol pan ddechreuodd Roger ddweud drosodd a throsodd, 'Pa mor galed rwyt ti am i mi dy fwrw di?' Pan ddechreuodd fwyta bwyd amrwd yn unig a threulio oesoedd yn torri ffrwythau a llysiau'n ddarnau pitw bach, gwyddai fod hwn yn achos arall o orbarhau a chnodd ei thafod. Yr hyn a oedd yn ei gwylltio mwy mewn gwirionedd oedd ei bod wedi'i wylio'n ymroi i'r hyn a deimlai fel oriau o ymdrech i baratoi'r bwyd, ond ychydig iawn y byddai'n ei fwyta a byddai'n taflu'r rhan fwyaf ohono i lawr y tŷ bach. A phan gysylltodd y rheolwr banc a'r brocer yswiriant â hi i ddweud bod ei gŵr wedi'u cyfarwyddo i dynnu ei henw hi oddi ar eu cyfrif banc ac yswiriant y car, ni chynhyrfodd; esboniodd natur ei salwch iddyn nhw ac ymddiheurodd ar ei ran.

Roedd yn agos at dair blynedd wedi mynd heibio pan gysylltodd Helen â mi. Roedd Roger wedi bod yn byw mewn cartref preswyl arbenigol ers bron chwe mis erbyn hynny ac roedd pethau wedi mynd o ddrwg i waeth. Roedd hi'n gofyn tybed a fyddwn i gystal â siarad â rheolwr y cartref, a oedd wedi dod i ben ei thennyn.

Dywedodd y rheolwr wrthyf nad oedd hi'n dymuno gofyn i Roger adael, oherwydd ei bod hi'n gwybod bod hyn wedi digwydd o'r blaen, ond roedd ei ymddygiad yn annioddefol, ac roedd dyletswydd arni i ystyried y preswylwyr eraill. O'r eiliad iddo gyrraedd y cartref, prin yr eisteddai'n llonydd a threuliai ei ddyddiau'n cerdded yn ddi-baid o gwmpas yr adeilad. Roedd ganddo lwybr penodol a fyddai'n mynd ag ef o'r naill ddrws i'r llall ac ar ôl tynnu ar ddolen un drws, byddai'n cerdded ymlaen at y nesaf. Nid oedd Roger yn siarad mwyach, ond pe byddech chi'n ceisio tynnu sgwrs ag ef, byddai'n syllu arnoch, a dim mwy. Roedd yr olwg ar ei wyneb yn mynegi ei ddiffyg amynedd, oherwydd yr unig beth y dymunai ef i chi ei wneud oedd camu o'r neilltu er mwyn iddo yntau barhau ar ei daith. Roedd arian ychwanegol wedi'i glustnodi i alluogi i ofalwr fynd gydag ef i'r ganolfan arddio leol ac i'r parc, ond nid oedd hyn yn lleihau dim ar ei angen i gerdded.

Gan fod ystafelloedd cymunedol eang yn y cartref, a choridorau crwm yn ymagor o'ch blaen, nid oedd awydd Roger i gerdded yn broblem. Yn anffodus, pan ddechreuodd gerdded i mewn i ystafelloedd preswylwyr eraill a chymryd eu heiddo oddi yno, dyna ddechrau'r broblem. Tynged yr eiddo fyddai ei daflu i ba dŷ bach bynnag y dôi Roger ar ei draws gyntaf. Roedd yr ymddygiad hwn yn anfaddeuol. Nid oedd neb yn gallu rhesymu gyda Roger, nid oedd yn ymateb i gerydd, ac felly nid oedd modd ei atal. Yn naturiol ddigon, bu dadlau ac ymgodymu ag aelodau teuluoedd preswylwyr. Yn feunyddiol byddai eiddo, rholiau o bapur tŷ bach, llieiniau, llyfrau a chylchgronau'n diflannu i lawr y tŷ bach, neu'n hytrach yn blocio'r toiled gan achosi gorlifo, lloriau llithrig a drewdod. Nid perthnasau'r preswylwyr yn unig oedd wedi'u cythruddo; dadleuodd y dyn cynnal a chadw na fyddai ganddo amser i wneud dim arall heblaw atgyweirio'r toiledau'n ddi-baid, oni bai bod rhywun yn rhwystro gweithgareddau Roger.

Dywedodd Helen wrthyf fod Roger wedi tawelu ar ôl ein cyfarfod blaenorol, hyd nes iddo ddatblygu obsesiwn yn hollol annisgwyl â phost sothach. Dros y misoedd nesaf, daeth pentyrrau o daflenni a chatalogau i'r golwg o gwmpas y tŷ. Pan fyddai allan, byddai Roger yn derbyn popeth a gynigiwyd iddo, yn bapurau newydd rhad ac am ddim a deunyddiau hyrwyddo yn yr archfarchnad, a byddai'n pentyrru'r cyfan yn daclus. Wrth i Helen ddechrau teimlo bod yr holl bentyrrau dirifedi o bapur yn mynd yn fwrn, newidiodd ymddygiad Roger yn llwyr ac o fewn byr o dro, cafodd wared ar yr holl bapur. Pan oedd y fasged sbwriel yn y lolfa a'r bin yn y gegin yn llawn i'r ymylon, taflai bapur allan o'r ffenestr i'r ardd o flaen y tŷ. O hynny ymlaen, ni allai Roger oddef annibendod. Roedd fel pe bai'n methu dioddef unrhyw beth yn tarfu ar drefn hyfryd taclusrwydd. Os nad oedd Helen yn llwyddo i godi'r post cyn ei gŵr yn y bore, i'r bin yr âi. Syniad Roger o helpu i gadw'r siopa oedd ei daflu. Aeth pethau mor ddrwg, petai Helen yn hwylio paned o de iddi'i hun ac yn rhoi'r cwpan i lawr wrth ei hymyl a Roger yn ei weld, byddai'n ei gymryd oddi yno cyn iddi hi allu llyncu'r un gegaid ohono.

Dechreuodd wawrio arni fod cylchgronau ar goll, yn ogystal â'r llyfr coginio roedd hi wedi'i adael yn y gegin, a'r nofel roedd hi wedi'i gadael ar y bwrdd bach wrth ochr y gwely. Y tro nesaf yr aeth hi â'r sbwriel i'r bin olwynion, dyna ble roedd ei phethau. Sylweddolodd nad oedd Roger wedi bod yn llenwi'r biniau oedd yn y tŷ fel yr arferai wneud. Y rheswm am hynny oedd bod y bin olwynion yn ei ddenu nawr, efallai oherwydd bod yr annibendod allan o'i olwg, ac yn bwysicach, allan o'i feddwl a dyma oedd yn rhoi iddo'r rhyddhad a grefai. Un diwrnod, cyfrodd Helen sawl gwaith yr aeth Roger â'r bin olwynion at ddrws y cefn: 29. Un tro, daethai â'r bin at y drws i roi ynddo un ffon gotwm roedd wedi'i darganfod yn yr ystafell ymolchi.

Yn y cartref gofal, ysgogwyd Roger unwaith eto gan yr awydd i fod yn rhydd o anhrefn. Wrth i'r cwynion ddwysáu, gwrthododd y rheolwr bob cais gan rai teuluoedd i gloi drysau'r ystafelloedd gwely. Gallwch ddeall pam y bydden nhw'n dymuno i hyn ddigwydd, oherwydd roedd pethau a ystyriwyd gan Roger yn ddim ond annibendod yn eiddo i'w drysori ganddyn nhw a'u rhiant neu eu cymar. Ond a hithau yn llygad ei lle, dywedodd y rheolwr wrthyn nhw, er bod rhai o'r preswylwyr yn hoffi treulio amser yn eu hystafelloedd, mai ychydig iawn o amser y byddai eraill yn ei dreulio ynddyn nhw yn ystod y dydd. Felly, nid oedd hi'n bosibl cloi pobl yn eu hystafelloedd na'u cloi allan chwaith. Esboniodd nad oedd modd i unrhyw un o'r preswylwyr fod yn abl i gymryd cyfrifoldeb dros gloi a datgloi'u drysau pryd bynnag y dymunen nhw wneud hynny.

Ond beth ddylid ei wneud? Os nad oedd modd atal Roger rhag cymryd eiddo pobl, rholiau papur tŷ bach, a'r holl betheuach eraill, tybed a oedd modd ei rwystro rhag eu rhoi i lawr y toiled, o leiaf? Gosododd y staff finiau bach ym mhobman o gwmpas y cartref. Anwybyddodd Roger bob un yn llwyr a daliodd ati i stwffio popeth i lawr y toiledau. Nid oedd cywerthedd swyddogaethol (*functional equivalence*) mewn rhoi 'sbwriel' yn y basgedi oherwydd roedd Roger yn gallu'i weld o hyd ac felly roedd yn dal i'w boenydio.

Yn ddiarwybod, roedd y staff wedi ceisio defnyddio 'dadleoli swyddogaethol' i ddatrys ymddygiad heriol Roger, ond roedden nhw wedi sylweddoli mor anodd yw gwneud hynny. Fel y soniwyd ym Mhennod 10 (stori Mr D), er mwyn iddo weithio rhaid i'r gweithgaredd newydd beidio â gofyn am ragor o ymdrech, rhaid iddo fod ar gael yn rhwydd, ac yn bwysicaf oll, rhaid iddo olygu'r un peth i'r unigolyn. Nid oedd defnyddio basgedi papur gwastraff yn cyfateb o ran swyddogaeth oherwydd bod Roger yn dal i allu gweld yr annibendod.

Wrth ystyried hyn, roedd hi'n hawdd gweld pam y byddai Roger yn defnyddio'r toiledau i daflu'i annibendod. Roedd llawer ohonyn nhw ar gael, roedden nhw i gyd gerllaw, ac o ran swyddogaeth a chynllun, roedden nhw'n rhannu llawer o nodweddion bin olwynion. Nid yn unig roedd pob toiled yn gallu dal pethau, hyd yn oed os nad oedden nhw'n mynd gyda'r dŵr wrth eu fflysio, roedd modd cau'r clawr ar yr annibendod. Os oedd Roger yn mynd i ddal ati i dacluso'r cartref a hyd y gwelem roedd hyn yn anorfod, dim ond un dewis arall oedd. Byddai'n rhaid i ni roi bin olwynion therapiwtig iddo.

Roedd y dyn cynnal a chadw yn wych. Aeth ati i osod bin pedal mawr o'r gegin ar droli â dwy olwyn, y byddai'n ei ddefnyddio i symud cratiau a bocsys i'r stordy. Aeth ati hyd yn oed i beintio'r bin yn llwyd a pheintio arwydd aur ar y clawr, er mwyn i'r bin fod yn debyg i un o rai swyddogol y cyngor. Un bore, fe'i gosodwyd yn y coridor y tu allan i ystafell wely Roger. I ddechrau, fe'i hanwybyddodd ond dros y dyddiau nesaf, fe'i gwelwyd yn rhoi ambell eitem yn y bin. Gydag amser, fel roeddem ni wedi'i obeithio, dim ond hwn y byddai'n ei ddefnyddio. Roeddem wedi cyflawni cywerthedd swyddogaethol. Roedd Roger yn dal i fod yr un mor benderfynol ag erioed o symud pob math o bethau ond roeddem wedi darparu ffordd fwy addas i Roger ddiwallu ei angen.

Ar y dechrau, byddai'n cerdded yn ôl a blaen at y bin ac yna dechreuodd ei wthio o gwmpas gydag ef. Yn rhyfedd ddigon, ar ddiwedd y dydd, neu ar ôl sesiwn brysur o gasglu a gwaredu, ni fyddai byth yn gadael y bin olwynion y tu allan i'w ystafell wely. Yn hytrach, byddai'n ei roi wrth ochr yr allanfa dân ar ddiwedd coridor ei ystafell, fel pe bai wedi'i adael ger drws y cefn yn ei gartref. Wrth gwrs, cyfrifoldeb y staff, bob cyfle gaen nhw, oedd mynd â phopeth roedd Roger wedi'i gasglu allan o'r bin yn llechwraidd a'i ddychwelyd i'w briod le. Ynghyd â gweithdrefnau synhwyrol fel cau drysau pan oedd hynny'n addas, cadw pethau gwerthfawr mewn droriau a rhoi pethau allan o'i gyrraedd ar silffoedd, er mawr ryddhad a llawenydd i Helen a rheolwr y cartref, daeth yr argyfwng i ben.

Yn wahanol i'w orffennol diweddar, parhaodd Roger i fyw yn y cartref heb beri gofid ac fel y disgwylid, aeth yn gynyddol eiddil a difywyd. I mi, roedd fy ymwneud ag ef drosodd, felly cefais syndod pan ffoniodd Helen fi'n annisgwyl, gan ofyn am apwyntiad ar fyrder. Ni allai aros rai wythnosau; roedd yn rhaid iddi fy ngweld nawr. Ni allwn ddychmygu bod Roger mewn unrhyw gyflwr corfforol i herio neb, ond pa reswm arall allai fod i wneud i Helen ofyn am fy ngweld ar y fath frys?

Roedd Helen yn ddigalon. Wrth iddi gerdded i mewn i'm swyddfa, nid oedd ganddi amser ar gyfer y cwrteisi cymdeithasol arferol. 'Mae rhywbeth ofnadwy wedi digwydd. Mae Roger wedi gadael popeth, y tŷ a'i gynilion, i loches anifeiliaid.' Roedd Roger wedi marw dros y penwythnos. Newydd gael gwybod oedd Helen ei fod wedi newid ei ewyllys ac nad hi fyddai'n etifeddu eiddo Roger. Roedd wedi gadael ei holl eiddo i elusen anifeiliaid. Oni bai am y ffaith eu bod wedi cael cath neu ddwy yn ystod eu bywyd priodasol, roedd Roger heb ddangos y diddordeb lleiaf mewn anifeiliaid nac anifeiliaid anwes. 'Mae hi bron yn amhosibl dychmygu'r hyn mae e wedi'i wneud. Pam fyddai e'n gwneud hyn?'

'Rydw i wedi fy syfrdanu gymaint â chi,' ymatebais, 'ond efallai fod arno fe gymaint o'ch angen chi yn y dyddiau cynnar hynny, roedd ofn eich colli chi arno fe. Alla i ddim bod yn sicr, ond mae'n bosibl bod ei ddementia wedi golygu bod y peth roedd yn ei ofni fwyaf wedi dod yn wirionedd, a chi oedd yn gorfod wynebu holl rym ei ddicter a'i edliw. Ydych chi'n cofio'r holl gyhuddiadau a'r bygythiadau?' Wrth gwrs ei bod hi, a gwyddai yn nwfn ei chalon mai o ganlyniad i'w salwch roedd Roger wedi gwneud yr hyn a wnaeth, ond mewn gwirionedd, nid dyma'r cwestiwn roedd hi angen ei ateb. Y rheswm dros ei phryder mawr oedd bod Roger wedi newid ei ewyllys yn ystod y mis cyn i mi ei weld am y tro cyntaf. Gwyddai pob un ohonom beth oedd wedi digwydd yn y blynyddoedd canlynol, ond roedd wedi ymweld â'r cyfreithiwr cyn iddo gael ei ddiagnosis. Oni fyddai hynny'n golygu yr ystyrid yr ewyllys newydd yn ddogfen ddilys ac y byddai hi, felly, yn colli popeth? Dyma pam roedd hi mor daer i'm gweld ar gymaint o frys.

Aeth Helen o'm swyddfa yn hapusach o lawer. Fe rois sicrhad iddi, er nad oeddwn i'n adnabod Roger bryd hynny, fod canlyniadau'r archwiliad wedi dangos digon o nam ar ei resymu a'i synnwyr cyffredin, yn ogystal â diffyg rheoli mympwyon. Felly ni fyddai anhawster mewn dadlau y byddai'r methiannau hyn oll wedi bodoli yn yr wythnosau blaenorol. Byddai modd gweld newid meddwl Roger am yr hyn ydoedd, sef arwydd cynnar arall o'i salwch, a byddai modd datgan bod yr ewyllys yn ddi-rym; ac felly y bu.

Roedd llawer o agweddau torcalonnus ar fywyd Roger pan oedd dementia arno ac efallai mai dim ond un agwedd ar ei stori oedd hyn, ond roedd hi'n dda gwybod bod pobl wedi teimlo'u bod yn gallu gadael llonydd iddo am gyfnod. Trwy gydymdeimlad a dyfeisgarwch, llwyddwyd i adael iddo ddiwallu ei angen i fyw bywyd heb annibendod. Roedd gallu cerdded a 'gwneud' heb i neb ofyn dim byd ganddo, nac ymyrryd na holi, yn golygu ei fod am gyfnod yn gallu dod o hyd i dawelwch dieiriau, lle gallai fod yn ef ei hun.

20

Dyna pam y daeth yn athro

Dros gyfnod o ychydig wythnosau, peryglwyd blynyddoedd o fwriadau egwyddorol, cynigion taer a newid go iawn, wedi hir ddisgwyl amdano, gan weithredoedd dau ddyn. A hynny er na wyddai'r naill na'r llall ddim am ei ran yn y cyfan oll.

Roedd cyfarwyddwr gwasanaethau cymdeithasol egnïol a hirben wedi cynnig agor pedair uned gofal preswyl arbenigol i bobl â dementia. Felly, byddai'r ysbyty'n gallu cael gwared ar rai o'i welyau arhosiad hir. Yn ei thro, roedd ymddiriedolaeth yr ysbyty yn mynd i ddarparu dau dîm iechyd meddwl cymunedol i arwain y gwaith o foderneiddio gwasanaethau ar gyfer pobl hŷn ac i gefnogi tîm o weithwyr gofal cymunedol ymroddedig a fyddai'n cefnogi pobl â dementia yn eu cartrefi'u hunain. Cafwyd y cwyno disgwyliedig gan ambell feddyg teulu, nad oedden nhw eisiau'r cyfrifoldeb ychwanegol o ofalu am bobl â dementia yn y gymuned, gan rai seiciatryddion a nyrsys nad oedden nhw eisiau gweld colli wardiau ysbytai, a hyd yn oed gan grwpiau gofalwyr lleol, a oedd yn ofni gweld colli gwelyau i gleifion yn yr ysbytai. Hyd yn oed o fewn y gwasanaethau cymdeithasol, roedd rhai a deimlai mai ysbyty oedd y lle gorau i ofalu am bobl â dementia difrifol, yn enwedig y bobl hynny a oedd yn heriol.

Agorodd yr uned gyntaf, a oedd yn gysylltiedig â bloc o fflatiau gwarchod, a throsglwyddwyd 12 preswylydd o'r ysbyty cyfagos. Yn ystod yr wythnos gyntaf, cafwyd trychineb. Llwyddodd Mr A, dyn â dementia, i adael yr uned a mynd ar hyd y coridor cyswllt i lolfa ar y llawr gwaelod. Cafodd ei erlid oddi yno gan denant oedrannus yn chwifio'i ffon. Ni welodd neb yr hyn a ddigwyddodd nesaf, ond cafwyd hyd i'r tenant oedrannus ar lawr yn y coridor a Mr A yn sefyll gerllaw iddo a'r ffon yn ei law. Aed â'r tenant i'r ysbyty a bu farw ddeuddydd yn ddiweddarach. Cadarnhawyd ofnau gwaethaf llawer o bobl, yn enwedig y rheiny a oedd fwyaf agos at y digwyddiad, y tenantiaid. Roeddem wedi treulio wythnosau yn eu cysuro ac yn eu tawelu, gan ddweud na fyddai'r datblygiad newydd yn effeithio ar eu bywydau, a dyma ddigwyddodd. Aeth Mr A yn ôl i'r ysbyty a daeth Mr G i'r uned yn ei le. Roedd Mr G wedi dod o'i gartref lle roedd yn byw gyda'i wraig. Nid oedd ganddo hanes o ymddygiad trafferthus ond cyn gynted ag y cyrhaeddodd, dechreuodd beri trafferth.

Honnwyd ei fod yn dreisgar ac nad oedd hi'n bosibl rhagweld ei ymddygiad treisgar. Dywedwyd wrthyf y byddai'n eistedd yn y lolfa, yn ddryslyd, heb gyfathrebu, ac weithiau'n peri braw oherwydd yr wg ar ei wyneb. Yn waeth na dim, byddai'n ymosod ar ofalwyr heb reswm. Ymhen llai na mis roedd tri aelod o'r staff i ffwrdd o'u gwaith, un wedi torri asgwrn ei boch, a Mr G wedi ymosod arnyn nhw i gyd. Roedd pawb o blith y staff yn wyliadwrus ohono ac roedd ambell un yn ei ofni gymaint fel nad oedden nhw eisiau gofalu amdano.

Gan ystyried arwyddocâd ei ymddygiad a'r goblygiadau a

estynnai ymhell y tu hwnt i drafferthion y cynorthwywyr gofal a oedd yn gweithio yn yr uned, gofynnwyd i mi a oedd modd gwneud unrhyw beth i atal trosglwyddo cleifion i'r ysbyty, oherwydd gallai hynny roi'r hoelen olaf yn arch y prosiect.

Am bythefnos, fe fuom ni'n dadansoddi ymddygiad Mr G i weld pa mor aml y byddai'n ymddwyn yn dreisgar, ac yn fwyaf pwysig, a oedd hi'n amhosibl rhagweld ei drais mewn gwirionedd. Ar ôl naw diwrnod, gofynnodd arweinydd y tîm a oedd modd peidio â chofnodi: 'Rhaid i chi dderbyn fy ngair i, mae e'n dreisgar. Mae pawb yn gleisiau dulas drostyn nhw.' Yn ystod y naw diwrnod hynny, roedd Mr G wedi ymddwyn yn dreisgar 47 o weithiau.

Nid oedd unrhyw amheuaeth bod Mr G yn annerbyniol o dreisgar ond roedd y dadansoddi ymddygiad wedi datgelu bod modd rhagweld ei drais. Mewn 96 y cant o achosion, roedd Mr G yn dreisgar wrth gael gofal personol. Bron pob tro, roedd hyn os oedd y gofal yn ymwneud â defnyddio'r tŷ bach; er enghraifft, ei annog i ddefnyddio'r toiled, edrych i weld a oedd wedi gwlychu'i hun neu geisio'i newid oherwydd ei fod wedi'i wlychu ei hun. Anaml iawn y byddai'n ymosod ar breswylwyr eraill, ymwelwyr na staff, oni bai bod gofal personol yn digwydd.

Roedd hi'r un mor glir nad gweithredoedd y staff oedd yn cynnal ei dreisgarwch, oherwydd bod eu hymatebion nhw'n amrywiol ac ni ellid eu rhagweld. Weithiau bydden nhw'n dal ati i geisio gofalu amdano, dro arall bydden nhw'n cerdded neu'n cilio oddi wrtho, neu yn ei geryddu. Weithiau, bydden nhw'n ceisio'i rwystro. Oherwydd nad oedd y canlyniadau disgwyliedig yr un peth bob tro, dangoswyd nad oedd Mr G yn gwneud ati i gael ymateb penodol. Serch hynny, hyd yn oed pe bai gweithredoedd y cynorthwywyr gofal wedi bod yn gyson, nid hyn allai fod wedi ysgogi ei drais. Fel y rhan fwyaf o bobl â dementia dwys, ni allai gofio gwybodaeth am yn hwy na rhai eiliadau, felly ni allai gofio ymateb pobl i'w ymddygiad.

Cododd canlyniadau'r dadansoddi ymddygiad ddau gwestiwn i ni fynd i'r afael â nhw. Yn gyntaf, pam nad oedd gan Mr G unrhyw ddiddordeb mewn defnyddio'r tŷ bach? Pe baem ni'n gallu ateb y cwestiwn hwn a gwneud rhywbeth yn ei gylch, ag un ergyd gallem leihau'r tebygrwydd o drais yn sylweddol. Yn anffodus, roedd cynllun yr uned yn bur ddiffygiol. Roedd y ddau dŷ bach o'r golwg o'r brif ardal fyw, i lawr rhyw goridor ac wedi'u peintio'n lliw magnolia digymeriad. Oherwydd bod y mynediad gweledol mor wael, pan fyddai Mr G yn eistedd yn y lolfa, byddai'n amhosibl iddo weld tŷ bach. Ond pam nad oedd erioed wedi ymdrechu i ddod o hyd i doiled? I ateb hyn, roedd yn rhaid dod i ddeall Mr G, ac wrth i ni wneud hynny, dechreuodd darnau ei stori ddisgyn i'w lle.

Roedd Mr G wedi bod yn athro, gan ddod â'i yrfa i ben fel dirprwy mewn ysgol lle bu'n gweithio am 27 o flynyddoedd. Wrth ddisgrifio'i gŵr, nid oedd gwraig Mr G yn arbennig o ganmoliaethus. Roedd yn un tawel a cheidwadol, yn ystyfnig ac yn ddywedwst. 'Fyddech chi byth yn dweud ei bod hi'n sbort bod yn ei gwmni. Doedd ganddo fe ddim synnwyr digrifwch, a dweud y gwir.' Byddai dwys a difrifol yn ddisgrifiad teg ohono. Er ei fod yn ei elfen wrth siarad mewn gwasanaeth ysgol neu'n goruchwylio noson rieni, roedd yn anghyfforddus mewn cwmni oherwydd nad oedd yn un am fân siarad.

Nid oedd yn 'ddyn pobl', ac yn anffodus roedd yn gwneud pethau'n waeth iddo'i hun oherwydd ei fod yn rhoi'r argraff ei fod yn rhodresgar, yn ogystal â phell. Roedd cadw wyneb yn hanfodol bwysig iddo hefyd. Un o'i hoff ddywediadau oedd, 'os yw rhywbeth yn werth ei wneud, mae'n werth ei wneud yn iawn'. Nid oedd bod yn wraig i Mr G wedi bod yn hawdd i Mrs G.

Nid oedd hi'n fawr o ryfeddod i ddyn mor fewnblyg a phreifat mai pethau iddo'u gwneud ar ei ben ei hun a oedd yn denu ei fryd. Pan na fyddai yn y gwaith, byddai'n treulio nosweithiau'r haf, gwyliau a hyd yn oed ddyddiau rhynllyd y gaeaf yn yr ardd, yn ei ddifyrru ei hun yno am oriau bwygilydd. 'Roedd ein gardd yn ddigon o sioe. Dyna ble roedd e hapusaf.'

Yn yr ysgol, ni fyddai'n ymdopi'n dda ag anawsterau, gan golli golwg ar bethau'n aml. O ganlyniad, byddai ei waith yn aml yn achosi iddo gael cyfnodau o ddadrithiad sarrug, a byddai hyd yn oed yn fwy tebygol yn ystod yr adegau hynny o gael ei siomi gan bobl. Wrth i ni lunio darlun o bersonoliaeth nad oedd yn arbennig o ddeniadol, cyflwynodd ei wraig ychydig o gydbwysedd drwy ofyn cwestiwn rhethregol perthnasol. 'Rhaid i chi ofyn pam y dewisodd fod yn athro.' I reoli a thra-arglwyddiaethu dros eraill, i gysgodi y tu ôl i reolau a ffiniau clir, ynteu i helpu eraill i ddysgu a datblygu? Cawsom ein sicrhau ganddi hi mai'r olaf ydoedd. 'Roedd wrth ei fodd yn astudio bob amser, ac os byddai'n gweld myfyrwyr yn gwrando ac yn dysgu, ac yna'n gofyn am ragor o wybodaeth, roedd hynny'n rhoi llawer iawn o bleser iddo fe. Welwch chi, roedd ganddo fe fwriadau da bron yn ddieithriad, ond nid oedd yn gwneud cymwynas ag ef ei hun.' Yn anffodus, er nad ei fwriad oedd digio ac mai eisiau helpu yr oedd yn ddiwahân, roedd ei ffordd yn hawdd ei chamddeall, ac o ganlyniad, prin y byddai pobl yn cynhesu ato.

Roedd hi'n amlwg na fyddai Mr G yn ffynnu mewn gofal preswyl. Yn ddyn balch ac ynysig, nid oedd byth yn mynd i fod yn gyfforddus wrth gael gofal personol, a byddai'n rhwym o weld y profiad fel ymosodiad anesboniadwy ar ei breifatrwydd. Fel rhywun a oedd wedi arfer â bod mewn awdurdod, pan fyddai'n dweud 'na', roedd yn golygu 'na', a phe bai staff yn dal ati i'w helpu, gallech ddeall sut y gallai ei ddicter droi'n gynddaredd annodweddiadol ond digon esboniadwy. Ond pam oedd e'n gwlychu'i hun yn y lle cyntaf?

Ni fyddai Mr G byth yn ei gwneud hi'n amlwg bod angen defnyddio'r tŷ bach arno. Yn hytrach, arhosai yn ei gadair, byddai'n gwlychu, ac yna byddai'r staff yn gweld ei fod yn wlyb. Serch hynny, roedd hi'n annhebygol ei fod yn anymataliol, oherwydd bod ei wraig wedi dweud ei fod yn defnyddio'r tŷ bach yn eu cartref hyd at y dydd y daeth i fyw yn yr uned. Roedd yn rhaid iddo ddod i'r uned oherwydd iechyd gwael ei wraig, yn hytrach nag unrhyw ddirywiad trawiadol yn ymddygiad ei gŵr. Roeddwn i'n amau bod hyn eto'n ymwneud â'i bersonoliaeth.

Roedd Mr G yn meddu ar agwedd geidwadol a olygai, rwy'n tybio, nad oedd byth yn barod i fentro na gwneud camgymeriad. Byddai dyn mor fewnblyg yn teimlo'n lletchwith iawn yn gofyn 'Ble mae'r tŷ bach?' Heb ddim gwybodaeth ynghylch ble roedd y toiledau, trodd elfennau personoliaeth Mr G yn elynion iddo wrth iddo eistedd yn ddisymud yn ei gadair, yn sicr o'i iselhau ei hun. Ar ôl i rywun ddarganfod beth oedd wedi digwydd, neu os holai aelod o'r staff a oedd angen defnyddio'r tŷ bach arno, roedd hyn gyfystyr â sarhad, a byddai gwrthdaro'n dilyn.

Beth oedd y cynorthwywyr gofal i fod i'w wneud? Yr her oedd bod Mr G yn cyflwyno i'r staff ddau fath o angen – a sut bynnag y bydden nhw'n gweithredu, byddai Mr G yn dioddef. Dim ond drwy roi cymorth iddo y gellid ateb ei angen am lanweithdra, er enghraifft, drwy fynd ag ef i'r tŷ bach. Byddai hyn, serch hynny, yn tarfu ar ei angen am breifatrwydd a hunan-barch, gan arwain at ymateb treisgar. Ond ar y llaw arall, pe baen nhw'n parchu ei angen i gael llonydd, bydden nhw'n methu diwallu ei angen am lanweithdra a byddai Mr G yn gwlychu'i hun. Y drasiedi i Mr G oedd nad oedd ei ddementia'n caniatáu iddo weld canlyniadau sarhaus anorfod ei ymdrechion ei hun i gynnal ei urddas.

Roedd hi'n amhosibl esgeuluso gofal corfforol Mr G, felly roedd angen creu cynllun gofal a fyddai'n caniatáu i staff gyfuno'r angen i helpu Mr G i fynd i'r tŷ bach â'i angen i beidio â thynnu sylw ato'i hun. 'Amhosibl' oedd y farn gyffredinol. Roedd rhai eisoes yn sôn am ddefnyddio padiau anymataliaeth ond byddai hyn gyfystyr â'i gondemnio i amarch parhaus. Hefyd, nid oedd hynny'n cynnig ateb i'r perygl y byddai Mr G yn dal i ymosod ar staff.

Tybed a oedd hi'n bosibl troi at rywbeth roeddem ni'n ei wybod am Mr G er mwyn llunio cynllun gofal a allai fod yn dderbyniol iddo? Ar ôl sawl awr o bendroni, cynigiais gynllun roedd ei symlrwydd yn celu'r amser a gymerais i'w ddyfeisio. Ddeuddydd yn ddiweddarach, dechreuwyd ar y cynllun gofal newydd, a thros y pythefnos nesaf, dim ond chwe gwaith y trodd Mr G at drais. Roedd rhyddhad y staff yn amlwg a'r ymdeimlad o lwyddiant yn enfawr. Roeddem wedi dangos bod modd gweithio mewn dull therapiwtig gyda phobl ag ymddygiad heriol. Felly beth oedd wedi digwydd?

Yr ardd synhwyrau oedd y peth a roddodd obaith i mi y gallem lwyddo i newid y sefyllfa. Garddio oedd hoff beth Mr G, a dyma ddiddordeb oedd wedi'i fodloni am oriau bwygilydd. Pam ddylai hyn fod yn wahanol nawr? Os oedd Mr G yr un mor frwdfrydig dros yr ardd ag erioed, tybed a allem ddefnyddio hyn fel ffordd o'i gael i ddefnyddio'r tŷ bach? Pe bai hyn yn bosibl, byddai ei allu digonol i wisgo amdano'i hun yn caniatáu ei adael i ddefnyddio'r tŷ bach ar ei ben ei hun.

Oherwydd nad oedd hi'n bosibl sefydlu patrwm i'r achlysuron pan fyddai'n ei wlychu ei hun, awgrymais y dylid cyflwyno rhaglen gaeth o fynd ag ef i'r tŷ bach yn rheolaidd. Bob dwy awr, byddai rhywun yn mynd at Mr G, ond heb ddefnyddio'r gair 'toiled' i ddechrau. Roedd hyn yn rhyddhad mawr i lawer o'r gofalwyr a oedd yn ofni Mr G gymaint fel nad oedden nhw am sôn am y fath beth yn ei ŵydd. Yn hytrach, y pwnc i'w drafod fyddai'r ardd. Cofiais eiriau'i wraig, ac awgrymais y dylem ychwanegu rhywbeth at ein dull o fynd ati. Beth oedd wedi denu Mr G at ddysgu? Oherwydd ei fod eisiau helpu pobl i ddysgu, dyna oedd yn rhoi'r pleser mwyaf iddo. Dyma pam yr aeth yn athro a dyma a gofleidiai'r cynllun gofal. Yn y broses, llwyddwyd i wyrdroi'r dirymu a welir mor aml yn y gofal a roddir i bobl â dementia, pan ddywedir wrth ormod o bobl beth i'w wneud, pryd i'w wneud, a gyda phwy.

Rhoddwyd Mr G mewn safle o awdurdod, a gofynnwyd am ei gyngor – a oedd angen tocio'r rhosod, ai blodau ynteu chwyn oedd y rhain, a oedd angen torri'r lawnt, neu ladd y trychfilod? Roeddem wedi cyfuno'i statws â'i gariad at arddio.

Deallai Mr G gryn dipyn, er mai prin y siaradai, ac roedd

llawer o'r hyn a ddywedai'n troi'n yngan annealladwy'n eithaf cyflym. Ond roedd ei ymateb y tu hwnt i bob disgwyl. Heb ddweud gair, byddai'n codi o'i gadair ac yn derbyn yn serchus y fraich a gynigid iddo, o gwrteisi yn hytrach na rhaid. Byddai'n cael help i fynd ar hyd y coridor at yr ardd a châi ei atgoffa i ble roedden nhw'n mynd ar hyd y siwrne. Roedd y llwybr yn sicrhau ei fod yn cerdded heibio'r ddau dŷ bach. Pan gyrhaedden nhw y cyntaf, os oedd y gofalwr oedd gydag ef yn ddyn, byddai'n dweud, 'Dwi am bicio i'r tŷ bach cyn i ni fynd i'r ardd, ydych chi am ddod i mewn?' I arddwr brwd o'i genhedlaeth ef, dyma rywbeth hollol arferol i'w wneud. Byddai allan am oriau, ac ni fyddai'n dymuno troedio drwy'r tŷ yn ei esgidiau mwdlyd er mwyn mynd ar frys i ddefnyddio'r tŷ bach. Byddai wedi mynd i'r tŷ bach gyntaf.

Os mai menyw oedd yn ei dywys heibio'r tŷ bach, byddai hi'n dweud, 'Rydw i newydd fod i'r tŷ bach. Oes angen mynd i'r tŷ bach arnoch chi cyn i ni fynd i'r ardd? Gallen ni fod allan am gryn amser.' Bron yn ddieithriad, waeth pwy fyddai gydag ef, byddai Mr G yn defnyddio'r tŷ bach, ac fel y disgwyliem, heb fod angen cymorth arno.

Ar ôl iddo fod i'r tŷ bach, câi ei atgoffa eto eu bod ar eu ffordd i'r ardd ac mor ddiolchgar roedd pawb am ei gymorth. Y tro cyntaf i hyn ddigwydd, bu'n rhaid i sawl un ohonom gael cip drwy ffenestr y lolfa, wrth i Mr G syllu ar y blodau a'r deiliach, â boddhad amlwg. Ac yntau'n ymddangos yn hollol hunanfeddiannol a gwên fach ar ei wefusau, roedd ei ymarweddiad yn amlwg yn 'fyw' ac roedd naws fwynach a mwy heddychlon o'i gwmpas. Byddai wrth ei fodd â'r profiad bob amser. Ar ôl rhai munudau, pe na bai Mr G yn dangos diddordeb mewn dychwelyd i'r cartref, gellid ei adael y tu allan gan wybod nad oedd modd iddo fynd y tu hwnt i'r terfyn ac y gellid cadw llygad gwyliadwrus arno.

Ddwy awr yn ddiweddarach byddai rhywun yn mynd ato eto, a byddai pennod arall yn dechrau. Roedd hi'n fwy anodd darbwyllo rhai o'r cynorthwywyr gofal. 'Efallai y bydd hyn yn gweithio unwaith neu ddwy, ond mae e'n siŵr o weld beth rydym ni'n ei wneud cyn bo hir,' oedd y byrdwn cyffredin. Ond nid oedd hyn byth yn mynd i ddigwydd; oherwydd bod dementia Mr G mor ddwys, ni allai gofio dim am fwy nag ychydig eiliadau, heb sôn am rywbeth a ddigwyddodd ddwy awr yn ôl. Roedd eraill o blith y staff yn siŵr y byddai'n gwylltio cyn gynted ag yr awgrymid y dylai ddefnyddio'r tŷ bach, ac ni allai eraill amgyffred pam y byddai'n fodlon mynd i'r tŷ bach, ddim ond oherwydd ei fod yn mynd i'r ardd. Yn y pen draw, derbyniodd pawb ein bod wedi treiddio i rywbeth hanfodol ym mhersonoliaeth Mr G – nid yn unig pwy yr arferai ef fod, ond pwy ydoedd o hyd, ac o ganlyniad nid oedd yr hyn a ofynnid ganddo'n anghymharus nac yn arwynebol, ond yn adlewyrchu ei hunaniaeth ddyfnaf.

Am 19 mis, roedd y cynllun gofal yn ateb gofynion Mr G. Yn ystod y gaeaf, y tŷ gwydr bach oedd yr iachawdwriaeth – nid i Mr G, a oedd yn fwy na pharod i fentro allan ym mhob tywydd, ond i'r staff a oedd yn llawer mwy cyndyn o rannu'i hoffter o dywydd drwg. Ond digwyddodd yr anorfod a threchwyd Mr G gan eiddilwch. Ac yntau'n methu cerdded yn bell erbyn hyn, aeth y daith i'r ardd yn ormod iddo ond yn ei gyflwr gwan, nid oedd chwaith bellach yn gwrthod derbyn y cymorth a gynigid iddo. Nid enillodd wobr preswylydd mwyaf poblogaidd yr uned erioed, ond roedd wedi ennill parch y staff a welsai wedd arall arno, gwedd a haeddai barch. Roedd y tîm gofal wedi dysgu bod mwy i ofal dementia nag roedd y rhan fwyaf ohonyn nhw erioed wedi'i feddwl. O ganlyniad, roedden nhw'n fwy tebygol o wrando ar breswylwyr bellach a'u hystyried yn bobl â'u personoliaeth a'u hanes unigryw. Eto, y cyfan roeddem ni wedi'i wneud mewn gwirionedd oedd gweithredu rhaglen lem ar gyfer defnyddio'r toiled.

Mae ôl-nodyn i stori Mr G. Ar y pedwerydd dydd ar ôl i'r rhaglen ddechrau, roeddwn yn y lolfa yn cael sgwrs â'r arweinydd tîm, a gwelais gynorthwyydd gofal yn siarad â Mr G ac yna'n mynd allan o'r ystafell gydag ef. Funudau'n unig yn ddiweddarach, dychwelodd yr ofalwraig, gyda Mr G. 'Doedd e ddim eisiau mynd?' holodd yr arweinydd tîm.

'O na, mae e wedi bod.' Gan gredu nad oedd hi wedi bod yn ddigon eglur, ychwanegodd, 'Hynny yw, mae e wedi bod i'r tŷ bach.' 'Ond beth am yr ardd?' holodd yr arweinydd, gan edrych yn ymholgar ar yr ofalwraig ifanc. Cydnabu hithau nad oedden nhw wedi bod i'r ardd.

'Ond dyna'r cynllun gofal, tŷ bach ac yna i'r ardd.'

Nid y tro hwn. Roedd gan yr ofalwraig lawer i'w wneud, ac roedd ei hamser yn brin. Pwysleisiodd y cynorthwyydd gofal eto ei bod hi wedi mynd â Mr G i'r tŷ bach, a'i fod, yn bwysicaf oll, wedi'i ddefnyddio. Iddi hi, roedd hi'n hollol amlwg mai dyna oedd dechrau a diwedd pethau.

Dywedodd yr arweinydd tîm yn graff, 'Edrych ar Mr G nawr, a gofynna i ti dy hun: dros y munudau nesaf, wyt ti'n meddwl y bydd e'n mwynhau'i hun gymaint yn y gadair yna ag y byddai pe baet ti wedi mynd ag ef i'r ardd?' Wrth iddi siarad, roedd modd gweld dealltwriaeth yn torri fel ton dros yr ofalwraig. Roedd hi'n deall yn llwyr yr hyn a wnaeth. Roedd hi wedi bradychu Mr G drwy fanteisio ar ei anallu i gofio. Nid oedd hi wedi ei gam-drin na bod yn greulon, ond roedd hi wedi dangos ei bod hi'n ansensitif ac yn brin o unrhyw wir barch at ystyr y cynllun gofal. Roedd hi wedi ystyried mai gwobr am fod wedi defnyddio'r tŷ bach oedd y daith i'r ardd, gwobr y gallai hi ei hatal os nad oedd amser yn caniatáu, am y gwyddai'n iawn na fyddai'n gallu cofio'r hyn a ddywedwyd. Ond nid gwobrwyo ufudd-dod fu pwrpas mynd i'r ardd erioed, oherwydd sut allai Mr G dderbyn gwobr am rywbeth nad oedd yn cofio'i wneud?

Mae angen rheswm i godi o'r gwely bob bore ar bawb ac er bod ei ddementia'n golygu nad oedd yn sylweddoli bod ei fywyd yn fwy pleserus nawr, roeddem wedi creu cynllun gofal a oedd yn golygu rhywbeth i Mr G. Bob dydd, roedd ganddo gyfle i fod yn yr ardd am ryw awr. Ni allai byth edrych ymlaen yn ddisgwylgar, ni allai feddwl am y pethau a ddeuai â phleser iddo, ond roedd ganddo reswm i fyw nawr. Bob tro y byddai'n mynd i'r ardd, byddai'n gweld golygfa nad oedd erioed wedi'i gweld o'r blaen, ond nid oedd hyn yn amharu o gwbl ar y llawenydd llwyr o fod yn y man roedd yn perthyn iddo. Gwnaeth y cynorthwyydd gofal yn siŵr na fyddai ei hamser yn brin byth eto.

21

Trwyn Angela

Dychmygwch gartref gofal sy'n rhedeg fel watsh. Popeth wedi'i drefnu i'r fath raddau, mae unrhyw beth sy'n unigryw am bob un o'r preswylwyr wedi'i wasgu'n ddim. Cartref lle mae trefniadau ac arferion gofal anhyblyg yn bod er lles rhedeg y cartref yn esmwyth, yn hytrach nag anghenion y preswylwyr – hynny yw, heblaw am eu hanghenion gofal personol, oherwydd nid oes diffyg gofal o ran ymyriadau corfforol. Mae gan y cartref hwn obsesiwn â glendid, gwedd a diogelwch. O ganlyniad, cyfyngir ar ryddid y preswylwyr ac mae cylch diddiwedd o ofal corfforol sylfaenol a thasgau domestig yn mynd ag amser y cynorthwywyr gofal. Heb fawr o amser rhydd, mae unrhyw gysylltiad rhwng gofalwyr a phreswylwyr bob amser yn rhywbeth ymarferol a swta. Nid yw preswylwyr yn cael profiad o fyw, oherwydd does dim unrhyw fywyd ystyrlon yma. Yn hytrach, mae preswylwyr yn dioddef bodolaeth ofer a digariad. A dyma ble mae Jack yn byw ac Angela yn gweithio.

Mae trwyn Angela wedi'i dorri. Nid wrth gwympo na thrwy gerdded ar ddamwain i mewn i ddrws ond gan Jack, a oedd wedi'i tharo heb reswm wrth iddi hi drio'i helpu. 'Wnes i ddim byd o'i le.' Roedd wedi gwlychu'i hun. Aeth hithau draw i'w newid, ac wrth iddi ddweud, 'Dere i dy gael di mas o'r dillad yna,' fe'i bwriodd hi'n galed yn ei hwyneb, gan dorri ei thrwyn.

Mae deugain o breswylwyr yn byw yn y cartref ac mae pob dydd yr un peth iddyn nhw. Yn gyntaf, y dasg yw codi pawb o'r gwely a'u cael i'r ystafell fwyta ar gyfer brecwast. Mae pedwar coridor a deg ystafell wely ar bob un. Ac eithrio rheolwr y cartref, sydd fel arfer yn y swyddfa, ac un gofalwr sydd yn yr ystafell fwyta, bydd yr holl ofalwyr eraill mewn un coridor ar y tro, yn helpu pobl i godi. Dyna'r drefn: gweithio ar un coridor ar y tro. Mae'r coridor lle mae Jack yn cysgu yn un prysur iawn. Mae staff yn ystafelloedd y preswylwyr yn eu codi o'u gwelyau, gan weithio mewn parau ambell waith, i helpu i ddadwisgo preswylwyr, mynd i'r tŷ bach, eu golchi a'u gwisgo. Bydd gofalwyr yn cerdded yn ôl a blaen ar hyd y coridor, rhai'n mynd â phreswylwyr i'r ystafell fwyta, eraill yn dychwelyd i baratoi rhagor o bobl ar gyfer y dydd. Mae'r prysurdeb yn tarfu ar ambell breswylydd sy'n dod allan o'u hystafell yn eu dillad nos ac un o'r rheiny yw Jack. Daw ambell breswylydd o rannau eraill o'r adeilad i gael golwg ar beth sy'n digwydd, wedi'u denu at y coridor gan yr holl sŵn anorfod a ddaw yn sgil gweithgarwch mor brysur. Dim ond hyn a hyn o amser sydd ar gael i bob coridor, oherwydd ei bod yn rhaid gweini brecwast am 8.30 pan fydd angen i bob un o'r 40 preswylydd fod yn yr ystafell fwyta.

Roedd Angela wrthi'n helpu rhywun i wisgo a gallai glywed Jack yn gweiddi yn y coridor. Roedd y tîm gofal yn ystyried bod Jack yn dipyn o niwsans: 'Mae e wastad yn gweiddi. Yn gweiddi'r un peth drosodd a throsodd. Wastad yr un peth – "Dwi wedi cael llond bol ar y lle yma. Nid fy nghartref i yw hwn a dwi ddim eisiau bod yma ddim mwy." Mae fel rhyw fantra'n atseinio drwy'r cartref.' Nid oedd y bore hwn yn wahanol. Roedd wedi bod yn gweiddi ers oes a chyfaddefodd Angela ei fod yn dreth ar ei hamynedd. Yn ddiweddarach, roedd ymddygiad Jack yn 'swnllyd, dryslyd, anymataliol a threisgar' y bore hwnnw, yn ôl Angela.

Ar ôl paratoi ei phreswylydd ar gyfer y diwrnod, cerddodd Angela ar hyd y coridor i ble roedd Jack yn dal i sefyll. Wrth iddi basio, gwnaeth ystum â'i ddwylo ati a dechreuodd weiddi eto, 'Dwi wedi cael llond bol ar y lle yma. Dydw i ddim...' a gwnaeth Angela'r un peth â phawb arall: fe'i hanwybyddodd. Roedd fel pe na bai Jack yn bodoli.

Dychwelodd Angela i nôl rhywun arall o'r gwely a dyna ble roedd Jack, yn sefyll yn stond, ei ben wedi plygu, yn dweud dim. A hithau ar fin cerdded heibio, sylwodd Angela ei fod wedi gwlychu'i hun. 'Doeddwn i ddim yn gallu'i adael e fel yna, felly penderfynais ei gael e'n barod nesaf. Fe stopiais a dwi'n meddwl 'mod i ar fin cydio yn ei fraich, ond ches i ddim cyfle. Fe ddywedais i rywbeth fel "dere i ni dy gael di mas o'r dillad yna", ac fe fwriodd fi. Heb reswm, fe darodd e fi yn fy wyneb â'i ddwrn. Fe gewch chi ddweud wrtha i fy mod i wedi gwneud rhywbeth o'i le, ond alla i yn fy myw mo'i weld.'

Er nad oedd dim o'i le ar ei gweithredoedd, datgelwyd eu bod nhw'n ddifeddwl ac yn ansensitif. Serch hynny, mae'n bosibl i'r hyn rwyf i'n ei alw'n falaenedd gofal fod wedi'i wreiddio mor ddwfn yn normalrwydd diwylliant gofal dementia, nid oes neb yn sylwi arno.

Dywedodd Angela fod Jack yn swnllyd ac nid oedd amheuaeth am hynny. Roedd wedi bod yn gweiddi ers hydoedd. Dywedodd hi hefyd ei fod yn ddryslyd oherwydd ei fod yn gweiddi nad dyma'i gartref, er nad oedd ganddo gartref arall. Roedd wedi bod yn byw yn y cartref gofal ers bron blwyddyn erbyn hynny, ar ôl ymdrechu i ofalu amdano'i hun wrth i'w ddementia waethygu. Serch hynny, roedd geiriau Jack yn cyd-fynd â fy niffiniad i o ddryswch – 'rhoi gwybodaeth neu fyw profiad sy'n cynrychioli gwirionedd sy'n wahanol i'n gwirionedd ni', fel gofyn am gael mynd adref pan mae gartref eisoes. Os bu erioed garfan o bobl sy'n dweud pethau nad ydyn nhw'n eu golygu ac yn golygu pethau nad ydyn nhw'n eu dweud, pobl â dementia yw'r rheiny.

Nid wyf yn meddwl bod Jack wedi drysu, oherwydd yr hyn a ddigwyddodd nesaf. Mae'r hyn sy'n gallu ymddangos fel dryswch yn gallu bod mewn gwirionedd yn ymgais i gyfleu angen nad yw'n cael ei ddiwallu. Efallai y bydd rhywun, er enghraifft, yn mynnu mynd i'r gwaith, nid oherwydd ei fod yn gwybod mai dyna ble y dylai fod, ond yn hytrach oherwydd ei fod wedi diflasu, heb ddigon i'w wneud. Efallai y bydd yn gofyn am ei fam, nid oherwydd ei fod yn gwybod ei bod hi'n fyw, ond oherwydd ei fod yn ofnus a bod eisiau cysur arno. Roedd Jack yn gweiddi ei fod wedi cael llond bol; nid dyma'i gartref ac nid oedd eisiau bod yno mwyach – nid oherwydd ei fod yn gwybod ei fod yn byw yn rhywle arall, ond oherwydd bod eisiau mynd i'r tŷ bach arno. 'Dwi wedi cael llond bol ar y lle yma, nid dyma fy nghartref. Dylai'r tŷ bach fod fanna, a dyw e ddim. *Mae angen y tŷ bach arna i!*'

Gall yr hyn mae rhywun â dementia yn ei ddweud gynnwys negeseuon cudd; weithiau, fel y nododd John Killick, 'mae'r iaith a ddefnyddir... yn drosiadol'. Rhaid i ni ofyn i ni ein hunain beth allai ystyr y geiriau fod. Efallai nad dim ond y geiriau a leferir sy'n bwysig, ond sawl gwaith y maen nhw'n cael eu hailadrodd. Mae ailadrodd geiriau neu ymadroddion penodol yn gallu adlewyrchu thema allweddol y dylid sylwi arni. Gall goslef y llais, ystum yr wyneb ac osgo'r corff oll gyfrannu at ein helpu i ddeall. Yn anffodus roedd Jack yn gweiddi i wagle ansensitif lle nad oedd neb yn ei glywed. Agweddau negyddol oedd â'r llaw drechaf yno.

Felly, yn rhesymegol, os oedd Jack yn galw am y tŷ bach, ni allai fod yn anymataliol. Roedd dau o'r labeli a ddefnyddiwyd gan Angela yn anghywir – ond beth am drais Jack? Roedd hynny'n sicr. Roedd wedi ymosod arni – ond a oedd hynny heb reswm?

Bydd sawl achos o drais, cam-drin a gwrthod cydweithredu'n arwain at nyrs neu ofalwr yn holi, 'Beth wnes i i haeddu hyn?' Ond os ydych chi'n cofnodi'r digwyddiadau hyn bydd cyfres falaen o ddigwyddiadau, llwybr anweledig, yn dod i'r golwg, ac felly roedd hi gydag Angela hefyd. Fel arfer ychydig eiliadau fydd hyd gweithred o ofalu am rywun. Nid yw hyn yn ddigon o amser i ofalwr gadw golwg ar ei feddyliau a'i weithredoedd. Ar ôl ymosodiad, does dim i feddwl amdano heblaw am y bwriad da gwreiddiol. Fel yn achos Angela, dyna pam mai'r casgliad anorfod yw, 'Wnes i ddim byd o'i le'. Nid oedd rheswm dros yr ymosodiad; rhaid ei fod wedi digwydd oherwydd bod dementia arno.

Nid oedd Angela wedi dangos unrhyw empathi tuag at yr hyn roedd Jack wedi'i brofi na'i deimladau. Pan oedd e'n gweiddi, roedd hi wedi'i anwybyddu. Ni thalodd unrhyw sylw i'w rwystredigaeth na'i ddicter. Ddim ond ar ôl i Jack roi tasg gofal corfforol i Angela ei chyflawni roedd hi'n barod i roi amser iddo. Er nad oedd gan Angela unrhyw ddymuniad i adael Jack mewn cyflwr truenus, rwy'n meddwl bod hynny'n fwy i'w wneud â'r ffaith bod angen iddo fod yn lân yn hytrach nag ystyried ei gywilydd.

Mae'n amlwg bod Angela wedi tybio bod Jack yn gwybod pwy oedd hi ac felly'n barod i dderbyn popeth roedd hi ar fin ei wneud iddo. Ond y gwirionedd oedd na wyddai Jack ddim o'r fath. Mae'r ffaith na fu iddi gyflwyno'i hun mewn unrhyw fodd, ond iddi fynd i'r afael â'r dasg a gyflwynwyd iddi ar unwaith, yn cadarnhau hyn. Yn ei gyflwr ef o 'beidio â gwybod', byddai pob cam a gymerai hi tuag ato'n anesboniadwy. Ni fyddai'n gallu dirnad pam roedd Angela'n dod tuag ato, a gall bwriad dirgel droi'n fygythiad posibl ar amrantiad. Roedd y perygl o drais yn cynyddu heb i neb sylwi arno.

Nid oedd gan Angela ddigon o amser oherwydd roedd gormod i'w wneud. Roedd hi ar frys ac ni feddyliodd am eiliad y byddai'n well oedi a mynd yn araf at Jack, a oedd erbyn hyn wedi digalonni. A hithau'n dod yn fwyfwy agos ato o fewn yr eiliadau mwyaf brysiog, roedd Angela ar fin croesi i mewn i ofod personol Jack. Hwn yw'r cylch anweladwy o ddiogelwch yr ydym ni'n ei greu o'n cwmpas, ac yn gwneud ein gorau glas wedyn i'w warchod a'i gadw i ni, a dim ond ni ein hunain. Oni bai bod gwahoddiad yn cael ei roi, mae gweld rhywun yn halogi'r cylch hwnnw'n teimlo'n anghyfforddus, gall fod yn fygythiol, ac weithiau mae'n rhaid ei wrthwynebu. Nid oedd Jack wedi rhoi gwahoddiad, a pham ddylai wneud? Iddo ef, dieithryn oedd Angela a'i bwriadau'n datgelu eu hunain yn anesboniadwy ac yn gyflym o'i flaen. Ac yntau'n ddrwgdybus ac amheus, ni fyddai wedi deall na dymuno gweld dwylo Angela'n ymestyn ato. Ac yna roedd hi wedi siarad: 'Dere i ni dy gael di mas o'r dillad yna'.

Un arwydd cynnar o glefyd Alzheimer yw meddwl yn

llythrennol, yn ddiriaethol. Dyma pam rydym yn defnyddio prawf tynnu llun cloc i sgrinio ar gyfer dementia. Yn nyddiau cynnar dementia, pan ofynnir i glaf osod yr amser ar '10 munud wedi 11', fe sylwch ar betruster ac efallai gamgymeriad. Mae'n teimlo'n anghywir gosod y bys ar rif '2' oherwydd y mae'r rhif '10' yno o flaen y person ar wyneb y cloc, a'r cyfarwyddyd yw gosod y bysedd i '10 munud wedi'. Mae 'tynfa dementia' yn denu'r person at y '10', ond mae hyn hefyd yn teimlo'n anghywir, oherwydd bod rhywbeth am y '10... wedi' sy'n awgrymu y dylai'r bysedd fynd i rywle arall. Petruster sy'n rhwym o ddilyn, ac wrth i'r dementia waethygu, mae'n fwy tebygol y bydd camgymeriad yn digwydd, a gosodir yr amser yn anghywir i '10 munud i 11'. Yn yr un modd, bydd prawf 'beth sy'n debyg' yn anodd i bobl â dementia. Er enghraifft, pan ofynnir sut mae afal a banana'n debyg i'w gilydd, bydd sawl un yn dweud nad ydyn nhw'n debyg. 'Mae un yn grwn, a'r llall yn gam.' Unwaith y rhoddir yr afal a'r fanana o flaen llygad y meddwl, yn absenoldeb gallu i feddwl yn haniaethol, mae'r gwahaniaethau diriaethol yn amlwg i'w gweld, ac unrhyw debygrwydd ('mae'r ddau'n ffrwythau') yn anodd iawn ei weld.

Pan glywodd Jack Angela'n dweud, 'Dere i ni dy gael di mas o'r dillad yna', dyna'n union roedd Jack yn disgwyl fyddai'n digwydd. Mewn coridor yn fyw o bobl a phrysurdeb, roedd y fenyw hon yn mynd i ddiosg ei ddillad, oherwydd dyna roedd hi newydd ei ddweud. Pa ryfedd i Jack, yn ddryslyd ac mewn penbleth, o glywed nawr fod ei ddillad ar fin cael eu tynnu, estyn ergyd i'w warchod ei hun ac i honno, yn anffodus, daro trwyn Angela? Nid dyna oedd ei fwriad, ond nid dyna'r neges roedd Angela wedi bwriadu'i chyfleu chwaith – ei bod ar fin tynnu'i ddillad oddi arno'n gyhoeddus – oherwydd nid Jack oedd yr unig un a oedd wedi dweud yr hyn nad oedd yn ei fwriadu.

Bwriad Angela oedd dweud, 'Dere i ni dy gael di mas o'r dillad yna ar ôl i fi fynd gyda thi i breifatrwydd dy ystafell wely, ble bydda i'n gallu rhoi help llaw i ti.' Pwy yn y byd sy'n siarad fel'na? Ond mewn gofal dementia, rhaid i ni ystyried bod popeth o'u cwmpas yn benbleth, yn ddryswch ac yn ddyrys i'r rheiny sy'n cael gofal. Rhaid i ni wneud ein gorau i beidio ag ychwanegu at y dirgelwch drwy gyfathrebu mewn ffyrdd sy'n amwys a chamarweiniol.

Gwrandawodd Angela ar fy nadansoddiad ac yn fuan peidiodd â bod mor amddiffynnol. Roedd hi'n deall yr hyn roedd hi wedi'i wneud. Roedd hi wedi ystyried Jack yn fwy fel gwrthrych, yn hytrach nag fel unigolyn. 'Dw i erioed wedi meddwl am weld beth sy'n digwydd yma drwy'u llygaid nhw.' Dywedodd wrthyf fod Jack yn baeddu'i hun yn aml, a'i bod hi'n difaru anwybyddu'i alwadau, gan eu diystyru fel synau a godai o ddryswch amherthnasol. Roedd y ffordd arwynebol a brysiog y bu iddi ymwneud â Jack hefyd wedi'i chlwyfo. Nid oedd amser i'r preswylwyr, byth. Os oedd bywyd yn mynd i fod yn wahanol i Jack a'r preswylwyr eraill, ni fyddai modd rhedeg y cartref yn ôl rheolau sefydliadol llym mwyach.

Yr hyn a gyfrannodd yn sylweddol at ansawdd bywyd tila'r preswylwyr bob dydd oedd y pwyslais gormodol ar pryd y byddai pobl yn bwyta, ble bydden nhw'n bwyta a beth fydden nhw'n ei wisgo i fwyta. Roedd awydd i hybu lles preswylwyr yn cyflawni'r gwrthwyneb mewn gwirionedd: a oedd o bwys bod pobl yn dal yn eu dillad nos wrth fwyta brecwast? Pam oedd pobl yn gorfod bwyta yn yr ystafell fwyta? Pam na fydden nhw'n cael eu prydau yn eu hystafelloedd eu hunain? Onid oedd modd cael bwydlen 24 awr y dydd o fyrbrydau a thameidiau ysgafn, gan adael i bobl fyw bywydau mwy amrywiol? Pe byddai'r newidiadau hyn yn digwydd, fe fyddai ganddyn nhw ragor o amser i'w dreulio gyda'r preswylwyr, yn hytrach na gorfod bod yn gwneud rhywbeth iddyn nhw neu drostyn nhw drwy'r amser.

Ac felly y bu. Ar ôl blynyddoedd o drefn lethol, digwyddodd newid syfrdanol. Wrth i'r misoedd fynd heibio, gallech weld bod y preswylwyr, a ystyrid bellach yn bobl ag anghenion amrywiol a theimladau, yn fwy pwysig, a threfn yn llai pwysig, a'r cyfan oherwydd bod Angela wedi torri ei thrwyn. Ac eto, pam mai anaf Angela fu'r catalydd a achosodd y fath drawsnewidiad?

Bob dydd yn ddi-ffael, byddai'r rheolwr yn y swyddfa, yn gweithio'i ffordd drwy negeseuon e-bost, polisïau a gwaith papur. Ar fore'r ymosodiad, roedd tri o'r cynorthwywyr gofal wedi ffonio i ddweud eu bod yn sâl ac felly nid oedd ganddi ddewis ond mynd allan o'i swyddfa a gweithio ochr yn ochr â'i chynorthwywyr gofal a oedd o dan gymaint o straen. Roedd hi heb wneud hyn ers blynyddoedd. A dyna pam roedd Angela – yr union berson a oedd yn gyfrifol am y diwylliant gofal a oedd yn canolbwyntio ar dasgau, yn gaeth i amser, ac a oedd yn dihysbyddu'r bywyd o'r union bobl roedd hi'n meddwl ei bod hi'n tosturio wrthyn nhw ac yn gofidio amdanyn nhw – wedi'i chael ei hun yn cerdded at Jack, heb sylweddoli ei bod hi ar fin medi ffrwyth chwerw'r hyn roedd hi'i hun wedi'i hau. A Jack? Ni chlywyd ef byth wedyn yn gweiddi heb neb yn ei ateb.

22

Ystafell iddi hi'i hun

Roedd Penny K yn casáu bod yn y lolfa. A hithau'n gaeth i'w chadair, dangosai ym mhob agwedd ar ei hymddygiad mai felly roedd hi. Roedd dementia fasgwlar wedi'i gwneud yn anabl eithriadol a byddai'n galw'n ddiddeall, yn rhegi'r un a oedd yn eistedd wrth ei hymyl ac yn syllu'n sarrug ar unrhyw un a feiddiai fynd heibio yn rhy agos ati. Yn ystod y pedwar mis roedd Penny wedi byw yn y cartref gofal, nid oedd hi erioed wedi bod yn dreisgar, ond roedd ynddi gerrynt o ddicter o dan yr wyneb, a barai i chi feddwl y gallai hi'n hawdd iawn estyn ergyd ryw ddiwrnod, o'i gwthio'n rhy bell.

Ond beth oedd ystyr cael ei gwthio'n rhy bell? Nid oedd y bobl a oedd yn destun ei dicter yn haeddu cael eu bygwth gan Penny. Nid oedden nhw'n gwneud dim mwy na bod yn ei phresenoldeb. Ond roedd hynny'n ddigon i Penny. Roedd amser bwyd yn hunllef i bawb. Nid oedd hi'n gallu canolbwyntio ar fwyta oherwydd bod y preswylwyr eraill o gwmpas y bwrdd yn tynnu gormod o'i sylw. Fel y disgwyliech, byddai hi'n gweiddi a rhegi, ond o fod mor agos at eraill, byddai'n achub ar bob cyfle i ypsetio a tharfu ar y rheiny oedd yn anathema iddi. Byddai'n gwthio'u platiau oddi ar y bwrdd, ac yn troi eu diodydd drosodd. Y canlyniad fyddai edliw a thraed moch. Er mawr anghysur i'w theulu, mynnai staff ei bod hi'n aros yn y lolfa, ac yn bwyta'i phrydau ar ei phen ei hun. Er nad oedd Penny fel pe bai ganddi ots fod ei bwyd yn cael ei weini ar hambwrdd, nid felly ei theulu. I'w phlant, yn enwedig, roedd hyn yn dystiolaeth bod y cartref yn eithrio'u mam ac aethon nhw ati i gwyno'n arw. O ganlyniad, dychwelodd Penny i'r ystafell fwyta a pharhaodd yr helbul.

Roedd Penny yn ffieiddio rhag nodweddion y bobl oedd yn byw ochr yn ochr â hi. A hithau heb hunanymwybyddiaeth, roedd hi'n ystyried eu bod yn annymunol, yn anghynnes, ac yn bennaf oll, yn ddieithr. Roeddwn i'n hyderus mai felly yr oedd, oherwydd yn eu cwmni nhw'n unig roedd Penny yn ymddwyn yn gas. Ar ei phen ei hun, gyda'i theulu, gyda gofalwyr, ac yn fwyaf arwyddocaol, hyd yn oed gyda phobl nad oedd hi erioed wedi'u gweld o'r blaen – ac nid oedd gwahaniaeth ai gweithwyr cymdeithasol, meddygol neu berthnasau preswylwyr eraill fyddai'r rhain – roedd hi'n llonydd, yn ddidramgwydd ac yn ymddwyn yn dda.

Roedd hi'n hollol amlwg i bawb a oedd yn gweithio yn y cartref mai'r preswylwyr eraill oedd yn tramgwyddo Penny, felly pam yn y byd y rhoddwyd hi i eistedd yn y lolfa bob dydd? Wel, dyna mae staff yn ei sicrhau sy'n digwydd bob dydd mewn lliaws o gartrefi gofal ledled y wlad. Ar ddechrau'r dydd, rhoddir cymorth i breswylwyr godi o'r gwely, ymolchi a gwisgo. Cânt eu hebrwng i'r ystafell fwyta i gael eu brecwast, ac yna i'r lolfa lle y byddan nhw'n treulio'u dyddiau yng nghwmpeini pobl y byddan nhw'n aml yn eu hystyried yn unigolion nad oes ganddyn nhw ddim oll yn gyffredin â nhw. Ac eto, drwy wneud hyn, mae staff yn gwrthod i'r preswylwyr yr hyn y bydd pob un ohonom yn ei drysori – lle i ni ein hunain. Ers cyfnod ein plentyndod mae pob un ohonom wedi gwerthfawrogi gwybod bod y fath le'n bodoli. Rhywle y gallwn ni fynd iddo i fod ar ein pen ein hun, i ymgolli mewn breuddwydion – rhywle i ddianc iddo, hyd yn oed. Nid ydym yn ildio'r teimladau hyn wrth i ni heneiddio. Mewn cartref gofal, mae hyn hyd yn oed yn fwy arwyddocaol, oherwydd bod ystafell preswylydd yn bont rhwng yr hyn a fu a'r hyn sydd erbyn hyn.

Ar sawl achlysur, rwyf wedi gofyn y cwestiwn hwn i ofalwyr a nyrsys: pe baech chi'n byw mewn cartref gofal, ble hoffech chi dreulio eich dyddiau? Yn eich ystafell yng nghanol eich pethau chi eich hun – eiddo sy'n atseinio ag atgofion, ffotograffau sy'n bwydo ffynhonnell ddofn o deimladau, eich cerddoriaeth yn chwarae'n dawel yn y cefndir – neu mewn lolfa anghyfarwydd yng nghanol dieithriaid sy'n ymddwyn mewn ffyrdd rydych chi prin yn eu deall? Ni chlywais neb erioed yn dweud, 'Rhowch fi i eistedd yn y lolfa. Wrth ochr y fenyw yna sy'n gwlychu'i hun, gyferbyn â'r dyn sy'n tynnu'i ddillad byth a hefyd.' Felly pam mae'r un aelodau o'r staff yn mynnu parhau i fynd â phreswylwyr i ryw lolfa gyffredin, o dan yr argraff mai dyma ble maen nhw'n dymuno bod? Rydw i'n meddwl bod yr ateb i'w gael yn nhraddodiadau gofal sefydliadol.

Hyd at ryw ddegawd yn ôl, byddai pobl â dementia'n treulio'u misoedd, os nad eu blynyddoedd, olaf mewn ysbytai seiciatrig, gan fyw ar wardiau ysbyty cynllun agored. Y cyfan a oedd ganddyn nhw yno oedd y gwely, y cwpwrdd wrth ei ymyl, a'r llenni o gwmpas y ciwbicl. Bob munud, boed effro neu ynghwsg, roedden nhw yn y golwg i bawb eu gweld, heb unrhyw newid mewn golygfa na dim gronyn o gysur. Yn y pen draw, y farn oedd bod hyn yn annerbyniol a chyflwynwyd y lolfa. Roedd hon yn aml yr un mor llwm â'r ward a oedd ynghlwm wrthi. Dyma ble byddai pawb yn cael eu hebrwng neu eu hannog i fynd iddo: i'r 'ystafell ddydd' i dreulio'u hamser mewn cadeiriau esmwyth heb ddim llawer i'w denu ond sŵn y teledu yn y cefndir, a oedd yn grwnian o fore gwyn tan nos.

Pan ildiodd y Gwasanaeth Iechyd Gwladol bob cyfrifoldeb dros ddarparu lle byw i bobl, dymchwelwyd yr ysbytai meddwl a'r ysbytai geriatrig. Adleolwyd gofal parhaol ar gyfer pobl â dementia i sector cartrefi gofal a oedd yn cynyddu'n gyflym. I ddechrau adeiladwyd cartrefi nyrsio, ac yna daeth cartrefi gofal preswyl. Y templed i'r ddau fath o gartref oedd y cartrefi gofal yr arferai awdurdodau lleol a grwpiau gwirfoddol eu darparu. Roedd gan y rheiny lolfa i breswylwyr. Ond mae pethau'n newid.

Dengys ffotograffau astudiaeth Peter Townsend o gartrefi gofal ar ddiwedd y 1950au ei bod yn rhaid i chi allu cerdded a bod yn annibynnol i bob pwrpas er mwyn gallu mynd i fyw mewn cartref gofal preswyl. Os nad oeddech chi felly, byddech yn mynd i'r ysbyty i gael eich gofal. Felly petaech chi mewn lolfa, byddech yng nghwmni pobl a oedd, mae'n siŵr, yn dod o'ch cymdogaeth chi, a gallech sgwrsio a hel atgofion â nhw a chael ymdeimlad o berthyn yn eu mysg. Byddai bod mewn lle o'r fath yn ddiddan ac, yn fwyaf pwysig, roedd pawb yn gallu dewis pryd i fynd i'r lolfa a phryd i adael i fynd am dro bach neu i'w hystafelloedd. Nid dyma a welir mewn cartrefi gofal heddiw, a lefel y ddibyniaeth ac anghenion cymhleth yn fwy tebyg i'r hyn a welid gynt ar wardiau ysbytai. Serch hynny, ni fu difrifoldeb y dementia erioed yn rheswm dros ddod â phobl at ei gilydd i lolfa i gael gofal. Pwrpas y lolfa oedd cynnig rhywbeth amgen na'r ward ddigalon a digroeso ble bydden nhw wedi treulio'u dyddiau fel arall.

Mewn gofal y dyddiau hyn, nid yw pobl â dementia difrifol bellach yn byw mewn neuaddau cysgu agored, ond maen nhw'n gallu mwynhau cysur a phreifatrwydd eu hystafelloedd eu hunain. Pan fydd pobl a'u teuluoedd yn cyrraedd cartref gofal, fe'u hanogir i roi gwedd bersonol ar yr ystafell gan ddefnyddio'u heiddo. Gofynnir iddyn nhw ddod â darluniau, ffotograffau, pethau i gofio'u bywyd, ornaments, cwrlid gwely, teledu, a hyd yn oed ddarnau bach o gelfi. Mae'r pethau cyfarwydd hyn yn rhoi pleser, ond maen nhw hefyd yn meithrin ymdeimlad o ddiogelwch, sy'n deillio o ymdeimlad mai dyma ble rydych chi'n perthyn. Y dyddiau hyn, mae rhoi pobl yn y lolfa yn eu gwahanu oddi wrth yr ymdeimlad hwn o berthyn.

Yr unig ganlyniad y gellir dod iddo yw hwn. Os yw rhywun yn dymuno aros yn ei ystafell, ni ddylid ystyried hynny yn awydd afiach sy'n arwydd o ddymuno bod yn ynysig, eisiau ymgilio nac o fod ag iselder – yn hytrach, gall fod yn ddymuniad dealladwy ac addas i gael rhywbeth cyfarwydd o'ch cwmpas, i gael parhad a phreifatrwydd. Nid sôn am ystafelloedd moel yr ydym fan hyn, ond ystafelloedd a gyfoethogwyd gan adloniant a phetheuach atgofus bywydau pobl.

Esboniais hyn oll i deulu Penny gan awgrymu efallai y byddai hi'n well iddi dreulio'i dyddiau yn ei hystafell. Eu hymateb hwy oedd peidio â hoffi fy awgrym o gwbl.

'Sbin yw hyn i gyd,' meddai ei merch. 'Rydym ni'n gwybod am y problemau mae Mam yn eu hachosi yn y lolfa. Ond nid ei bai hi mo hynny. Mae hi'n dechrau corddi ac wedyn dyw hi ddim yn gallu helpu'i hunan. Y cyfan rydych chi am ei wneud yw ei chadw o'r ffordd. Rydych chi am ei neilltuo hi i lawr rhyw goridor fel nad oes neb yn gallu'i gweld hi. Does ganddo ddim oll i'w wneud â rhoi gwell ansawdd bywyd iddi hi.'

Roedd hyn yn ddealladwy, oherwydd bod y penderfyniad blaenorol i roi prydau bwyd Penny iddi yn y lolfa yn debyg iawn i gosb. Unwaith yn rhagor, eglurais fod rhai pobl weithiau'n dychryn wrth fod yng nghwmni pobl â dementia oherwydd nad oedden nhw'n gallu gweld y clefyd ynddyn nhw'u hunain. Roedd ymddygiad eu mam yn dangos i ni mai dyma sut y teimlai hi. Yr un a'm helpodd yn hyn oedd Mr K, gŵr Penny, a ddywedodd, 'Wel, fasech chi byth bythoedd yn fy nghael i i eistedd yn y lolfa yna.' Ar ôl i'w tad eu perswadio, ildiodd y teulu i'r ffaith nad oedd Penny byth yn ymddwyn yn heriol pan oedd hi ar wahân i bobl â dementia, ac felly y gallai fod rhywfaint o rinwedd yn fy nadl innau. I ddangos fy mod yn ymroddedig i'r hyn y cyfeiriais ato fel 'gofal ystafell-ganolog', soniais am yr angen i gyfoethogi ystafell Penny, i greu ymdeimlad o'r hyn oedd hi, a'r bywyd roedd hi wedi'i fyw. Roeddwn am i'r lle deimlo fel ystafell eistedd a chysgu lle byddai'n bleser treulio eich oriau, yn hytrach nag ystafell wely.

Wrth i'r teulu ddechrau cynhesu at fy mrwdfrydedd, cytunodd un o'i meibion fod y syniad yn swnio'n ddigon apelgar, ond na fyddai am weld drws ystafell eu mam ar gau. Gwyddai felly y byddai eu mam wedi'i chau o'r golwg. Os nad oedd hyn yn gosb, roedd hi'n amlwg ei fod er budd y preswylwyr eraill. Cytunodd rheolwr y cartref yn llwyr. Dywedais wrthyn nhw nad oedd argymell bod Penny yn treulio'i dyddiau yn ei hystafell yn gyfystyr â golygu y byddai'n methu cael cyfle i ymwneud â'r hyn oedd yn digwydd yr ochr arall i'r drws. Un o nodau'r staff fyddai rhoi rheswm digonol i Penny fod allan o'i hystafell, naill ai yn y lolfa neu mewn ystafell weithgaredd oherwydd bod rhywbeth yn digwydd yno yr hoffai hi fod yn rhan ohono, ac nid dim ond oherwydd bod y lle'n bodoli.

Mewn sawl ffordd, gallwch ystyried ystafell rhywun yn gartref iddo, lle canolir ei ofal, a'r ardal gyffredin y tu hwnt yw ei fyd, y denir pobl ati oherwydd ei bod yn lle gwerth chweil i fod ynddo. Wrth i fodlonrwydd ledu drwy'r ystafell, gydag ambell wên a nòd, mentrodd Mr K ofyn braidd yn betrus, 'Ond tybed na fydd rhai ohonyn nhw'n cerdded i mewn ac yn dwyn pethau fy ngwraig? Sut fyddwch chi'n stopio hynny rhag digwydd, oherwydd nad ydym ni eisiau cau ei drws?'

Nid oedd gosod 'giât plentyn' ar draws y drws yn ddewis, oherwydd bod hynny nid yn unig yn creu'r argraff waethaf o ofal sefydliadol diraddiol, ond yn berygl hefyd i bob preswylydd a allai gerdded heb gymorth, yn wahanol i Penny. A oedd gŵr Penny wedi dod o hyd i wendid yn y cynllun y byddai'n amhosibl ei ddatrys? Cytunodd pob un ohonom ei bod yn rhaid gwarchod ei hunaniaeth bersonol a'i heiddo. Dywedwyd bod gofyn i 'ofal ystafell-ganolog' alw'n anorfod am ddull mwy dynamig o ofal a fyddai'n estyn allan, a staff yn crwydro'r coridorau ac yn ymweld â phobl yn eu hystafelloedd i sicrhau bod popeth yn iawn. Ond nid oedd y teulu wedi'u hargyhoeddi y byddai hyn yn ddigon i atal preswylydd dryslyd ac ar goll rhag crwydro i mewn i ystafell Penny. Nid oeddem ninnau chwaith yn ffyddiog.

Eisteddai tri ohonom gyda'n gilydd, gan wrthod rhoi'r gorau i'r hyn a welem fel ateb posibl i drallod Penny. Hyd y dydd heddiw, nid wy'n hollol siŵr pwy awgrymodd y peth gyntaf: ai fi, rheolwr y cartref ynteu'r pennaeth gofal. Pwy bynnag ydoedd, cytunodd pob un ohonom y gallai hyn fod yn ateb. Beth am osod llen gleiniau ar ffrâm y drws? Hyd yn oed â'r drws ar agor, byddai llen gleiniau ar draws yr adwy'n atal rhywun rhag cerdded i mewn i ystafell Penny. Yn fwy na hynny, mae'n debygol y byddai'n cuddio'r ffaith bod mynedfa i rywle yno o gwbl. O ganlyniad, byddai preswylwyr yn cerdded heibio, heb feddwl eilwaith. Trafodwyd y syniad gyda rhai o'r staff a chodwyd un gofid gan un o'r cynorthwywyr gofal. Beth pe bai preswylydd yn ceisio cerdded drwy'r llen, tybed na fyddai'n mynd ynghlwm ynddi ac 'yn ei grogi'i hun'? Er mor annhebygol oedd hyn, ni allem anwybyddu'r posibilrwydd. Ni allem reoli un risg ar draul creu un arall. Er mawr ryddhad i bawb a gydag amser, ymdrech a diolchgarwch enfawr i ryfeddodau'r rhyngrwyd, llwyddwyd i brynu llen gleiniau a oedd yn dymchwel wrth ei thynnu. Ni allai felly fyth fod yn fygythiad, heb sôn am fod yn offeryn i grogi rhywun.

Roedd ymateb teulu Penny yn rhagorol. Daeth ornaments, ffotograffau a phob math o betheuach i'r ystafell. Roedd ei bwrdd gwisgo yn union hynny – bwrdd gwisgo ac arno frwsh gwallt, persawr a gemwaith. Daethom i ddeall ei bod hi'n dwlu ar sioeau cerdd – roedd *West Side Story*, *Oklahoma*, *South Pacific*, *Seven Brides For Seven Brothers*, ynghyd ag Elvis Presley a *Grease* ar ei rhestr o ffefrynnau – felly ar yr uned ger y ffenestr roedd bellach deledu bach, chwaraewr CDau a llyfrgell o fideos ac albymau. Uwchlaw ei gwely, roedd *collage* a wnaed gan ei hwyres a oedd, yn ffodus, yn astudio mewn coleg celf cyfagos. Bellach roedd aelodau'r teulu ddoe a heddiw'n gwenu i lawr ar Penny. Roedd hi hyd yn oed yn yfed te o'i mŷg ei hun, yr un roedd ei mab wedi dod iddi hi o Ddulyn, yr un â'r glust ar siâp telyn. Dyma gartref Penny mewn gwirionedd nawr.

Fel roeddem wedi dweud, roedd yn rhaid i'w chynllun gofal barhau i fod yn fywiog ac yn ymestyn allan. Bob 20 munud, byddai rhywun yn edrych amdani. A oedd popeth yn iawn? A oedd hi'n eistedd yn gyfforddus? A oedd ei cherddoriaeth yn dal i chwarae? A oedd y fideo wedi dod i ben? A oedd hi'n amser iddi eistedd yn dawel? A oedd unrhyw beth yn digwydd yn y cartref yr hoffai Penny ymuno ag ef? A oedd unrhyw un yn ei hystafell? Yn ateb i'r cwestiwn olaf hwnnw, yr ateb bob amser oedd na; roedd y llen gleiniau wedi gweithio. Ambell dro, roedd rhai preswylwyr yn stopio a chwarae gyda'r gleiniau, ond nid oedd neb wedi ceisio mynd i mewn i ystafell Penny.

Nid oedd amheuaeth bod Penny bellach yn wraig fodlon ei byd. A hithau'n ddiogel a chyfforddus ymysg ei phethau cyfarwydd, heb fod pobl a arferai ei phoenydio'n tarfu arni, nid oedd ganddi reswm o fath yn y byd erbyn hyn i weiddi na bod yn sbeitlyd. Yn hytrach, eisteddai'n dawel am oriau bwygilydd yn gwylio'i ffilmiau, yn gwrando ar gerddoriaeth, neu'n synfyfyrio. Pwy a ŵyr faint a ddeallai o'r byd o'i chwmpas. Bach iawn, mae'n debyg, ond nid oedd hynny'n fawr o bwys. Teimlai ei bywyd yn well.

Ar hyd y coridor, bedair ystafell wely i ffwrdd, roedd menyw arall ag ofnau tebyg yn byw. Roedd hithau wedi profi'r un atgasedd o ddod wyneb yn wyneb â phobl â dementia, ac eto, roedd hithau hefyd wedi ailgynefino â deall beth yw cael tawelwch meddwl. Erbyn hyn roedd hithau'n ddedwydd, a'i dyddiau'n heddychlon. Ei henw yw Janet (gweler Pennod 6). Fel Penny, nid oedd hithau chwaith braidd byth yn gadael ei hystafell ac anaml iawn y cafodd wahoddiad iddi wneud. Yng nghanol ei phetheuach ac ar wahân i'r bobl a oedd yn codi ofn arni, roedd Janet, gwraig swil ac ofnus, yn byw mewn heddwch unwaith eto. Unwaith yn rhagor, hi oedd y chwaer a'r fodryb a gawsai ei hanwylo gymaint, ac o ganlyniad, roedd ei theulu ar gael iddi unwaith eto. Roedd Penny K a Janet ill dwy wedi cael eu hadfer i'r hyn yr arferen nhw fod drwy gyfrwng y diogelwch, y cysur a'r parhad a ddarperir gan 'ofal ystafell-ganolog'. Ac eto, pe bai eu llwybrau wedi croesi yn y coridorau neu yn y lolfa, byddai'r awyr wedi bod yn drwm gan elyniaeth a gwrthdaro – oherwydd bod y ddwy wraig yn gwybod i sicrwydd nad oedd ganddyn nhw ddim oll yn gyffredin.

Cydnabyddiaethau

Mae arnaf ddyled enfawr i'r arloeswyr mawr a fentrodd i fydoedd cymhleth seicoleg a niwroleg drwy gyfrwng adrodd straeon. Hoffwn yn arbennig gydnabod Sigmund Freud, y mae cynifer heddiw yn ystyried ei syniadau yn rhai hen ffasiwn, ond a'm cyflwynodd drwy ei ysgrifennu i gymhlethdod y meddwl; ac Oliver Sacks a oleuodd fy nealltwriaeth o'r berthynas rhwng yr ymennydd ac ymddygiad.

Hoffwn gydnabod y cyfraniadau pwysig a chreadigol niferus gan gyd-weithwyr yr wyf wedi gweithio ochr yn ochr â nhw, ac a roddodd gymorth i gadarnhau fy syniadau ac ysbrydoli fy ffydd yng ngallu'r ysbryd dynol i oroesi yn wyneb trallod. Mae'n ddrwg gen i fy mod i wedi gorfod gwneud eich cyfraniadau i'r straeon hyn yn ddienw.

Diolch o galon hefyd i Andrew Chapman am ei waith golygu sensitif ar y testun gwreiddiol, ac i Richard Hawkins a Sue Benson yn Hawker Publications am eu hanogaeth eiriol a'u harweiniad rhadlon.

Cyflwynir y gyfrol hon i'm gwraig, a roddodd i mi ei chefnogaeth gariadus pan oedd ei gwir angen arnaf, ac i'm plant a aberthodd yn ddi-gŵyn.

Atodiad I

Llyfryddiaeth

Garland K, Beer E, Eppingstall B, O'Connor D W (2007) A comparison of two treatments of agitated behaviour in nursing home residents with dementia: simulated presence and preferred music. *American Journal of Geriatric Presence Therapy*.

Gilleard C J (1984) *Living with Dementia*. Llundain: Croom Helm.

Hope R A, Fairburn C G (1990) The nature of wandering in dementia: a community-based study. *International Journal of Geriatric Psychiatry* 5 239–45.

James I A, Carlsson-Mitchell P, Ellingford J, Mackenzie L (2007) Promoting attitude change: staff training programme on continence care. *PSIGE Newsletter*.

James I, Mackenzie L, Stephenson M, Roe M (2006) Dealing with challenging behaviour through an analysis of need: the Columbo approach. Yn Marshall M, Allan K (goln) *Dementia: Walking Not Wandering*. Llundain: Hawker Publications.

Jones M (1999) *Gentlecare*. Vancouver: Hartley & Marks.

Keady J, Nolan M, Gilliard J (1995) Listen to the voices of experience. *Journal of Dementia Care* 3 15–17.

Killick J (1994) Giving shape to shadows. *Elderly Care* 6 10.

Kitwood T (1989) Brain, mind and dementia: with particular reference to Alzheimer's disease. *Ageing and Society* 9 1–15.

Kitwood T (1990) The dialectics of dementia: with particular reference to Alzheimer's disease. *Ageing and Society* 10 177–96.

Kitwood T (1994) Lowering our defences by playing the part. *Journal of Dementia Care* 2 12–14.

Kitwood T (1995) Cultures of care: tradition and change. Yn Kitwood T, Benson S (goln) *The New Culture of Dementia Care*. Llundain: Hawker Publications.

Koch T, Webb C (1996) The biomedical construction of ageing: implications for nursing care of older people. *Journal of Advanced Nursing* 23 954–59.

Luria A R (1976) *The working brain: an introduction to neuropsychology*. Efrog Newydd: Basic Books.

Marshall M (1998) Therapeutic buildings for people with dementia. Yn Judd S, Marshall M, Phippen P (goln) *Design for dementia*. Llundain: Hawker Publications.

Marshall M (2006) Cyflwyniad. Yn Marshall M, Allan K (goln) *Dementia: Walking Not Wandering*. Llundain: Hawker Publications.

Moniz-Cook E, Woods R T, Richards K (2001) Functional analysis of challenging behaviour in dementia: the role of superstition. *International Journal of Geriatric Psychiatry* 16 45–56.

Moniz-Cook E, Stokes G, Agar S (2003) Difficult behaviour and dementia in nursing homes: five cases of psychosocial intervention. *Clinical Psychology and Psychotherapy* 10 197–208.

Morris E (1995) This living hand. *The New Yorker* 16 Ionawr 1995.

Morton I (1999) *Person-Centred Approaches to Dementia Care.* Bicester: Speechmark.

Pastalan L (1984) Architectural research and life-span changes. Yn Snyder J (gol.) *Architectural Research.* Efrog Newydd: Van Nostrand Reinhold.

Peak J S, Cheston R (2002) Using simulated presence therapy with people with dementia. *Ageing and Mental Health* 6 77–81.

Rogers C R (1951) *Client-centred Therapy: Its Current Practice, Implications and Theory.* Boston: Houghton Mifflin.

Sacks O (1985) *The Man Who Mistook His Wife for a Hat.* Llundain: Picador.

Sacks O (2007) The Abyss. *The New Yorker* 24 Medi.

Samson D M, McDonnell A (1990) Functional analysis and challenging behaviours. *Behavioural Psychotherapy* 18 259–72.

Shulman K I (2000) Clock-drawing: is it the ideal cognitive screening test? *International Journal of Geriatric Psychiatry* 15 548–61.

Stokes G (1995) Incontinent or not? Patient first, dementia second. *Journal of Dementia Care* 3 20–21.

Stokes G (1996) Challenging behaviour in dementia: a psychological approach. Yn Woods R (gol.) *Clinical Psychology and Ageing.* Chichester: John Wiley.

Stokes G (1996) Driven by fear to defend his secure world. *Journal of Dementia Care* 4 14–16.

Stokes G (1997) Reacting to a real threat. *Journal of Dementia Care* 5 14–15.

Stokes G (2000) *Challenging Behaviour in Dementia.* Bicester: Speechmark.

Stokes G (2003) Psychological approaches to bowel care in older people with dementia. Yn Potter J, Norton C, Cottenden A (goln) *Bowel Care in Older People*. Llundain: Royal College of Physicians.

Stokes G (2004) What have I done to deserve this? Understanding aggressive resistance. *Journal of Dementia Care* 12 30–2.

Stokes G (2006) We walk, they wander. Yn Marshall M, Allan K (goln) *Dementia: Walking Not Wandering*. Llundain: Hawker Publications.

Townsend P (1962) *The Last Refuge*. Llundain: Routledge & Kegan Paul.

Wattis J (2002) Medication in the treatment of dementia. Yn Stokes G, Goudie F (goln) *The Essential Dementia Care Handbook*. Bicester: Speechmark.

Woods R, Ashley J (1995) Simulated presence therapy: using selected memories to manage problem behaviours in Alzheimer's disease patients. *Geriatric Nursing* 16 9–14.

Atodiad II

Geirfa

AGNOSIA – anhwylder adnabyddiaeth. Er enghraifft, nid oes ystyr i'r hyn a welir (agnosia gweledol). Ystyr lythrennol agnosia yw 'dim gwybodaeth'.

ALLDAFLU (*PROJECTION*) – mecanwaith amddiffyn pan fydd teimladau ac ymddygiadau annerbyniol yn cael eu priodoli i rywun arall.

APRACSIA – rhywbeth sy'n tarfu ar symudiadau o wirfodd a ddysgwyd (fel gwisgo) er bod yr unigolyn yn ddigon galluog yn gorfforol ac yn synhwyraidd. Ystyr lythrennol apracsia yw 'dim gwaith'.

ARCHWILIAD CYFLWR MEDDYLIOL CRYNO (MMSE: *MINI MENTAL STATE EXAMINATION*) – ffordd gryno o sgrinio rhywun i fesur ei wybyddiaeth, a all ddatgelu nam sy'n awgrymu dementia.

ASESIAD RISG – penderfynu pa mor debygol neu bosibl o ddigwydd y bydd rhywbeth y nodwyd bod iddo ganlyniad peryglus penodol. Dyma'r cam cyntaf yn y broses o reoli risg.

ATALNWYD – y grym meddyliol sy'n gyfrifol am gadw allan o'r meddwl ymwybodol atgofion sy'n creu pryder neu fraw.

ATWRNEIAETH ARHOSOL – gweler Atwrneiaeth Barhaus.

ATWRNEIAETH BARHAUS – trwy gyfrwng y ddogfen gyfreithiol hon yng Nghymru, Lloegr a Gogledd Iwerddon, mae rhywun â meddwl iach yn rhoi awdurdod i berson a enwir benderfynu ar ei ran ynghylch asedau a materion ariannol. Mae hyn yn rhagdybio'r posibilrwydd na fydd yn abl yn feddyliol rywbryd yn y dyfodol. Mae'r Atwrneiaeth Barhaus (LPA: *Lasting Power of Attorney*) wedi disodli'r Atwrneiaeth Arhosol (EPA: *Enduring Power of Attorney*) yn sgil Deddf Galluedd Meddyliol (2005).

BAFFL – teclyn ar ddrws i rwystro pobl sydd â dementia rhag ei agor. Mae cod digidol neu fath arall o system yn ei reoli.

(CAM)WEITHREDU GORUCHWYLIOL – gweithredu goruchwyliol yw'r lefel uchaf o allu ymenyddol sy'n galluogi rhywun i ymddwyn yn annibynnol yn llwyddiannus. Ystyr camweithredu goruchwyliol yw bod problemau'n bodoli gyda gallu unigolyn i farnu, i gynllunio, i resymu ac i benderfynu.

COF TREFNIADOL – gelwir hwn hefyd yn gof ymhlyg – dyma'r cof tymor hir sy'n cofio sgiliau a gweithdrefnau.

CREBACHU – lleihad neu ddirywiad mewn maint organ yn y corff. Mae crebachu cortigol yn cyfeirio at golli celloedd yr ymennydd a'r lleihad ym maint yr ymennydd o ganlyniad i hyn.

CYNLLUN GOFAL – y gweithredoedd a'r gwasanaethau sy'n ofynnol i ddiwallu gofynion iechyd a gofal cymdeithasol cleient.

CHWEDLEUA (*CONFABULATION*) – pan fydd person yn methu cofio digwyddiadau diweddar a rhywun yn gofyn iddo beth mae wedi bod yn ei wneud, fe all 'lenwi' unrhyw fwlch â stori ffug. Dyma yw chwedleua. Nid celwydd ofnadwy, ond rhyw fath o ddweud sut roedd yn arfer byw.

DADANSODDI SWYDDOGAETHOL – y broses o benderfynu

ystyr neu bwrpas (neu 'swyddogaeth') ymddygiad cyn datblygu ymyriad.

DADANSODDI YMDDYGIAD – cyfeirir ato'n aml fel dadansoddi ABC. Mae'r fethodoleg yn gofyn am ddisgrifiad clir o'r ymddygiad problematig sy'n cael ei archwilio ('B'). Mae hwn yn cael ei ddeall yn nhermau dylanwad gweladwy'r digwyddiadau sydd wedi bod o'i flaen a'u lleoliad (rhagflaenyddion 'A') a'r canlyniadau y gellir eu gwylio a ddilynodd ('C'). Gall dadansoddi ymddygiad fod yn rhagflaenydd i ddadansoddi swyddogaethol

DADATAL (*DISINHIBITION*) – symptom niwro-ymddygiadol sy'n ganlyniad i anafiadau yn yr ymennydd, neu niwed iddo, yn enwedig i'r llabed flaen. Mae dadatal yn arwain at lai o allu gan berson i reoli neu atal ei symbyliadau fel y byddwn ni'n ei wneud bob dydd. Gwnawn hyn oherwydd cwrteisi, sensitifrwydd, neu awydd i gelu ein gwir deimladau rhag eraill, neu er mwyn ymddwyn yn briodol yn gymdeithasol.

DADLEOLI SWYDDOGAETHOL – dull therapiwtig sy'n rhoi modd cyfatebol, mwy derbyniol yn gymdeithasol, i ddiwallu anghenion rhywun sy'n ymddwyn mewn dull sy'n herio eraill.

DIFFYG RHUGLDER – nam o ran siarad yn rhwydd ac yn rhugl. Mae'n cael ei fesur fel arfer yn ôl nifer y geiriau a gynhyrchir, ac o fewn categori cyfyngedig a therfyn amser.

DYSGU ANFWRIADOL – dysgu sy'n digwydd pan roddir sylw i symbylau heb fwriad i ddysgu. Hynny yw, dysgu heb wneud unrhyw ymdrech ymrwymedig i gofio.

EEG – yr *electroencephalograph* oedd un o'r dulliau cyntaf o allu gweld gweithgaredd ymenyddol dynol drwy fesur signalau a phatrymau trydanol yn yr ymennydd.

GARDD SYNHWYRAIDD – gardd ddiogel ac ysgogol sy'n apelio at bob un o'r synhwyrau gyda lliw, arogleuon, symudiadau, synau a diddordeb i'r llygaid.

GOFAL PERSON-GANOLOG – gofal sy'n canolbwyntio ar anghenion ac elfennau unigryw pobl. Mae cynlluniau gofal person-ganolog yn wahanol i ddiwylliannau sefydliadol gofal sy'n rhoi blaenoriaeth i dasgau, sy'n rhoi eu holl fryd ar glefyd ac anabledd, ac sy'n glynu wrth gred bod pawb yn byw eu bywyd yn yr un ffordd.

GORBARHAD (*PERSEVERATION*) – pan fydd pobl sydd fel arfer wedi cael niwed i labed flaen yr ymennydd yn ailadrodd symudiad neu weithred drosodd a throsodd yn anwirfoddol. Weithiau cyfeirir ato fel 'syndrom nodwydd wedi sticio'.

GORBRYDER GWAHANU – cyflwr o orbryder eithafol sy'n digwydd pan fydd unigolyn wedi'i wahanu oddi wrth berson neu le sy'n gwneud iddo deimlo'n ddiogel.

GWAITH STORI BYWYD – dysgu am fywyd person a defnyddio'r wybodaeth i ymwneud yn therapiwtig â hwnnw.

GWEITHREDOEDD GOFAL – gweithgareddau staff gofal wrth ofalu am unigolyn.

HEL ATGOFION – cofio profiadau neu ddigwyddiadau o'r gorffennol.

MYNEDIAD GWELEDOL – ystyr hyn yw bod gan bobl â dementia, pan fyddan nhw mewn adeilad, fel cartref gofal, gyfle i weld neu synhwyro ble maen nhw, neu ble maen nhw eisiau mynd.

NYRS SEICIATRIG GYMUNEDOL – nyrs a chanddi hyfforddiant iechyd meddwl sy'n gofalu am bobl sy'n byw yn eu cartrefi'u hunain.

NYRSIO RHWYSTROL – bydd pobl â heintiau ymledol yn cael eu nyrsio ar wahân gan ddefnyddio dull a elwir yn nyrsio rhwystrol. Mae'r technegau hyn yn diogelu'r ysbyty neu'r amgylchedd gofal rhag cael eu heintio â phathogenau peryglus.

PERSONOLDEB – term a wnaed yn boblogaidd gan y diweddar Athro Tom Kitwood. Mae'n golygu bod eraill yn cydnabod presenoldeb person â dementia sydd, fel unigolyn unigryw, yn deilwng o barch, a'i safbwynt yn un sy'n haeddu ei werthfawrogi.

PLENTYNEIDDIO – trin rhywun â dementia mewn modd nawddoglyd fel pe bai'n blentyn ifanc. Mae'n nodwedd o seicoleg gymdeithasol falaen (gweler t. 54).

SGAN YMENNYDD CT – mae tomograffeg gyfrifiadurol yn dechneg sganio sy'n creu delweddau o'r ymennydd.

TÎM IECHYD MEDDWL CYMUNEDOL – tîm o weithwyr proffesiynol y Gwasanaeth Iechyd Gwladol a gofal cymdeithasol sy'n cefnogi pobl sy'n byw yn eu cartrefi.

UNED HENOED BREGUS EU MEDDWL (*ELDERLY MENTALLY INFIRM*) – dyma'r term a ddefnyddir gan y gwasanaethau cymdeithasol am uned gofal dementia.